GARDIENS DES CITÉS PERDUES

L'AUTEUR

Diplômée de cinéma à l'université de Californie du Sud, **Shannon Messenger** est l'auteur d'une série jeunesse, *Gardiens des Cités perdues*, et d'une trilogie young adult, *Sky Fall*, toutes deux en cours. Elle vit en Californie avec son mari et un nombre embarrassant de chats, qui la surprennent souvent en train de dialoguer avec des créatures imaginaires.

Dans la même série

1 - *Gardiens des Cités perdues*
2 - *Exil*
3 - *Le grand brasier*

Shannon MESSENGER

Gardiens des Cités Perdues

Traduit de l'anglais (États-Unis)
par Mathilde Bouhon

LUMEN

Titre original :
Keeper of the Lost Cities

Loi n° 49-956 du 16 juillet 1949 sur les publications
destinées à la jeunesse : février 2017.

© 2012, Shannon Messenger.
© 2014, Lumen, pour la traduction française.
© 2017, éditions Pocket Jeunesse, département d'Univers Poche,
pour la présente édition.

ISBN 978-2-266-27066-3

Dépôt légal : février 2017.
Suite du premier tirage : mars 2018.

À mon père et ma mère,
qui ont toujours cru que ce jour viendrait.
(Et parce que j'espère
que les petits-enfants imaginaires,
ça compte!)

Prologue

Flous, morcelés, les souvenirs flottaient dans la tête de Sophie, sans qu'elle puisse en reconstituer le puzzle. En s'ouvrant, ses yeux ne rencontrèrent qu'une obscurité totale. Quelque chose de rêche lui enserrait les poignets et les chevilles : impossible de bouger.

Elle fut saisie d'un froid glacial quand l'horrible évidence s'imposa à elle…

Elle était prisonnière.

Un bâillon étouffa son appel à l'aide et, lorsqu'elle inspira, le parfum doucereux d'un sédatif lui picota les narines. La tête lui tournait.

Allaient-ils la tuer ?

Le Cygne Noir était-il réellement prêt à détruire sa propre création ? Mais alors, quel était le but du Projet Colibri ? Quelle était la raison d'être du Grand Brasier ?

La drogue l'entraînait dans un sommeil sans rêve, mais elle lutta, se raccrocha au seul souvenir susceptible de dissiper un tant soit peu ce brouillard noir comme de l'encre. Deux yeux magnifiques, couleur aigue-marine.

Ceux de Fitz. Son premier ami dans cette nouvelle vie. Son premier ami tout court.

Si elle ne l'avait pas remarqué, ce jour-là, au musée, alors qui sait... peut-être que rien de tout ce qui avait suivi ne serait arrivé.

Non. Elle le savait : même ce jour-là, il était déjà trop tard. Les feux blancs s'étaient embrasés et progressaient vers sa ville en emplissant le ciel de leur fumée poisseuse et sucrée.

L'étincelle avant l'incendie.

Chapitre 1

— Mademoiselle Foster !

À la place de la musique assourdissante résonna soudain la voix nasillarde de M. Sweeney, qui venait d'arracher d'un coup sec les écouteurs de Sophie.

— Vous vous croyez trop intelligente pour écouter ce que je vous raconte ?

Elle entrouvrit les paupières, réprima une grimace : la lumière aveuglante des néons qui se réverbérait sur les murs bleu vif du musée accentuait la terrible migraine qu'elle dissimulait.

— Non, monsieur Sweeney, marmonna-t-elle, les yeux baissés, sous les regards soudain furieux de ses camarades.

Elle secoua la tête pour se cacher derrière ses cheveux blonds mi-longs, jusque-là coincés derrière ses oreilles. Elle aurait voulu disparaître… Exactement le genre d'attention qu'elle s'efforçait à tout prix d'éviter ! La raison pour laquelle elle portait des couleurs ternes et restait toujours à la traîne ou au fond de la classe, dissimulée par les autres élèves, qui la dépassaient d'au moins une tête. Quel autre moyen avait-on de survivre quand, à douze ans seulement, on se retrouvait en terminale ?

— Dans ce cas… peut-être pourriez-vous nous expliquer pourquoi vous écoutiez votre iPod au lieu de suivre mes explications?

M. Sweeney brandit bien haut les écouteurs, comme s'il s'agissait d'une pièce à conviction – ce qu'ils étaient sans doute à ses yeux, d'ailleurs. Il avait emmené la classe de Sophie au musée d'Histoire naturelle de Balboa Park, persuadé que le voyage ravirait les lycéens. Pourtant, à défaut de voir les répliques de dinosaures géants prendre vie pour dévorer les visiteurs, la plupart s'ennuyaient ferme. Mais lui ne semblait pas l'avoir remarqué.

Sophie s'arracha un cil au coin de l'œil – un tic nerveux – et fixa ses pieds. Comment faire comprendre à M. Sweeney qu'elle avait besoin de musique pour noyer un bruit obsédant que lui n'entendait même pas?

Les bavardages des dizaines de touristes présents se répercutaient sur les murs constellés de fossiles et plongeaient la vaste salle dans un vacarme perpétuel. Mais le vrai problème, c'était les voix intérieures.

Le cerveau de Sophie captait des bribes de pensées éparpillées, déconnectées les unes des autres, un peu comme dans une pièce remplie de télévisions qui beugleraient toutes en même temps des programmes différents. Lorsqu'il tranchait dans le vif de sa conscience, chacun de ces fragments éveillait une douleur aiguë.

Un monstre, voilà ce qu'elle était.

Elle gardait ce secret – portait ce fardeau, pour être honnête – depuis le jour où, à l'âge de cinq ans, elle avait fait une mauvaise chute et s'était cogné la tête. C'est ce jour-là qu'elle avait commencé à entendre ce que tout le monde pensait autour d'elle. Elle avait tout essayé pour étouffer ce phénomène. Pour l'ignorer. Mais rien n'y faisait. Et impossible d'en parler à qui que ce soit. Personne n'aurait compris.

— Et si vous donniez votre propre conférence, puisque vous vous trouvez trop bien pour la mienne ? insista le professeur, le doigt pointé vers l'énorme dinosaure orange orné d'un bec qui trônait au centre de la pièce. Expliquez donc à vos condisciples ce qui différencie le *Lambeosaurus* des autres espèces étudiées !

Sophie réprima un soupir. Une image de la notice collée à la vitrine s'afficha dans son esprit. Elle y avait jeté un simple coup d'œil en entrant dans le musée, et sa mémoire photographique avait fait le reste. Au fur et à mesure qu'elle récitait le descriptif du fossile, le visage de M. Sweeney se décomposait de plus en plus, et elle entendait les pensées de ses camarades se teinter d'amertume. Ils n'étaient pas de grands fans du petit prodige de la classe, qu'ils surnommaient tous « l'Anomalie ».

Aussitôt la tirade terminée, M. Sweeney se dirigea sans attendre vers la salle suivante, et on l'entendit grommeler dans sa barbe « Espèce de bête de foire ! » Sophie ne suivit pas le mouvement. Les parois assez fines qui séparaient les deux pièces ne suffisaient pas à étouffer complètement les pensées des lycéens, mais elles les atténuaient tout de même. Elle profita de ce répit momentané.

— Bien joué, le monstre ! ricana Garwin Chang, dont le tee-shirt clamait : « Planquez-vous, j'ai des gaz ! » Tu es bonne pour un autre article dans le journal : « Petit prodige barbe toute sa classe avec le Machin-o-saurus. »

Il prit bien soin de la bousculer avant d'aller rejoindre leurs camarades.

Garwin n'avait toujours pas digéré de voir l'université de Yale offrir une bourse d'études à Sophie, alors que lui-même s'était vu refuser une scolarité là-bas à peine quelques semaines auparavant.

Pas que l'adolescente soit autorisée à rejoindre la prestigieuse institution, de toute façon. À en croire ses parents, c'était trop de pression, trop d'attention, elle était trop jeune. Fin de la discussion.

L'année suivante, elle irait donc à l'université de San Diego, bien plus petite et bien plus proche – fait surprenant qu'un reporter avait trouvé assez remarquable pour lui consacrer la une du journal local (« Petit prodige snobe Yale au profit de la fac régionale »). Photo de Sophie à l'appui. En découvrant l'article, ses parents avaient littéralement paniqué… Non, le terme n'était pas assez fort : plus de la moitié des règles de vie qu'ils imposaient à leur fille lui évitaient avant tout de trop « attirer l'attention ». Faire les gros titres, c'était le pire de leurs cauchemars. Ils étaient allés jusqu'à appeler le quotidien pour se plaindre !

Ils étaient tombés sur un rédacteur en chef tout aussi mécontent qu'eux, d'ailleurs. L'article sur Sophie avait été substitué par erreur à un autre, consacré au pyromane qui terrorisait la ville – une bévue dont ils essayaient encore de déterminer l'origine. Depuis quelques semaines, d'étranges brasiers incandescents étaient allumés par une main inconnue partout dans les environs. Ils dégageaient une épaisse fumée à l'odeur de sucre brûlé. C'était le mystère du moment, il passait donc avant tout le reste. Et surtout avant l'histoire d'une gamine sans importance que la plupart des lecteurs étaient trop heureux d'ignorer.

Enfin, jusqu'à présent.

À l'autre bout de la salle, Sophie remarqua justement le journal de la veille, orné de son embarrassante photo en noir et blanc. Il reposait entre les mains d'un garçon de haute taille aux cheveux bruns, apparemment plongé dans sa lecture. Soudain, l'inconnu leva la tête et la regarda droit dans les yeux.

Elle n'avait encore jamais vu des iris de cette couleur – d'un bleu-vert pareil à celui des morceaux de verre poli qu'elle ramassait sur la plage –, si clairs qu'ils miroitaient. Elle surprit une étrange expression sur son visage lorsque leurs regards se croisèrent. De la déception ?

Sans lui laisser le temps de se poser d'autres questions, il s'écarta de la vitrine à laquelle il était adossé et parcourut à grands pas la distance qui les séparait.

Une fois planté devant elle, il lui adressa un sourire qui n'aurait pas déparé sur une star de cinéma, et Sophie sentit son cœur s'emballer légèrement. Il désigna la photo en première page du journal.

— C'est bien toi, non ? demanda-t-il.

Sophie acquiesça, incapable d'ouvrir la bouche. Il devait avoir quinze ans, et c'était de loin le garçon le plus mignon qu'elle ait jamais vu. Que lui voulait-il ?

— Je me disais, aussi… marmonna-t-il.

Il examina son portrait, les paupières plissées, puis se tourna de nouveau vers elle.

— Je ne m'étais pas rendu compte que tu avais les yeux marron.

— Eh bien… si, dit-elle, prise au dépourvu. Pourquoi ?

Il haussa les épaules.

— Pour rien.

Quelque chose clochait dans cette conversation, qui la laissa déroutée et perplexe. Elle ne parvenait pas à identifier l'accent de l'inconnu. Britannique, peut-être… enfin pas tout à fait. Elle n'en avait jamais entendu de pareil, ce qui la perturbait étrangement.

— On est dans la même classe ? demanda-t-elle.

Et s'en mordit aussitôt la langue. À croire qu'elle avait le cerveau ramolli ! Comment aurait-il pu faire partie du groupe ? Elle ne l'avait jamais vu ! Parler aux garçons, surtout mignons, n'était décidément pas son fort…

Il lui répondit par la négative, un nouveau sourire sur ses lèvres parfaites, avant de désigner l'immense silhouette verdâtre qui les dominait. Un *Albertosaurus*, dans toute sa splendeur de lézard géant.

— Dis-moi… Tu crois vraiment qu'ils ressemblaient à ça ? C'est un peu absurde, tu ne penses pas ?

— Non, pourquoi ?

Elle se demandait ce qui le choquait. On aurait dit un petit tyrannosaure : gueule immense, dents acérées, bras ridiculement courts. Tout lui semblait en ordre.

— Quelle tête crois-tu qu'ils avaient ? insista-t-elle.

Il s'esclaffa, comme amusé par un secret connu de lui seul.

— Peu importe. Ta classe est en train de s'éloigner… À un de ces jours, Sophie !

Il s'apprêtait à prendre congé, quand deux groupes d'enfants de maternelle déferlèrent autour d'eux pour venir admirer l'exposition. Une marée de cris stridents frappa Sophie de plein fouet, au point qu'elle dut reculer d'un pas. Mais leurs voix intérieures étaient autrement plus insupportables.

Les pensées des gamins la transpercèrent comme autant d'aiguilles si aiguisées que son cerveau lui sembla soudain lardé de coups de couteau. Elle ferma les yeux et porta les mains à ses tempes pour les masser afin de soulager la douleur lancinante. Et se rappela tout à coup qu'elle n'était pas seule.

14

Elle balaya la pièce des yeux pour s'assurer que personne n'avait remarqué son étrange réaction, et croisa le regard de son interlocuteur. Les doigts appuyés sur son front, il affichait la même grimace de souffrance qu'elle-même avait sans doute sur le visage un instant plus tôt. Il la fixait intensément.

— Une minute… Tu les entends ? lui demanda-t-il tout bas.

Elle se sentit pâlir.

Non, impossible…

Il parlait des hurlements des enfants, sans aucun doute. Quel raffut ! Cris, couinements et gloussements, sans compter près de soixante voix qui piaillaient. Et le concert de leurs pensées, bien sûr.

Leurs pensées…

Elle sursauta et fit un nouveau pas en arrière. Son cerveau venait de résoudre le mystère ! Elle percevait les réflexions intimes de chaque visiteur présent dans la pièce… à l'exception de celles du nouveau venu, dont la voix ne devenait audible que lorsqu'il ouvrait la bouche.

Son esprit, lui, demeurait parfaitement silencieux. Elle n'avait encore jamais été confrontée à un tel phénomène.

— Qui es-tu ? murmura-t-elle.

La phrase lui avait échappé… Le garçon ouvrit aussitôt de grands yeux.

— J'en étais sûr ! s'exclama-t-il avant de se rapprocher pour chuchoter à son oreille. Tu es Télépathe ?

Elle tressaillit. Le mot lui fit dresser les cheveux sur la tête. Et sa réaction la trahit.

— Je le savais ! Incroyable… dit-il tout bas.

Sophie battit en retraite vers la sortie. Pas question de révéler son secret à un parfait inconnu. Il s'approcha d'elle, les mains tendues comme pour amadouer un animal sauvage.

— Non, attends… Ne crains rien. Je suis comme toi.

Elle en resta bouche bée. Il fit un autre pas dans sa direction.

— Je m'appelle Fitz.

Fitz? D'où sortait ce nom étrange?

Elle étudia son visage, à l'affût du moindre indice que toute cette conversation n'était qu'une vaste blague.

— Je ne plaisante pas, dit-il comme s'il lisait dans ses pensées.

D'ailleurs, peut-être était-ce le cas.

Elle chancela. Elle venait de passer sept longues années à espérer trouver quelqu'un comme elle, quelqu'un doué des mêmes capacités. Maintenant que l'oiseau rare se tenait devant elle, Sophie avait l'impression que le monde venait de basculer.

Fitz la rattrapa par le bras pour l'empêcher de tomber.

— Tout va bien. Je suis là pour t'aider. On te cherche depuis douze ans!

Douze ans? Et qui ça, « on »?

Plus important encore : que lui voulait ce curieux garçon?

Les murs commencèrent à se refermer sur elle et la pièce à tourner sur elle-même. De l'air. Il lui fallait de l'air.

Elle se dégagea pour se précipiter en titubant vers la sortie. Ses jambes flageolantes peinaient à trouver leur rythme.

Elle se retrouva devant l'escalier à l'entrée du musée, qu'elle dévala en inspirant à grandes goulées. Elle ignora la fumée des foyers d'incendie qui flottait jusqu'en ville et les cendres blanches qui lui voletaient dans la figure. Elle voulait fuir, fuir le plus loin possible de l'intrus.

— Reviens! cria Fitz derrière elle.

Une fois la cour traversée, elle se hâta de longer une large fontaine entourée de gazon et déboula sur le trottoir. Personne ne se mit en travers de son chemin – peu osaient braver les brumes épaisses qui s'insinuaient partout dans les rues. Mais elle entendait toujours les pas précipités de Fitz derrière elle : il la rattrapait.

— Attends ! lança-t-il. Tu n'as rien à craindre.

Sourde à ses explications, elle mit toute son énergie à accélérer encore. Elle résista à l'envie de jeter un coup d'œil par-dessus son épaule pour évaluer la distance qui les séparait. Elle se trouvait déjà au milieu de la rue lorsqu'un crissement de pneus fit bondir son cœur dans sa poitrine : elle n'avait pas regardé des deux côtés avant de traverser.

Sophie tourna la tête, et croisa le regard d'un conducteur terrifié qui freinait de toutes ses forces pour éviter de la renverser.

Elle était sur le point de mourir.

Chapitre 2

La seconde suivante défila à toute vitesse.

La voiture vira à droite – manquant Sophie d'un cheveu – avant de monter sur le trottoir et de percuter un réverbère. La lourde lanterne d'acier plongea en direction de la jeune fille.

Non! eut-elle le temps de penser. Puis son instinct prit le dessus en un éclair.

Elle tendit la main et alla puiser tout au fond d'elle-même une puissance qu'elle projeta instantanément du bout des doigts. Comme un prolongement de son bras, elle sentit l'énergie entrer en collision avec le métal.

Plus rien ne bougeait. Elle finit par lever les yeux et tressaillit.

Le lampadaire flottait au-dessus d'elle, maintenu en lévitation par la force de son esprit. Il lui semblait presque léger, alors qu'il pesait sans doute terriblement lourd.

— Pose-le par terre, lui lança une voix dont l'accent désormais familier la tira de sa transe.

Elle poussa un petit cri de surprise et, sans réfléchir, laissa retomber son bras. La lueur bleue du réverbère s'abattit en un éclair sur les deux adolescents.

18

— Attention! hurla Fitz, qui l'écarta une seconde à peine avant que la lanterne ne s'écrase au sol.

Renversés par la force de l'impact, ils tombèrent lourdement sur le trottoir. Le corps du jeune homme amortit la chute de Sophie : elle avait atterri sur sa poitrine.

Quelques secondes, le temps lui sembla suspendu. Elle le regarda dans les yeux – des yeux écarquillés autant qu'il était physiquement possible – en essayant de mettre un peu d'ordre dans le flot de pensées et de questions qui l'assaillaient.

— Comment as-tu fait ? murmura-t-il.

— Aucune idée.

Elle se redressa. Les dernières secondes repassaient en boucle dans sa tête. Elle n'y comprenait rien.

— Il ne faut pas rester là, l'avertit Fitz.

Il désigna le conducteur, qui les dévisageait comme s'il venait d'assister à un miracle.

— Il a tout vu, haleta Sophie, paniquée, la poitrine soudain serrée dans un étau.

Fitz se remit sur pied et l'aida à se relever.

— Allez, viens, on file !

Trop bouleversée pour échafauder elle-même un plan, elle ne résista pas quand il l'entraîna derrière lui dans la rue.

— Par où ? demanda-t-il à la première intersection.

Elle n'avait aucune envie de se retrouver seule avec lui, aussi indiqua-t-elle le nord, la direction du zoo de San Diego, qui ne manquerait pas d'être noir de monde malgré les incendies allumés en bordure de la ville.

Personne ne les poursuivait. Ils s'enfuirent pourtant à toutes jambes. Pour la première fois de sa vie, Sophie regretta de ne pouvoir entendre les pensées de son compagnon. Impossible de connaître ses intentions, et voilà qui changeait tout. Dans sa tête, elle échafauda toutes sortes de scénarios terrifiants, qui voyaient pour la plupart des agents du gouvernement la jeter dans une camionnette noire pour faire d'elle un cobaye. Tous ses sens en alerte, elle se tenait prête à bondir au moindre signe suspect.

Une fois dans l'immense parking du zoo, entourée de visiteurs qui s'affairaient autour de leurs voitures, Sophie se détendit un peu. En présence d'autant de témoins, que pouvait-il vraiment lui arriver? Elle ralentit le pas.

— Qui es-tu? Qu'est-ce que tu me veux? demanda-t-elle quand elle eut retrouvé un peu son souffle.

— Je suis venu t'aider, je te le promets.

Sa voix semblait sincère. Les soupçons de Sophie n'en furent pas dissipés pour autant.

— Tu es à ma recherche, pas vrai? Pourquoi?

Elle craignait d'entendre sa réponse et, nerveuse, s'arracha un nouveau cil. Il ouvrit la bouche, hésita.

— Je ne suis pas sûr de pouvoir te le dire.

— Comment pourrais-je te faire confiance si tu ne réponds pas à mes questions?

Il réfléchit un instant au dilemme auquel il était confronté.

— OK, très bien… Mais je ne sais pas grand-chose. Mon père m'a envoyé te trouver. Nous cherchons depuis un certain temps une fille de ton âge. Je devais te surveiller quelque temps et lui faire ensuite mon rapport, comme toujours. Je n'étais pas censé te parler.

Il fit la moue: il n'avait pas l'air très fier de la façon dont il s'était acquitté de sa mission.

— Mais je n'arrivais pas à te cerner, ajouta-t-il. Ton cas ne fait pas sens.

— Pardon?

— Tu es… différente de ce à quoi je m'attendais. Tes yeux, en particulier.

— Euh… C'est-à-dire?

Elle effleura ses paupières, soudain gênée.

— Nous avons tous les yeux bleus. Comme les tiens sont bruns, j'ai cru qu'on s'était encore trompés. Mais en fait, c'est bien toi.

Il lui sembla qu'il la regardait avec admiration.

— Tu es vraiment des nôtres, conclut-il.

Elle s'arrêta net et leva les deux mains devant elle, comme une barrière entre eux.

— Oh là, minute! Comment ça, « des nôtres »?

Il fronça les sourcils en remarquant un groupe de touristes à portée de voix. Il préféra attirer Sophie dans un coin désert du parking, et s'accroupit derrière un mini-van vert foncé.

— OK… ce n'est pas facile à dire, alors je vais être direct : nous ne sommes pas humains, Sophie.

Elle sursauta. L'espace d'un instant, les mots lui manquèrent, puis un rire hystérique lui échappa.

— Pas humains! répéta-t-elle, dubitative. Ben voyons…

Elle fit mine de quitter le parking, bien décidée à le planter là.

— Où vas-tu? s'étonna Fitz.

— Tu es un grand malade… et moi aussi pour t'avoir fait confiance.

Elle entreprit de s'éloigner à grands pas.

— C'est pourtant la vérité, lança-t-il. Réfléchis une minute!

Elle n'avait aucune envie de poursuivre cette conversation, mais le ton implorant de Fitz la poussa à faire volte-face.

— Est-ce que les Hommes peuvent faire ça? demanda-t-il.

Il ferma les yeux et disparut. L'espace d'une seconde, pas plus, mais le mal était fait : ébranlée par cette succession d'événements étranges, Sophie dut s'appuyer contre la voiture

21

la plus proche. Le monde se remit à tournoyer autour d'elle. Elle inspira à fond pour s'éclaircir les idées.

— Toi, peut-être... Mais moi, j'en suis parfaitement incapable! protesta-t-elle.

— Qui sait ce que tu peux faire, Sophie... pour peu que tu le veuilles vraiment. Rappelle-toi le lampadaire, tout à l'heure.

Il semblait si sûr de lui... et des faits tangibles venaient étayer ses affirmations.

Mais comment était-ce possible?

Et si elle n'était pas humaine, qu'était-elle?

Chapitre 3

— Alors… quoi? parvint à demander Sophie lorsqu'elle eut enfin recouvré l'usage de la parole. Tu es en train de dire que je suis… une alien?

Elle retint son souffle.

Fitz éclata de rire. Malgré le rouge qui lui montait aux joues, elle se sentit profondément soulagée. Elle n'avait aucune envie d'apprendre qu'elle était en fait une extraterrestre.

— Non, répondit-il après s'être calmé. Je suis en train de dire que tu es une elfe.

Le terme flotta entre eux, comme un corps étranger qui n'aurait pas sa place dans le monde réel.

— Une elfe? répéta-t-elle.

Des images de petits personnages en collants et aux oreilles pointues dansèrent devant ses yeux. Elle ne put retenir un gloussement.

— Tu ne me crois pas, dit-il.

— Ça t'étonne?

— Non… pas vraiment!

Il se passa une main dans les cheveux, ébouriffant ses boucles brunes.

Est-ce qu'un garçon aussi mignon pouvait être fou?

— C'est la vérité, Sophie. Je ne sais pas quoi te dire de plus.

— OK! acquiesça-t-elle. (Il refusait de se montrer sérieux? Alors elle aussi.) Très bien. Je suis une elfe. Est-ce que je dois aider Frodon à détruire l'anneau pour sauver la Terre du Milieu? Ou bien aller fabriquer des jouets au pôle Nord?

Il soupira, mais il affichait un petit sourire en coin.

— Si je te montre, tu me croiras?

— Oh, mais bien sûr... Ça va être énorme, je le sens!

Elle croisa les bras et le regarda sortir de sa poche un fin bâton argenté, gravé de motifs complexes. La pointe en était surmontée d'un petit cristal rond qui brillait à la lumière du soleil.

— Ta baguette magique? ne put-elle s'empêcher de demander, ironique.

Fitz leva les yeux au ciel. Il fit pivoter le joyau plusieurs fois avant de le fixer en place à l'aide d'un fermoir en argent.

— Non, c'est un éclaireur, rectifia-t-il. Je te préviens, ce n'est pas sans danger. Tu me promets de faire exactement ce que je te dis?

Le sourire de Sophie s'évanouit.

— Ça dépend. De quoi s'agit-il?

— De me tenir la main et de te concentrer sur le lien qui nous lie. Vraiment te concentrer : tu ne dois penser à rien d'autre, quoi qu'il arrive. Tu veux bien essayer?

— Pourquoi?

— Tu veux avoir la preuve de ce que j'avance, oui ou non?

Elle fut tentée de répondre non. Après tout, comment pourrait-il bien prouver ses allégations? Qu'allait-il faire? La transporter en un éclair dans une lointaine contrée magique?

24

Mais la curiosité de Sophie la titillait…

Et puis, quel mal pouvait-il y avoir à tenir la main de quelqu'un ?

Quand leurs doigts s'entrelacèrent, elle pria pour que ses paumes ne soient pas trop moites. Sa respiration s'accéléra, et partout où leur peau était en contact, elle sentit des fourmillements.

Il scruta encore une fois le parking.

— Pas un chat, parfait ! À trois, on y va. Prête ?

— Qu'est-ce qui se passe à trois ?

À son regard sévère, elle répondit par une grimace. Mais elle serra les dents et se concentra sur la main de Fitz, ignorant son cœur qui battait la chamade. Franchement… depuis quand se comportait-elle comme une fille sans cervelle ?

— Un ! compta-t-il, baguette brandie bien haut.

La lumière du soleil frappa une facette du cristal et un éclair lumineux fut renvoyé vers le sol.

— Deux !

Elle ferma les yeux, et il serra plus fort sa main.

— Trois !

Fitz attira Sophie à lui. Le fourmillement et la chaleur qui parcouraient les doigts de l'adolescente se répandirent dans tout son corps. Elle avait l'impression qu'une multitude de plumes se déployaient sous sa peau pour venir la chatouiller de l'intérieur. Elle étouffa un gloussement, se concentra comme promis sur Fitz. Mais… où était-il passé ? Elle avait bien conscience d'être agrippée au jeune homme… Pourtant, il lui semblait aussi que son corps prenait la consistance de la marmelade : seule la chaleur lovée autour d'elle l'empêchait de fondre et de disparaître complètement. Puis, en un clin d'œil, la sensation se dissipa et Sophie ouvrit les yeux.

Le spectacle qui l'attendait la laissa bouche bée. Elle se soupçonnait même de n'avoir pu retenir un couinement de surprise.

Elle se tenait au bord d'une rivière aux eaux limpides, bordée d'arbres immenses qui déployaient leurs larges feuilles vert sombre parmi des nuages blancs cotonneux. Sur l'autre rive, des châteaux de cristal miroitaient dans la lumière – si brillants que, de dépit, Walt Disney en aurait certainement réduit en miettes son « Royaume enchanté ». Sur la droite, un sentier doré menait jusqu'à une ville tentaculaire, dont les dômes sophistiqués semblaient faits de joyaux gros comme des briques : chaque bâtiment arborait une couleur différente. Des montagnes enneigées encerclaient cette vallée luxuriante. L'air frais et vif sentait la cannelle, le chocolat et le soleil.

Une telle magnificence ne pouvait tout simplement pas exister, et encore moins surgir de nulle part.

— Tu peux me lâcher, maintenant.

Sophie sursauta. Elle avait complètement oublié Fitz.

Lorsqu'elle eut libéré sa main, elle se rendit compte, à mesure que le sang affluait dans ses phalanges, combien elle l'avait serrée fort. Elle promena le regard tout autour d'elle, incapable de réconcilier son esprit rationnel avec ce qu'elle voyait. Les tours torsadées du château ressemblaient à du sucre filé et leur apparence lui rappelait quelque chose… mais quoi ?

— Où sommes-nous ?

— C'est notre capitale. Nous l'appelons Éternalia, mais peut-être la connais-tu sous le nom de Shangri-la.

— Shangri-la ? répéta-t-elle en secouant la tête. Attends… Shangri-la existe vraiment ?

— Toutes les Cités perdues existent. Pas telles que tu te les représentes, bien sûr. Les légendes des humains ont déformé la réalité… Pense à toutes les histoires ridicules que tu as dû entendre sur les elfes.

Elle ne put étouffer un rire, dont l'éclat sonore se répercuta sur les arbres qui les surplombaient. Un calme incroyable régnait autour d'eux. Seuls se faisaient entendre la brise qui lui caressait le visage et le doux murmure de la rivière. Ni circulation, ni bavardages, ni martèlement obsédant de pensées inavouées. Si seulement ce silence pouvait durer ! Elle n'aurait aucun mal à s'y faire… Malgré tout, il lui paraissait curieux. Comme si un élément essentiel manquait soudain à son univers.

— La cité est déserte ? demanda-t-elle, dressée sur la pointe des pieds pour mieux voir la ville, dont les rues semblaient vides.

Fitz désigna un dôme qui dominait tous les autres. Les pierres vertes du bâtiment ressemblaient à des émeraudes géantes mais, pour on ne sait quelle raison, il scintillait moins que le reste de la capitale. Un lieu austère, dévolu à des activités de grande importance.

— Tu vois cette bannière bleue qui flotte au vent ? Une audience est en cours. La population assiste aux débats.

— Une audience ?

— Une occasion où le Conseil – les membres de notre royauté, en quelque sorte – se réunit en tribunal pour décider si quelqu'un a violé la loi. C'est toujours un événement.

— Pourquoi ?

Il haussa les épaules.

— Les infractions sont rares.

Voilà qui, pour Sophie, était inhabituel. Les humains, eux, enfreignaient souvent le droit.

Elle secoua la tête, mal à l'aise. Voilà qu'elle parlait des siens comme d'une espèce différente… Mais comment réconcilier autrement sa présence dans ce lieu étrange avec la réalité ?

Elle tenta de se faire à l'idée que tout était vrai, de trouver un sens à ce bouleversement complet de ses repères.

— Alors… (Le terme qu'elle s'apprêtait à employer la faisait déjà grimacer.) Tout ça… c'est de la magie ?

Fitz rit à gorge déployée, comme si c'était la question la plus amusante qu'il ait jamais entendue. Elle le fusilla du regard. Qu'y avait-il de si drôle ?

— Non, répondit-il quand il se fut calmé. La magie, c'est un concept stupide inventé par les humains pour essayer d'expliquer des phénomènes qu'ils ne comprennent pas.

Elle inspira un bon coup, cherchant à se raccrocher aux dernières bribes de sa santé mentale.

— OK, rétorqua-t-elle. Dans ce cas, comment expliques-tu notre présence ici, alors qu'on était à San Diego il y a cinq minutes ?

Il leva l'éclaireur vers le soleil : un reflet vint tomber sur sa main.

— Un saut de lumière. On a profité d'un rayon qui se dirigeait tout droit vers Éternalia et on s'est laissés entraîner.

— C'est scientifiquement impossible.

— Ah oui ?

— Mais bien sûr ! On aurait besoin d'une énergie infinie pour voyager à la vitesse de la lumière. La théorie de la relativité, ça ne te dit rien ?

Elle croyait lui avoir cloué le bec, au lieu de quoi il s'esclaffa de plus belle.

— C'est la chose la plus absurde que j'aie jamais entendue. Qui a bien pu avoir une idée pareille ?

— Euh… Albert Einstein?

— Hmm… Jamais entendu parler. Mais il manquait d'intuition, le pauvre.

Il ne connaissait pas le plus grand physicien du XXe siècle? La théorie de la relativité était absurde?

Elle ne savait plus quel argument employer. Il semblait parfaitement sûr de lui… c'en était déconcertant! Il lui attrapa de nouveau la main et lança:

— Bon! Concentre-toi plus fort, cette fois-ci.

Les yeux clos, elle se prépara, comme un instant plus tôt, à se laisser envelopper par une chaleur duveteuse. Mais cette fois, on eût dit qu'un ouragan dispersait les plumes nichées sous sa peau dans un million de directions différentes. Jusqu'à ce qu'une autre force l'enlace, tel un élastique géant, pour la rassembler en un seul morceau. L'instant d'après, elle grelottait: une brise marine glaciale lui fouettait le visage.

Fitz désigna l'imposant château qui se dressait devant eux et luisait comme s'il avait été taillé dans le clair de lune.

— Alors… Comment est-on arrivés ici, dis-moi un peu?

Les mots manquèrent à Sophie. La lumière qui la traversait, puis l'emportait avec elle… C'est exactement ce qu'elle venait d'éprouver. Mais comment se résoudre à l'admettre? C'était accepter que tous les manuels de physique qu'elle avait étudiés jusqu'à ce jour se trompaient.

— Tu m'as l'air un peu déboussolée, lui fit-il remarquer.

— Réfléchis un peu, c'est comme si tu me disais: «Tu peux mettre tout ce que tu sais à la poubelle, merci bien!»

— Pour être honnête, je ne dis pas autre chose, avoua-t-il, un sourire narquois aux lèvres. Les Hommes auront beau faire, leur esprit ne pourra jamais saisir la réalité dans toute sa complexité.

— Qu'est-ce que tu essaies de dire ? Que les elfes sont les plus intelligents ?

— Bien sûr. Pourquoi es-tu autant en avance sur les autres élèves, à ton avis ? Le plus lent des nôtres battrait n'importe quel humain à plates coutures, même s'il n'avait pas suivi une scolarité elfique digne de ce nom.

Elle sentit ses épaules s'affaisser au fur et à mesure que son esprit absorbait ces paroles.

S'il avait raison, elle n'était qu'une pauvre fille qui ne connaissait rien à rien.

Non, pas une fille.

Une elfe !

Chapitre 4

Le paysage se troubla devant les yeux de Sophie. Panique ? Larmes qui lui brouillaient la vue ? Elle n'aurait pu le dire. Tout ce qu'elle savait du monde était faux. Sa vie entière se résumait à un simple mensonge.

Fitz lui effleura le bras.

— Tu n'y es pour rien. Tu as pris pour argent comptant tout ce qu'on t'apprenait… j'aurais fait pareil à ta place. Mais maintenant, tu sais. Et la magie n'a rien à voir à l'affaire. C'est ainsi que tourne le monde, point.

Soudain, les cloches du château carillonnèrent. Fitz attira Sophie derrière un gros rocher à l'instant où une lourde porte s'ouvrait. Deux elfes vêtus de tuniques noires et de capes en velours qui tombaient jusqu'au sol firent leur apparition, suivis de dizaines d'êtres étranges qui serpentèrent en formation militaire le long du sentier rocailleux. Chacun mesurait bien deux mètres et portait pour tout vêtement un pantalon noir qui laissait ses bras musclés et son torse puissant exposés aux regards. Nez épaté, épaisse peau grise toute plissée : on eût dit une espèce de tatou extraterrestre.

— Des gobelins, murmura Fitz. Sans doute les créatures les plus dangereuses qu'il te sera donné de rencontrer.

Heureusement qu'ils ont signé avec nous un pacte de non-agression.

— Alors pourquoi est-ce qu'on se cache? chuchota-t-elle d'une voix qui, à sa grande irritation, tremblait un peu.

— Nos vêtements. On est habillés comme des humains, or ils sont bannis des Cités perdues. En particulier ici, à Lumenaria, le carrefour où se rencontrent tous les peuples: gnomes, nains, ogres, gobelins, trolls…

L'esprit épuisé de Sophie refusait d'imaginer les êtres qu'il énumérait. Elle préféra se concentrer sur une question plus importante.

— Pourquoi avoir rejeté les Hommes?

Il lui fit signe de le suivre jusqu'à un rocher qui offrait un meilleur abri. Ensemble, ils se tapirent derrière.

— Ils nous ont trahis. Les Anciens Conseillers leur ont proposé le même traité qu'aux autres créatures intelligentes, et les humains l'ont accepté. Puis ils ont décidé qu'ils voulaient dominer le monde… comme s'il leur appartenait! Ils ont comploté pour préparer une guerre. Les Anciens, qui refusaient par principe la violence, ont rompu tout contact avec eux. Ils ont interdit à quiconque d'approcher les Hommes, qu'ils ont laissés maîtres de leur destin. Beau résultat, d'ailleurs!

Sophie, qui avait ouvert la bouche pour défendre son espèce, la referma aussitôt. Ce point de vue pouvait se comprendre: guerres, famines, criminalité… la liste des maux humains était sans fin.

Et puis… pouvait-elle vraiment y penser comme à son espèce? Si Fitz ne lui avait pas menti, elle n'était même pas des leurs. Cette idée la glaçait jusqu'aux os, bien plus que le vent froid qui lui rosissait les joues.

— Après notre disparition, les histoires colportées par les quelques humains que nous avions fréquentés ont dû sembler complètement irréalistes à leurs descendants. C'est de là qu'ont germé les légendes un peu folles que tu connais. Mais la vérité, tu l'as sous les yeux, Sophie.

Fitz engloba le paysage d'un geste large.

— Ceci est ton monde. Ta place est ici.

Ta place est ici.

Quatre petits mots qu'elle avait attendus sa vie entière.

— Je suis vraiment une elfe ? dit-elle d'une toute petite voix.

— Oui.

Sophie contempla, par-delà les rochers, le château qui s'élevait au loin. Un endroit de légende, censé sortir de l'imagination des Hommes, et qui pourtant se dressait devant elle. À l'aune de ses connaissances jusqu'alors, rien de ce que Fitz lui racontait ne faisait sens. Mais elle savait que c'était la vérité. Mieux, elle le sentait. Comme si la pièce manquante du puzzle de son identité était enfin tombée en place.

— OK, trancha-t-elle, la tête en proie à mille vertiges. Je te crois.

Au loin, une porte de fer se ferma dans un claquement sonore. Fitz sortit de l'ombre et dégaina une nouvelle baguette – non, un éclaireur – mince, noir, orné d'un cristal bleu cobalt.

— Prête à rentrer chez toi ?

Chez elle.

Deux mots qui la ramenèrent à la réalité. Si elle ne montait pas dans le bus avec les autres élèves, M. Sweeney appellerait sa famille. Sophie avait intérêt à rentrer avant que sa mère ne panique.

Elle sentit son cœur se serrer.

La réalité lui semblait soudain tellement ennuyeuse après ce qu'elle venait de découvrir ! Malgré tout, elle attrapa la main de Fitz, et jeta un dernier regard à l'incroyable paysage qui s'étirait devant elle avant qu'il ne s'évanouisse dans une lumière éblouissante.

Après l'air frais et vivifiant de Lumenaria, il lui sembla que les cendres fumantes de San Diego lui brûlaient les poumons. Surprise de reconnaître les simples bâtisses carrées qui se dressaient de part et d'autre de la chaussée, Sophie balaya du regard une rue étroite, bordée d'arbres. Ils avaient atterri à un pâté de maisons de chez elle. Elle renonça à demander à Fitz comment il connaissait son adresse.

Les yeux levés vers le ciel, il toussa d'un air contrarié.

— C'est trop d'espérer que les humains parviennent à éteindre une poignée d'incendies avant que la fumée ne pollue la planète entière, on dirait !

— Ils y travaillent, lui assura Sophie, mue par un étrange besoin de défendre son monde d'adoption. Et puis, ce ne sont pas des feux ordinaires ! Le pyromane a utilisé on ne sait quel agent chimique, du coup les flammes sont blanches et la fumée a un parfum un peu sucré.

D'ordinaire, les incendies estivaux donnaient à la ville une odeur de barbecue. Mais cette fois, on eût dit de la barbe à papa fondue – un arôme plutôt agréable d'ailleurs, n'eussent été les démangeaisons oculaires des habitants et la cendre qui tombait en pluie du matin au soir.

— Des pyromanes… marmonna Fitz, songeur, avec une bonne dose de réprobation dans la voix. Vraiment étrange, ce besoin de voir le monde brûler !

— Ça, tu peux le dire… reconnut-elle.

Elle aussi s'était demandé ce qui pouvait pousser quelqu'un à tout détruire par les flammes. Elle doutait qu'il existe une réponse valable à cette question.

Fitz tira l'éclaireur argenté de sa poche.

— Tu t'en vas ? demanda Sophie.

Elle se mordit la lèvre. Pourvu qu'il n'ait pas remarqué le tremblement dans sa voix !

— Je dois consulter mon père pour déterminer la voie à suivre. S'il le sait lui-même, d'ailleurs… Personne ne s'attendait à ce qu'on te retrouve enfin.

Enfin. Comme si l'objet de leur quête était quelqu'un d'important.

Si seulement elle pouvait entendre les pensées de Fitz, comprendre le véritable sens de cette phrase cryptée ! Mais l'esprit du jeune homme demeurait mystérieusement silencieux. Et impossible de savoir pourquoi.

— Il ne sera pas ravi d'apprendre que je t'ai emmenée voir nos cités, ajouta-t-il, même si j'ai veillé à ce que personne ne nous surprenne. Jure-moi que tu ne parleras pas de ce que je t'ai montré aujourd'hui.

— C'est promis.

Elle était sincère, et soutint son regard pour le lui prouver. Il respira mieux, comme soulagé.

— Merci. Bon, tâche de paraître normale, histoire que ta famille ne se doute de rien !

Elle acquiesça. Mais impossible de le laisser partir sans lui poser au moins la question qui la taraudait. Elle prit son courage à deux mains.

— Fitz… Comment se fait-il que je n'entende pas tes pensées ?

Il recula d'un pas, déconcerté :

— Je n'arrive toujours pas à croire que tu sois Télépathe.

— Ce n'est pas le cas de tous les elfes ?

— Non. C'est une aptitude spéciale, une des plus rares. Et puis, tu n'as que douze ans, non ?

— Et demi, corrigea-t-elle, vexée par sa remarque.

— C'est très précoce. J'ai la réputation d'être le plus jeune elfe chez qui ce pouvoir se soit manifesté, et j'avais quand même treize ans révolus.

Elle fronça les sourcils.

— Pourtant… j'entends ces voix depuis l'âge de cinq ans.

— Cinq ans ? s'étrangla-t-il.

Les façades des maisons leur renvoyèrent l'écho de son exclamation. Tous deux fouillèrent les ombres de la rue du regard pour s'assurer qu'ils étaient toujours seuls.

— Tu es sûre ? chuchota-t-il.

— Sûre et certaine.

Comment oublier le moment où, après s'être cogné le crâne, elle s'était réveillée à l'hôpital, le corps relié à toutes sortes de machines toutes plus inquiétantes les unes que les autres. Penchés sur elle, ses parents lui criaient des mots qu'elle peinait à distinguer des autres voix qui lui emplissaient désormais l'esprit. Elle n'avait eu d'autre solution que de pleurer en se tenant la tête, sans parvenir à expliquer ce qui lui arrivait à un groupe d'adultes qui ne comprenaient pas – qui ne pouvaient pas comprendre. Personne n'avait su dissiper ce vacarme obsédant. Depuis ce jour, les pensées de ceux qui l'entouraient n'avaient cessé de la hanter.

— C'est mauvais signe ? murmura-t-elle, nerveuse de voir l'appréhension altérer les traits de Fitz.

— Aucune idée.

Il plissa les yeux, comme s'il essayait de voir à l'intérieur de son crâne.

— Qu'est-ce que tu fabriques ? s'inquiéta-t-elle.

36

— Arrête de me bloquer! rétorqua-t-il sans répondre à sa question.

— Enfin… je ne sais même pas de quoi tu parles!

Elle s'écarta dans l'espoir qu'une distance plus importante évite à Fitz de surprendre ses idées les plus intimes.

— Il s'agit d'un moyen d'empêcher un Télépathe de te sonder, expliqua-t-il. Un peu comme si tu dressais un mur autour de ton cerveau.

— Alors c'est pour ça que ton esprit est complètement silencieux?

— Peut-être… Dis-moi à quoi je pense, en ce moment.

— Je te l'ai dit: pour moi, tes pensées sont inaccessibles! Dire que j'entends les autres réfléchir en permanence!

— Les humains ont un mental moins développé que le nôtre, tout simplement. Mais je ne te parle pas juste d'entendre. Essaie de m'écouter.

— A… Attends. Je n'ai jamais tenté de lire dans un esprit.

— Fie-toi à ton instinct, tu sauras quoi faire. Concentre-toi, allez!

Elle détestait qu'on lui donne des ordres… D'autant qu'il ne répondait à presque aucune de ses questions! D'un autre côté, obtempérer était peut-être le seul moyen de dévoiler la vérité – en particulier la source de l'inquiétude évidente du jeune homme. Restait encore à découvrir ce qu'il entendait par « écouter ».

Inutile d'ordonner à ses oreilles d'entendre… elles le faisaient d'elles-mêmes. Écouter, en revanche, comme toute action consciente, demandait de la concentration. Peut-être en allait-il de même avec la télépathie? Un peu comme s'il s'agissait d'un sens supplémentaire?

Elle focalisa son attention sur le front de Fitz, à l'affût de la moindre pensée. Elle se contraignit à imaginer que son

37

moi s'étirait dans cette direction, telle une ombre mentale. Au bout d'un instant, la conscience du garçon s'engouffra dans la tête de Sophie. Cette voix n'était ni aussi nette ni aussi forte que celle des humains, mais plutôt douce – comme un murmure qui effleurait son cerveau.

— Tu n'as jamais rencontré d'esprit aussi silencieux que le mien? s'exclama-t-elle.

— Tu m'as entendu?

Il avait pâli.

— C'est bien ce que tu m'as demandé de faire, non?

— Mais... Personne n'en est capable, d'habitude! avoua-t-il.

Il fallut quelques instants à Sophie pour digérer l'information.

— Et toi, tu n'arrives pas à lire dans mes pensées?

Il secoua la tête:

— Et pourtant, j'essaie de toutes mes forces.

Les ennuis la poursuivraient-ils donc toujours... jusque dans un autre monde? Elle n'avait aucune envie de passer pour une anomalie, même parmi les elfes!

— Comment est-ce possible? demanda-t-elle.

— Aucune idée non plus! Mais si on considère la couleur de tes yeux et le lieu où tu vis...

Il s'interrompit net, comme effrayé d'en avoir trop dit, et entreprit de manipuler le cristal de son éclaireur.

— Je dois poser la question à mon père.

— Attends... Tu ne peux pas m'abandonner comme ça!

Pas alors qu'elle avait encore une multitude de questions à lui poser.

— Je n'ai pas le choix. Je me suis déjà absenté trop longtemps. Et puis, il faut que tu rentres chez toi.

Il avait raison, bien sûr. L'absence inexpliquée de Sophie allait sans doute lui attirer un énorme savon. Mais lorsque son compagnon présenta le cristal à la lumière du soleil, l'adolescente se mit à trembler. Fitz représentait son seul lien avec le monde extraordinaire qu'elle venait d'entrevoir, la seule preuve qu'elle n'avait pas rêvé toute l'après-midi.

— Est-ce que je te reverrai? murmura-t-elle.

— Bien sûr. Je reviens demain.

— Comment est-ce que je te retrouverai?

Il eut un petit sourire.

— Ne t'inquiète pas! C'est moi qui te trouverai…

Chapitre 5

— Te voilà enfin! s'écria sa mère, dont les pensées paniquées se frayèrent un chemin jusqu'au cerveau de Sophie à l'instant où elle pénétrait dans leur salon encombré.

Sa mère était suspendue au téléphone.

— Oui, elle vient de rentrer, dit-elle dans le combiné. Pas d'inquiétude, nous allons avoir une longue discussion toutes les deux.

Sophie sentit son cœur tressaillir.

Sa mère raccrocha avant de la fusiller de ses grands yeux verts.

— C'était M. Sweeney. Il m'appelait pour dire qu'il n'arrivait pas à te retrouver, au musée. Qu'est-ce qui t'a pris, de disparaître de cette façon? Surtout en ce moment, avec les incendies qui mettent tout le monde sur les nerfs? Tu imagines mon angoisse? Et M. Sweeney qui était à deux doigts d'avertir la police!

— Je… je suis désolée, bredouilla Sophie.

Elle peinait à trouver un prétexte convaincant. Elle ne savait pas mentir.

— J'ai… pris peur.

La colère de sa mère se mua en inquiétude et elle se mit à triturer une boucle de ses cheveux bruns.

— Peur de quoi ? Que s'est-il passé ?

— J'ai vu un garçon un peu louche, dit Sophie en se rappelant que les meilleurs mensonges se basaient sur la vérité. Il tenait le journal avec ma photo. Il a commencé à me poser tout un tas de questions et j'ai eu peur, alors je me suis enfuie. Et puis après, je n'osais pas y retourner, donc j'ai marché jusqu'au tramway pour rentrer.

— Pourquoi n'as-tu pas averti ton professeur ou un des gardiens du musée, ou appelé la police ?

— Je n'y ai pas pensé. Tout ce que je voulais, c'était m'éloigner.

Elle arracha un de ses cils.

— Oh, arrête avec ce tic ! rouspéta sa mère en secouant la tête, les yeux clos, avant de prendre une profonde inspiration. Enfin, tu vas bien, c'est l'essentiel. Mais si jamais il t'arrive encore ce genre de mésaventure, surtout, préviens un adulte immédiatement, compris ?

Sophie acquiesça.

— Bien.

Sa mère frotta le pli qui se formait toujours entre ses sourcils lorsqu'elle était stressée.

— C'est exactement pour cette raison que l'article qu'ils t'ont consacré nous a mis hors de nous, ton père et moi. Dans ce monde, il est dangereux de se faire remarquer : on ne sait jamais ce qu'un allumé pourrait faire s'il savait où te trouver.

Personne ne comprenait les dangers de la singularité mieux que Sophie, elle qui avait été taquinée, tourmentée et harcelée toute sa vie.

— Je vais bien, maman, OK ?

Sa mère sembla se dégonfler tel un ballon de baudruche quand elle poussa un profond soupir.

— Je sais, c'est juste que j'aurais voulu…

Sa voix s'éteignit et Sophie ferma les yeux en espérant pouvoir ignorer le reste de sa pensée.

Que tu sois normale, comme ta sœur.

Ses mots transpercèrent le cœur de la jeune fille comme une minuscule épingle. Entendre ce que ses parents ne disaient pas : voilà ce qui était le plus dur pour la petite télépathe.

Elle savait que sa mère ne le pensait pas sérieusement. Mais sa peine n'en était pas moins grande.

Sa mère la serra fort contre elle.

— Sois prudente, Sophie. Je ne sais pas ce que je ferais s'il t'arrivait quoi que ce soit.

— Je sais, maman. Je ferai de mon mieux.

Mme Foster lâcha sa fille en entendant son mari entrer.

— Bonsoir, chéri ! On mange dans dix minutes, lui lança-t-elle. Amy ! appela-t-elle d'une voix plus forte, pour être entendue de l'étage. Tu descends, s'il te plaît !

Sophie suivit sa mère dans la cuisine, la boule au ventre. Linoléum usé, murs pastel, bibelots kitsch – tout lui semblait très ordinaire après les cités scintillantes que lui avait fait découvrir Fitz. Sa place était-elle vraiment là-bas ?

Ou était-elle ici ?

Le père de Sophie déposa sa mallette usée sur la table de la cuisine, puis embrassa son aînée sur la joue.

— Et comment va ma Choupine, aujourd'hui ? demanda-t-il avec un clin d'œil.

Sophie grimaça. C'était le surnom qu'il lui donnait depuis qu'elle était toute petite – apparemment, à l'époque, elle avait eu du mal à prononcer correctement son prénom –, et malgré ses centaines, non, ses milliers de protestations, il refusait d'arrêter.

Sa mère souleva le couvercle d'une casserole en train de mijoter, et un parfum d'ail et de crème emplit la pièce. Elle tendit les couverts à Sophie.

— À ton tour de mettre la table.

— Allez, Choupine, au boulot! dit Amy en venant s'affaler sur sa chaise habituelle.

Du haut de ses neuf ans, elle maîtrisait déjà à la perfection le rôle de la petite sœur insupportable.

Amy était l'opposé de Sophie en tout, depuis ses cheveux bruns bouclés et ses yeux verts jusqu'à ses notes médiocres et son incroyable popularité. Personne ne comprenait comment elle et Sophie pouvaient être sœurs, et encore moins la principale intéressée. Même leurs parents s'interrogeaient à ce sujet.

Les couverts glissèrent entre les doigts de Sophie.

— Qu'y a-t-il? demanda sa mère.

— Rien.

Elle se laissa couler sur une chaise.

Comment pouvaient-elles être de la même famille? Aucun doute, Amy était humaine. Ses parents aussi – elle avait surpris assez de leurs pensées pour savoir qu'ils ne cachaient aucun super-pouvoir. Et si elle était une elfe…

La pièce se mit à tournoyer, et Sophie se prit la tête dans les mains. Elle essaya de se concentrer sur sa respiration : inspire, expire, et ainsi de suite.

— Tout va bien, Choupine? demanda son père.

Pour une fois, le surnom ne la dérangea pas.

— J'ai un peu le vertige… sûrement la fumée, ajouta-t-elle pour éviter les soupçons. Je peux aller m'allonger?

— Tu ferais mieux de manger un morceau d'abord, dit sa mère.

Inutile de discuter. Sauter un repas, voilà qui serait parfaitement anormal, surtout un soir de *fettuccine* – son plat favori, même si la sauce très riche n'arrangeait pas sa nausée soudaine. Pas plus que les regards que lui jetait à présent sa famille.

Sophie tenta d'ignorer leurs pensées pleines d'inquiétude et s'efforça de mâcher puis d'avaler chaque bouchée, en se retenant de tirer sur ses cils. Lorsque son père posa finalement sa fourchette – signe que le dîner touchait à sa fin chez les Foster –, Sophie se leva d'un bond.

— Merci, maman, c'était délicieux! Je vais faire mes devoirs.

Elle quitta la cuisine et s'élança dans l'escalier qui menait à l'étage avant que l'un ou l'autre ait eu le temps de l'en empêcher.

Elle courut jusqu'à sa chambre, ferma la porte et tituba jusqu'à son lit. Un sifflement sonore déchira le silence.

— Désolée, Marty, murmura-t-elle, le cœur battant.

Son chat gris au pelage duveteux la fusilla du regard : elle s'était assise sur sa queue. Elle lui tendit tout de même la main et il s'approcha à pas de velours pour s'installer sur ses genoux. Son doux ronronnement emplit la pièce et lui donna le courage d'affronter la révélation qui venait de lui tomber dessus un instant auparavant.

Sa famille ne pouvait pas être sa famille.

Elle prit une profonde inspiration et laissa l'évidence l'envahir.

Le plus étrange, c'était que, d'une certaine manière, la situation lui semblait logique. Voilà pourquoi elle s'était toujours sentie en décalage parmi eux – elle, la blonde longiligne perdue au milieu de bruns joufflus.

Pourtant, ils formaient sa seule famille.

Et s'ils ne l'étaient pas… alors qui ?

La panique lui serra la poitrine jusqu'à lui couper le souffle. Mais une autre douleur plus profonde la lançait : elle avait l'impression qu'on lui écrasait le cœur.

Les larmes lui brûlaient les yeux. Elle les ravala. C'était forcément une erreur. Comment pouvait-elle ne pas être née de ses parents ? Elle entendait toutes leurs pensées depuis sept ans : comment aurait-elle pu ne pas le savoir ? Et quand bien même, cela ne changeait rien à rien, non ? Plein d'enfants étaient adoptés, et faisaient partie intégrante de leur nouvelle famille.

Sa mère entrouvrit la porte et sa tête apparut dans l'embrasure.

— Je t'ai apporté des cookies.

Elle tendit à Sophie une assiette de ses biscuits préférés, des E.L. Fudge, accompagnés d'un verre de lait, avant de froncer les sourcils.

— Je te trouve bien pâle, ma chérie. Tu es malade ?

De sa paume, elle toucha le front de sa fille.

— Tu n'as pas de fièvre.

— Je vais bien. Je suis juste… fatiguée.

Elle s'apprêtait à attraper un biscuit, mais se figea en remarquant le petit visage d'elfe qui l'ornait.

— Je ferais mieux de me coucher.

Sa mère la laissa se changer. Elle expédia sa routine du soir et se glissa sous les couvertures qu'elle tira jusque sous son nez. Marty prit sa place habituelle sur l'oreiller, près de sa tête.

— Fais de beaux rêves, Choupine, dit son père en déposant un baiser sur son front.

Ses parents la bordaient toujours – encore une tradition familiale chez les Foster.

— Bonne nuit, papa.

Elle tenta un sourire, mais pouvait à peine respirer.

Sa mère l'embrassa sur la joue.

— Ella est avec toi ?

— Oui.

Elle lui montra l'éléphant bleu blotti sous son bras. Elle était sans doute trop grande pour dormir avec une peluche, pourtant elle ne pouvait trouver le sommeil sans Ella. Elle avait besoin d'elle, ce soir plus encore que d'habitude.

Lorsque sa mère éteignit la lumière, Sophie trouva dans l'obscurité le courage qui lui manquait.

— Euh… je peux vous poser une question ?

— Bien sûr, répondit son père. Qu'est-ce qui te tracasse ?

Elle serra Ella plus fort.

— J'ai été adoptée ?

Sa mère s'esclaffa en repensant aux douze heures douloureuses qu'avait duré son accouchement.

— Non, Sophie. Pourquoi cette question ?

— Je ne pourrais pas avoir été échangée à la naissance ?

— Mais non, voyons !

— Vous êtes sûrs ?

— Oui. Je connais ma fille, quand même.

Pas le moindre doute dans l'esprit de sa mère.

— Qu'est-ce qui te prend, tout à coup ?

— Rien, je me demandais, c'est tout.

Son père rit à son tour.

— Désolé, Choupine, nous sommes bien tes parents, que ça te plaise ou non.

— OK, acquiesça-t-elle.

Mais elle n'en était plus si convaincue.

Chapitre 6

Cette nuit-là, Sophie rêva que les elfes des biscuits la retenaient en otage jusqu'à ce qu'elle ait maîtrisé toutes leurs recettes. Puis elle leur disait préférer les Oreo, et ils essayaient alors de la noyer dans un grand chaudron de caramel mou. Elle se réveilla en sueur et décida que le sommeil, c'était surfait.

Lorsque le jour se leva enfin, elle prit une douche rapide et enfila son jeans préféré ainsi qu'un haut jaune paille à rayures marron qu'elle n'avait encore jamais porté. C'était le seul article de sa garde-robe qui ne soit pas gris, aussi n'avait-elle jamais osé le mettre. Sa couleur, pourtant, faisait ressortir les éclats dorés des yeux de Sophie. Elle allait revoir Fitz aujourd'hui. Bien qu'elle refuse de l'admettre, elle voulait se montrer sous son meilleur jour. Elle s'attacha même les cheveux et hésita à mettre du gloss – mais ce serait aller trop loin. Puis elle descendit l'escalier à pas de loup pour jeter un coup d'œil à l'extérieur et voir s'il était là.

Clignant des paupières pour se protéger de la cendre, elle fit quelques pas dans le jardin. La fumée était si épaisse qu'elle lui collait à la peau. Franchement, quand allaient-ils enfin contenir ces feux?

— On cherche quelqu'un ? lui demanda le voisin d'à côté depuis son perchoir au milieu de la pelouse.

M. Forkle passait tout son temps là, à réarranger des centaines de nains de jardin en compositions élaborées.

— Non, répondit-elle, agacée par son indiscrétion. Je venais juste voir si la fumée était partie. Mais apparemment ce n'est pas le cas.

Elle toussa pour illustrer son propos. M. Forkle plongea ses yeux bleus dans ceux de Sophie. Il ne la croyait pas, elle le sentait.

— Vous, les gamins, marmonna-t-il. Toujours à préparer un mauvais coup.

Il adorait commencer ses phrases par « vous, les gamins ». Il était vieux, sentait mauvais et passait son temps à se plaindre de tout. Mais comme c'était lui qui avait prévenu les secours lorsqu'elle s'était cogné la tête en tombant, elle se devait d'être aimable.

Il déplaça un nain de jardin d'une fraction de centimètre sur la gauche.

— Tu ferais mieux de rentrer avant que la fumée te donne une de ces migraines dont tu as le secr…

Il fut interrompu par de violents jappements. Une minuscule boule de poils qui aboyait à pleins poumons fila sur le trottoir, poursuivie par un joggeur blond vêtu d'un short en lycra.

— Vous pouvez l'attraper, s'il vous plaît ? lança-t-il à Sophie à l'instant où le chien traversait la pelouse à toute vitesse.

— Je vais essayer.

L'animal était rapide, mais Sophie réussit à coincer sa laisse d'un bond maladroit. Elle s'agenouilla et caressa la petite créature hors d'haleine et aux yeux exorbités afin de la calmer.

— Merci infiniment, dit l'homme en remontant l'allée.

À peine s'était-il approché que le chien se mit à grogner et à tirer sur sa laisse en aboyant comme un fou.

— C'est la chienne de ma sœur, cria l'homme par-dessus le raffut. Elle me déteste. Pas ma sœur, bien sûr… la chienne, précisa-t-il.

Il lui montra une main recouverte de marques de morsure en demi-lune. Les blessures étaient récentes et saignaient encore – l'une d'elles paraissait plutôt profonde et lui laisserait à coup sûr une cicatrice.

Sophie prit la chienne tremblante dans ses bras. De quoi avait-elle aussi peur ?

— Vous accepteriez de la ramener chez ma sœur ? C'est à quelques pâtés de maisons d'ici, et elle semble vous apprécier plus que moi.

Il lui adressa un clin d'œil. Il avait les iris bleu perçant.

— Hors de question ! brailla M. Forkle avant même qu'elle ait pu ouvrir la bouche pour répondre. Rentre chez toi, Sophie. Quant à vous, ajouta-t-il en pointant le joggeur du doigt, déguerpissez avant que j'appelle la police !

Le type plissa les yeux.

— On ne vous a pas sonn…

— Ça m'est égal, le coupa M. Forkle. Fichez-lui la paix ! Immédiatement.

Les aboiements se firent plus forts à mesure que l'homme s'approchait de Sophie. Elle peinait à réfléchir au milieu d'un tel boucan, mais quelque chose dans son expression la poussa à se demander s'il n'allait pas l'emmener de force. C'est alors qu'une évidence s'imposa à elle.

Elle n'entendait pas ses pensées. Même avec les hurlements de la chienne, elle aurait dû percevoir quelque chose.

Fitz aurait-il envoyé quelqu'un d'autre à sa place ?

Et dans ce cas, pourquoi le joggeur ne s'était-il présenté en ces termes ? Pourquoi la duper ainsi ?

Avant qu'elle ait pu réagir, M. Forkle s'était interposé entre eux, clouant le sportif sur place. Malgré son âge avancé, son impressionnante carrure avait de quoi intimider lorsqu'il se tenait bien droit.

Ils se regardèrent quelques secondes dans le blanc des yeux. Puis le joggeur recula en secouant la tête.

— Lâche le chien, Sophie, ordonna M. Forkle.

Elle s'exécuta et l'animal s'enfuit à toute vitesse. Le joggeur leur jeta un regard noir avant de se lancer à sa poursuite.

Sophie ne put retenir un soupir.

— Tu es en sécurité, lui promit M. Forkle. S'il pointe à nouveau le bout de son nez, j'appelle la police.

— Euh… merci, lâcha-t-elle, un peu déconcertée.

Son voisin grogna et marmonna son habituel « vous, les gamins » tout en retournant à ses nains de jardin.

— Tu ferais mieux de rentrer.

— Entendu.

Elle remonta l'allée d'un pas mal assuré.

Adossée contre la porte d'entrée qu'elle venait tout juste de refermer, elle essaya de faire le tri entre les questions qui se bousculaient dans sa tête.

Pourquoi ce type avait-il essayé de l'attraper ? Était-ce encore un elfe ? Fitz allait devoir lui expliquer pas mal de choses – s'il daignait se montrer à nouveau.

Toujours aucun signe de Fitz lorsqu'elle arriva au lycée. Elle ne savait plus trop quoi faire. Peut-être attendait-il qu'elle soit seule pour faire son apparition, mais après l'incident du chien, elle préférait avoir quelques témoins autour d'elle. À moins que Fitz n'ait envoyé le joggeur pour la kidnapper…

Sophie se sentait perdue, la frustration la gagnait.

Elle rejoignit sa classe à la sonnerie, quelques pas en arrière de ses camarades.

Une main lui agrippa le bras pour l'attirer à l'ombre des bâtiments. Elle retint *in extremis* un hurlement : c'était Fitz.

— Où étais-tu passé ? demanda-t-elle un peu trop fort.

Plusieurs têtes se tournèrent dans sa direction.

— J'étais morte d'inquiétude !

— Je t'ai manqué à ce point ? murmura-t-il, un sourire arrogant aux lèvres.

Sophie sentit le rouge lui monter aux joues et se détourna pour masquer sa gêne.

— Dis plutôt que tu m'as laissée en plan avec une tonne de questions sans réponses et aucun moyen de te contacter, et puis ce type se pointe pour essayer de m'emmener et…

— Ouh là… attends ! Quel type ?

— Je n'en sais rien, dit-elle. Un blond à l'air louche qui m'a appâtée pour que je le suive Dieu sait où, et quand j'ai refusé, il a eu l'air de vouloir me kidnapper, mais je n'étais sûre de rien parce que je n'arrivais pas à entendre ses pensées et je me demande si ce n'était pas un elfe.

— OK, minute.

Fitz dégagea une mèche de cheveu de devant ses yeux.

— Personne d'autre ne sait que tu es ici. À part mon père, qui m'a envoyé te chercher.

— Mais alors, pourquoi est-ce que je ne pouvais pas discerner ses pensées ?

— Je ne sais pas, admit Fitz. Tu es sûre que tu ne percevais rien ?

Elle rejoua la scène dans sa tête. Une cacophonie d'aboiements et de grognements. Son cœur qui battait dans ses oreilles. Tout bien réfléchi, elle ne se rappelait même pas avoir entendu les pensées de M. Forkle – ce qui était inhabituel.

— Je ne sais pas, dit-elle à voix basse.

— Je suppose que ce devait être un humain, peut-être son esprit était-il moins bruyant que les autres. Je vérifierai quand même auprès de mon père. Mais on ferait mieux de filer.

Il désigna un professeur qui les observait comme si elle s'attendait à les voir commettre une bêtise.

— On ne peut pas sauter devant témoins.

Il l'attira derrière l'édifice.

— Sauter? couina-t-elle. Je ne peux pas sécher les cours, Fitz. Le lycée appellera mes parents, et après ce qui s'est passé hier, ma mère risque bien de m'étrangler!

— C'est important, Sophie. Il faut absolument que tu viennes.

— Pourquoi?

— Fais-moi confiance, d'accord?

Elle serra les genoux et planta les talons dans le sol pour empêcher Fitz de l'entraîner plus loin. Elle ne pouvait pas continuer de disparaître tout le temps de cette façon. Elfe ou pas, sa vie était ici. Elle avait des cours à suivre sous peine d'être recalée et des parents qui pouvaient la punir.

— Comment veux-tu que je te fasse confiance si tu ne me dis rien? lui lança-t-elle.

— Je suis là pour t'aider.

Ce n'était pas suffisant. S'il refusait de lui dire de quoi il retournait, elle connaissait un autre moyen de l'apprendre.

Après tant d'années passées à essayer de la contenir, utiliser sa télépathie volontairement lui paraissait étrange. Mais elle n'avait pas d'autre moyen pour découvrir ce qu'il lui cachait. Elle ferma les yeux et se lança à la recherche de ses pensées, comme elle l'avait fait la veille. La brise s'engouffra

dans son esprit, murmurant des bribes d'informations éparses
– rien qui lui soit utile, cependant. Elle poussa un peu plus
avant, et trouva ce qu'il dissimulait.

— Un test ? s'écria-t-elle. Pourquoi est-ce que je devrais
passer un test ?

— Tu lis dans mes pensées ?

Il l'attira dans les ténèbres en secouant la tête. Avec beaucoup d'énergie.

— Tu ne peux pas faire ça, Sophie. Tu ne peux pas écouter les pensées des autres sous prétexte que tu veux savoir
quelque chose. Il y a des règles à respecter.

— Tu as bien essayé de lire les miennes sans ma permission, argua-t-elle.

— C'était différent. Je suis en mission.

— Quoi ?

Fitz passa la main dans ses cheveux – un tic d'agacement,
semblait-il.

— Peu importe. Ce qui compte, c'est que tu pourrais
avoir de gros ennuis pour avoir violé l'intimité mentale de
quelqu'un. C'est une infraction grave.

Le ton sur lequel il avait prononcé ce dernier mot lui
noua l'estomac.

— Vraiment ? demanda-t-elle d'une toute petite voix.

— Oui, vraiment. Ne le refais jamais.

Elle allait acquiescer quand un mouvement derrière un
chêne proche capta son attention. Elle se figea. Seuls les
battements de son cœur résonnaient à ses oreilles. Une vision
fugitive – mais elle aurait juré avoir aperçu le visage du
joggeur.

— Il est là, chuchota-t-elle. Le type qui a essayé de m'em-
barquer.

— Où ? demanda Fitz, qui balaya le campus du regard.

Elle fit un geste en direction de l'arbre, mais il n'y avait personne. Aucune pensée audible non plus.

L'avait-elle imaginé?

Fitz sortit son éclaireur argenté de sa poche et en ajusta le cristal.

— Je ne vois personne… mais filons d'ici. Il ne vaut mieux pas les faire attendre.

— De qui tu parles?

— De mes parents, ainsi que d'un comité de Conseillers. C'est une étape du test auquel tu m'as entendu penser en rentrant par effraction dans ma tête, lui expliqua-t-il avec un regard de travers.

— Désolée, marmonna-t-elle, les joues en feu.

Jusque-là, elle n'avait jamais pensé à la télépathie en termes d'« effraction », mais elle voyait ce qu'il voulait dire. Ses pensées n'avaient pas rempli son cerveau avec le même automatisme que celles des humains. Elle s'était introduite de force pour s'en emparer. Si quelqu'un la traitait de la sorte, elle serait furieuse.

Une erreur qu'elle ne commettrait plus.

De toute façon, elle n'éprouvait pas de plaisir particulier à être télépathe. Lire dans les pensées était plutôt source de problèmes, pas de solutions.

Fitz lui prit la main et l'entraîna en pleine lumière.

— Prête? demanda-t-il en brandissant son éclaireur.

Elle fit oui de la tête et pria pour qu'il ne sente pas le tremblement qui agitait son bras.

— Est-ce que tu peux au moins me dire ce que ce test doit déterminer?

Avec un grand sourire, il plongea ses yeux dans les siens.

— Ton avenir.

Chapitre 7

Presque aveuglée par l'énorme portail en métal devant eux, qui brillait de mille feux, Sophie dut mettre sa main en visière pour balayer les environs du regard.

— Bienvenue à Everglen, dit Fitz en la guidant vers les portes. Qu'en penses-tu ?

— C'est… très lumineux.

Il s'esclaffa.

— Oui. Le portail absorbe toute la lumière afin d'empêcher qui que ce soit de sauter directement à l'intérieur. Mon père travaille pour le Conseil. Autant dire qu'il tient à préserver l'intimité de notre foyer.

— J'imagine.

Après les événements de la matinée, Sophie appréciait de se savoir en sécurité, mais elle ne pouvait s'empêcher de se demander ce qu'ils voulaient maintenir à distance, exactement. Elle doutait que King Kong puisse franchir les portes massives de la demeure.

Le portail s'ouvrit avec un léger cliquetis. Dans une petite clairière, entourée des mêmes arbres qu'elle avait vus le long de la rivière à Éternalia, se dressait une silhouette saisissante, les épaules drapées d'une cape bleu nuit qui tombait jusqu'au sol. L'agrafe qui la retenait ressemblait à une paire d'ailes jaunes incrustées de diamants. L'elfe, grand et élancé, avait lui aussi les yeux bleu-vert et des cheveux bruns ondulés : la ressemblance était frappante.

— Sophie, je te présente mon père, Alden, dit Fitz.

Elle ne savait pas trop si elle devait s'incliner, faire une révérence ou lui serrer la main. Comment saluait-on un elfe ? Elle hasarda un signe de main timide.

— Ravi de te rencontrer, Sophie, déclara Alden avec un accent encore plus marqué que celui de son fils. Je vois que Fitz ne plaisantait pas quand il parlait de tes yeux marron. Très inhabituel.

Elle se sentit rougir.

— Oh ! Euh… oui.

Alden sourit.

— Tu n'as aucune raison d'être embarrassée. Je trouve cette couleur absolument ravissante. Pas toi, Fitz ?

Le garçon acquiesça, mais elle ne put le regarder. Elle avait le visage en feu.

— Est-ce que tu as dit à quelqu'un où se trouvait Sophie ? demanda Fitz.

— Seulement au Conseil. Pourquoi ?

— D'après elle, on a essayé de l'enlever, ce matin.

Alden écarquilla les yeux.

— Tout va bien ? demanda-t-il, examinant Sophie des pieds à la tête, comme à l'affût d'une éventuelle blessure.

— Oui. Il ne s'est pas assez approché pour m'attraper. Il avait l'air prêt à le faire, c'est tout.

— Ces humains ! marmonna Alden.

— À vrai dire, Sophie pense qu'il s'agirait d'un elfe, l'informa Fitz.

Père et fils échangèrent un regard. Alden secoua la tête.

— Le kidnapping est un crime d'humain, lâcha-t-il. À ma connaissance, aucun elfe n'a jamais échafaudé un tel plan, sans parler de le mettre à exécution. Qu'est-ce qui te fait croire qu'il était des nôtres ?

— Je peux me tromper, dit Sophie, qui se sentait bêtement paranoïaque. C'est juste que je ne me rappelle pas avoir entendu ses pensées – ce qui, jusqu'à présent, ne m'est arrivé qu'avec Fitz. Et maintenant vous.

— Oui, Fitz m'a parlé de ta télépathie, dit Alden, une main tendue vers elle pour lui toucher le front. Tu permets ?

— Euh…

Sans vouloir être impolie, elle ne put s'empêcher de faire un pas en arrière.

— Je ne te veux aucun mal, je t'assure. J'aimerais beaucoup voir tes souvenirs de ce kidnappeur, si tu n'y vois pas d'inconvénient, bien sûr.

Elle était surprise qu'il lui demande sa permission. Fitz n'avait pas menti en parlant de règles pour les Télépathes. Cependant, l'idée qu'on fouille dans ses souvenirs n'en était pas plus agréable pour autant.

Elle jeta un regard à Fitz, qui tenta de la rassurer d'un léger signe de tête, mais c'est la douceur du regard d'Alden qui finit par la convaincre.

L'elfe plaça délicatement deux doigts contre les tempes de Sophie et ferma les yeux. Elle s'efforça de rester immobile – et d'éviter de penser comme Fitz avait belle allure dans sa veste sombre –, mais elle sentit ses genoux se mettre à trembler à mesure que les secondes s'écoulaient.

— Eh bien, dit Alden en rompant le contact. Voilà une jeune fille des plus fascinantes.

— Alors, toi non plus, tu n'entends rien ? demanda Fitz d'un air triomphant.

— En effet, confirma Alden, qui prit alors les deux mains de l'adolescente dans les siennes. Je vais essayer de me renseigner sur les événements de ce matin, mais je suis sûr qu'il n'y a pas lieu de s'inquiéter. Maintenant que tu es ici, dans notre monde, te voilà en parfaite sécurité…

Il fronça les sourcils et se tourna vers Fitz.

— Je t'avais pourtant bien précisé de ne pas la laisser sauter sans nexus.

— J'ai oublié, désolé. Sophie croyait avoir vu son agresseur, alors on a dû faire vite. Mais tout va bien. J'ai assuré nos arrières.

— Là n'est pas la question.

Son père tendit la main. Fitz tira de sa poche un petit bracelet noir qu'il lui remit. Alden attacha le bracelet au poignet droit de Sophie, l'entortillant jusqu'à ce qu'il soit bien ajusté.

— Il ne te serre pas ?

Elle acquiesça, les yeux rivés sur son nouvel accessoire. Un large bandeau noir orné d'un joyau bleu sarcelle sur le dessus du poignet et d'un rectangle gris et lisse de l'autre côté, aux contours gravés de symboles complexes. Elle affiche une mine perplexe quand elle comprit qu'il s'agissait de lettres. Formant des mots qui ne voulaient rien dire. Drôle de décoration pour un bracelet. Mais la norme était-elle de ce monde ?

Alden tordit de nouveau le bracelet, qui émit un « clic » définitif.

— Voilà, tu es parée.

— Hum… Qu'est-ce que c'est ?

— Simple précaution. Ton organisme se fragmente en une multitude de minuscules particules afin d'être transporté par la lumière. Le nexus sert à contenir ces particules jusqu'à ce que ta concentration soit assez forte pour s'en charger. Fitz n'aurait jamais dû te laisser sauter sans un nexus, même en cas d'urgence.

— Mais Fitz n'en porte pas, lui, fit remarquer Sophie en désignant son poignet nu.

— On m'a retiré le mien plus tôt qu'à l'accoutumée. J'ai assez de concentration pour trois, c'est ce qui nous a protégés. Sophie ne s'est même pas estompée et tu le sais.

— Seuls les imbéciles surestiment leurs propres capacités, mon garçon. Tu n'as jamais eu à voir une personne s'évaporer. Peut-être que dans le cas contraire, tu te serais montré plus prudent.

Fitz baissa les yeux.

— Qu'est-ce que vous entendez par « s'évaporer » ? demanda Sophie à voix basse.

Quelques secondes s'écoulèrent avant qu'Alden ne réponde. Il semblait avoir en tête un souvenir précis.

— C'est lorsqu'on perd trop de soi-même lors d'un saut. Ton organisme devient incapable de se reformer complètement et la lumière finit par emporter le reste de ta personne, qui est alors perdue à jamais.

Sophie eut soudain la chair de poule.

Alden s'éclaircit la gorge.

— C'est un accident rare et nous tenons à ce qu'il le reste.

Il jeta un regard désapprobateur à Fitz, qui haussa les épaules.

— Entendu. La prochaine fois que tu m'envoies récupérer dans le plus grand secret une elfe disparue depuis des lustres, je ferai en sorte de l'équiper du nexus avant de la ramener ici.

Un semblant de sourire se dessina sur les lèvres d'Alden et il fit signe aux jeunes gens de le suivre.

— Mieux vaut ne pas faire attendre nos hôtes.

Sophie essuya ses paumes moites sur son jeans, prit une profonde inspiration, puis le suivit le long de l'étroit sentier bordé d'arbres aux fleurs bleues, rouges, roses et violettes – un véritable arc-en-ciel. L'air, si chargé de leur parfum que c'en était presque étourdissant, offrait un contraste bienvenu avec celui, enfumé, de sa ville d'origine.

— En quoi ce test va-t-il déterminer mon avenir, exactement ? demanda-t-elle à son nouveau compagnon.

— Ils vont s'assurer que tu as les capacités requises pour aller à Foxfire.

Fitz marqua une pause lourde de sens.

— Foxfire ? Ce n'est pas un type de champignon bioluminescent ?

Alden éclata de rire. Fitz, lui, parut offensé.

— Il s'agit de notre plus prestigieuse académie.

— Et vous lui avez donné un nom de champignon ?

— Ce terme symbolise une lueur éclatante dans un monde de ténèbres.

— Oui, mais… une lueur qui émane d'un champignon.

Fitz leva les yeux au ciel.

— Tu vas arrêter, avec tes champignons, oui ? Seuls les plus talentueux passent la sélection de Foxfire, et si tu n'intègres pas cette académie, tu peux dire adieu à ton avenir.

Alden posa une main sur l'épaule de Sophie.

— Je te prie de bien vouloir excuser mon fils. Il est très fier d'aller à Foxfire, une réussite indéniable. Mais tu n'as pas à t'inquiéter. Les premiers niveaux servent plutôt à tâter le terrain, à voir quels élèves développent les capacités nécessaires à la poursuite des études.

La perspective de fréquenter une académie elfique lui donna le vertige. Devrait-elle fuguer tous les jours ? Elle ne voyait pas comment ce serait possible, et de toute façon, ses parents ne l'autoriseraient certainement pas à se téléporter dans une école secrète.

S'ils étaient bien ses parents…

Des frissons et un accès de nausée l'assaillirent au souvenir de la révélation de la veille, mais elle s'empressa de refouler cette idée perturbante dans un recoin sombre de son esprit.

Chaque chose en son temps.

— Intégrer Foxfire va-t-il être difficile? demanda-t-elle.

— Il en faudra beaucoup pour impressionner le Conseiller Bronte, admit Alden. Il pense que ton éducation et tes lacunes devraient te disqualifier. Et puis, il n'aime guère les surprises. Jusqu'à aujourd'hui, le Conseil ne soupçonnait pas ton existence, et dire qu'il en est contrarié est un faible mot. Mais tu n'as besoin que de deux tiers des votes. Fais simplement de ton mieux.

Le Conseil n'était pas au courant pour elle? Mais alors pourquoi Fitz avait-il dit qu'ils la cherchaient depuis douze ans?

Avant qu'elle ait pu poser la question, ils arrivèrent dans une nouvelle clairière, et toute pensée cohérente l'abandonna.

Des dizaines de créatures trapues, à la peau brune et aux grands yeux gris, entretenaient un jardin qui n'aurait pas détonné dans un conte de fées. Des plantes luxuriantes s'étiraient dans toutes les directions. L'un des jardiniers les dépassa d'un pas traînant, chargé d'un panier rempli de fruits violets éclatants.

— Quoi?

C'est tout ce que Sophie trouvait à dire.

— Je suppose que ce n'est pas exactement l'image que tu te faisais des gnomes? demanda Alden.

— Euh… en effet.

Rien à voir avec les petits bonshommes ridés aux chapeaux pointus qui peuplaient la pelouse de M. Forkle.

— Vous avez donc des gnomes pour serviteurs ?

Alden s'arrêta pour la dévisager.

— Des serviteurs ? Jamais de la vie ! Les gnomes ont choisi de vivre avec nous parce qu'ils sont ici en sécurité. Ils nous aident à entretenir nos jardins par plaisir. C'est un privilège de les compter parmi nous. Tu vas pouvoir goûter leurs produits au déjeuner et tu vas te régaler.

Elle vit un gnome extirper du sol des tubercules jaunes et gluants, pareils à de grosses limaces. *Pourvu qu'ils ne soient pas au menu !* pensa-t-elle.

Elle dut détacher son regard de l'étrange tableau, car Alden la conduisait à présent hors du jardin, vers une prairie au centre de laquelle trônait une maison si vaste et si élégante qu'elle avait du mal à croire que quelqu'un puisse la qualifier de « chez soi ». Mi-château, mi-manoir, elle était faite en majeure partie d'un cristal savamment taillé, et parmi ses nombreux pignons et tourelles s'élevait une tour qui ressemblait à un phare.

Ils franchirent deux portes massives en argent tressé, avant de pénétrer dans un foyer circulaire scintillant comme un prisme à la lumière du soleil.

— Par ici, dit Alden.

Il lui prit la main pour la mener dans le couloir le plus large, bordé de fontaines projetant des jets d'eau colorée par-dessus leurs têtes. Au bout, une double porte incrustée d'une mosaïque précieuse – deux licornes de diamant galopaient à travers un champ de fleurs d'améthyste. Sophie ne pouvait s'empêcher de se demander à quel point la famille de Fitz devait être riche pour habiter un endroit pareil.

Même si ce qu'elle avait pu voir jusque-là du monde elfique trahissait déjà une certaine opulence. Elle se sentait grandement intimidée.

Alden lui pressa la main.

— Tu n'as rien à craindre.

Elle tenta de s'en convaincre. Fitz ouvrit alors la porte et pénétra dans un salon cérémoniel. Des rideaux de soie fine drapaient les murs de verre : le regard se trouvait alors attiré vers un énorme chandelier — comme une cascade de longs cristaux scintillants — suspendu au-dessus d'une table ronde couverte de plateaux à cloche et de timbales raffinées. Trois silhouettes au front ceint d'un diadème incrusté de joyaux se levèrent des fauteuils moelleux, à l'allure de trônes, disposés autour de la table.

Sophie se rendit compte une seconde trop tard qu'elle aurait dû faire la révérence, même si elle ne savait pas comment s'y prendre.

À la vue de leurs capes argentées aux agrafes en forme de clefs dorées et luisantes, elle se sentit fagotée tel l'as de pique. Tous arboraient bijoux et étoffes luxueuses, à l'exception de Fitz, qui était « déguisé ».

— Conseillers, voici Sophie Foster, déclara Alden avec un salut rapide. Sophie, voici Kenric, Oralie et Bronte.

Kenric, les cheveux roux en bataille et un grand sourire plein de dents, avait la carrure d'un joueur de football américain. Oralie ressemblait à une princesse de conte de fées — le rose aux joues et de l'or dans les cheveux. Restait Bronte.

Sophie croisa son regard froid et comprit aussitôt ce qu'Alden avait voulu dire. Avec ses cheveux bruns coupés court et ses traits anguleux, c'était le plus petit des trois. Il n'était pas laid, pourtant il y avait quelque chose d'étrange dans son apparence… mais quoi exactement ?

La réponse s'imposa soudain à elle et Sophie sursauta.

— Qu'y a-t-il ? demanda Bronte.

Cinq paires d'yeux bleus étaient rivées sur elle.

— Désolée, marmonna-t-elle, le regard baissé. Ce sont vos oreilles. Je ne m'y attendais pas.

— Mes oreilles ? répéta Bronte, confus.

Fitz partit d'un grand éclat de rire. Les autres l'imitèrent un par un pendant que Sophie se tortillait sur place. Bronte ne semblait guère ravi d'être le dindon de la farce.

— Je crois qu'elle ne s'attendait pas à ce qu'elles soient… pointues, répondit enfin Alden. Nos oreilles changent de forme avec l'âge. C'est ce qui nous attend tous.

— Moi aussi, j'aurai les oreilles pointues ?

Sophie porta précipitamment les mains à ses oreilles, comme si elles se transformaient déjà.

— Pas avant quelques milliers d'années, la rassura Alden. Je doute que cela te dérange à ce moment-là.

Sophie s'écroula dans un fauteuil, à peine consciente de la présence de Fitz, assis juste à côté. Son cerveau tournait à vide : *Des milliers d'années, milliers d'années, milliers d'années…*

— Combien de temps vivent les elfes ? finit-elle par demander.

Tous semblaient jeunes et vigoureux – même Bronte.

— Personne ne sait, répondit Kenric en rapprochant son fauteuil de celui d'Oralie plus que nécessaire. Personne n'est encore mort de vieillesse.

Sophie se massa les tempes. Cette simple perspective lui donnait littéralement mal au crâne.

— Alors, vous voulez dire que les elfes seraient… immortels ?

— Non, décréta Alden avec une pointe de tristesse. Nous mourons. Mais nos organismes cessent de vieillir lorsque nous atteignons l'âge adulte. Pas de rides ni de cheveux gris pour nous. Seules nos oreilles changent.

Il adressa un sourire à Bronte, qui lui lança un regard noir.

— Bronte appartient au groupe des Anciens, voilà pourquoi il a des oreilles si particulières. Je vous en prie, servez-vous, ajouta Alden avec un geste vers les plateaux sous cloche qui faisaient face à chaque invité.

Sophie dut réprimer une grimace en découvrant le sien. La bouillie zébrée de noir et de violet qu'il contenait ne semblait guère appétissante. Elle se força à en goûter une bouchée et constata avec surprise que la mixture avait un goût de cheeseburger bien juteux.

— Qu'est-ce que c'est ?

— De la purée de racine de karniss. Et les bandes noires sont des feuilles d'ombre, expliqua Alden.

Sophie en goûta une.

— On dirait du poulet.

— Vous mangez des animaux ? demanda Fitz, comme s'il s'était agi de déchets toxiques.

Sophie acquiesça, puis se sentit affreusement mal à l'aise devant sa grimace.

— J'en déduis que les elfes sont végétariens.

Tous hochèrent la tête.

Elle prit une autre bouchée afin de dissimuler son horreur. Elle ne tenait pas spécialement à manger de la viande, mais elle se voyait mal survivre en ne consommant que des légumes. Bien sûr, s'ils avaient un goût de cheeseburger, peut-être qu'elle pourrait s'y faire.

— Alors, mademoiselle Foster, l'apostropha Bronte en appuyant sur chaque syllabe de son nom, comme s'il lui en coûtait de le prononcer. Alden m'a dit que vous étiez Télépathe.

Elle avala sa bouchée, qui tomba comme une pierre au fond de son estomac. Parler si ouvertement de son secret la dérangeait.

— Oui. Elle lit dans les pensées depuis l'âge de cinq ans. Je ne me trompe pas, Sophie? demanda Alden face à son mutisme.

Elle fit signe que non. Kenric et Oralie la dévisagèrent, bouche bée.

— C'est l'histoire la plus absurde qu'il m'ait jamais été donné d'entendre! protesta Bronte.

— C'est inhabituel, le corrigea Alden.

Bronte leva les yeux au ciel en se tournant vers Sophie.

— Voyons un peu l'étendue de vos talents, dans ce cas. Dites-moi à quoi je suis en train de penser.

Sophie sentit sa bouche se dessécher. Le silence se fit : ils guettaient tous sa réaction.

Un coup d'œil à Fitz lui rappela son avertissement quant aux règles de la télépathie.

— Tu as sa permission, la rassura le jeune elfe.

Elle hocha la tête, et prit une profonde inspiration pour se calmer.

Apparemment, le test avait commencé.

Chapitre 8

Sophie devait absolument réussir. Elle voulait recevoir cette éducation « digne de ce nom » décrite par Fitz. Elle voulait apprendre comment le monde tournait vraiment. Elle ferma donc les yeux et tenta de se détendre le plus possible, afin de se concentrer.

Elle tendit l'esprit comme elle l'avait fait la veille. Les pensées de Bronte étaient très différentes de celles de Fitz, plus enfouies : il semblait à la jeune fille qu'elle devait étirer son ombre mentale bien plus loin. Et lorsqu'elle les atteignit enfin, elles s'apparentaient plus à une bise glacée qu'à une douce brise.

— Vous pensez être le seul membre de cette assistance à faire preuve de bon sens, annonça-t-elle. Et vous en avez assez de regarder Kenric dévorer Oralie des yeux.

Bronte la dévisagea, ébahi, et Kenric vira aussi écarlate que sa tignasse. Oralie baissa les yeux sur son assiette, les joues empourprées.

— J'en déduis qu'elle a vu juste ? demanda Alden, qui s'efforçait de masquer son amusement.

Bronte acquiesça, l'air tout à la fois furieux, contrarié et incrédule.

— Comment est-ce possible ? Les cerveaux des Anciens sont quasiment impénétrables.

— Tout est dans le « quasiment », dit Alden. Vous n'avez pas à vous en vouloir, elle a aussi pénétré les défenses de Fitz.

Sophie fut submergée par la culpabilité en voyant Fitz rougir jusqu'aux oreilles. Et plus encore lorsque Bronte commenta avec un sourire :

— On dirait que le petit prince Vacker n'est pas aussi infaillible que tout le monde le pense.

— Disons plutôt que Sophie est exceptionnellement douée, le corrigea Alden. Fitz l'a aussi vue soulever plus de dix fois son poids par télékinésie.

— Vous plaisantez ! s'exclama Kenric qui s'était remis de son humiliation. À son âge ? J'aimerais bien voir ça !

Sophie se tassa dans son siège.

— Mais… je ne sais pas comment j'ai fait. C'est arrivé, c'est tout.

— Détends-toi, Sophie. Pourquoi ne pas commencer par un objet de petite taille ? suggéra Alden en désignant la timbale de cristal posée devant elle.

Voilà qui ne semblait pas trop difficile. Et puis, peut-être en allait-il de la télékinésie comme de la télépathie : une faculté de plus qu'il lui fallait apprendre à utiliser.

Elle rejoua l'accident dans sa tête, s'efforça de se rappeler comment elle était allée puiser cette force au fond d'elle-même avant de la projeter hors de ses doigts. En serait-elle encore capable ?

Elle tendit le bras et s'imagina soulever le gobelet d'une main invisible. Il ne se passa rien pendant une seconde. Ses paumes se couvrirent de transpiration. Puis elle sentit un tiraillement à l'estomac, et le verre décolla de la table.

Sophie le contempla, médusée.

— J'y suis arrivée.

— C'est tout? railla Bronte, guère impressionné.

Il lui en fallait plus? Vraiment?

— Laissez-lui une seconde. Elle n'est pas encore habituée à son pouvoir.

Alden posa une main sur l'épaule de la jeune fille.

— Respire profondément, détends-toi avant de voir ce que tu peux faire d'autre. Et n'oublie pas: à l'inverse du corps, l'esprit n'a pas de limites.

La confiance sereine d'Alden lui donna le courage d'effectuer une nouvelle tentative. Elle essaya de réfléchir à l'indice qu'il lui avait fourni. Pas de limites. Que voulait-il dire par là?

Peut-être pouvait-elle soulever plus d'un objet à la fois. Elle poussa un soupir et s'inventa cinq mains supplémentaires. Le tiraillement dans son estomac se fit plus aigu, mais sa douleur fut récompensée lorsque les cinq autres gobelets s'élevèrent telles des soucoupes volantes de cristal.

Kenric applaudit.

— Remarquable maîtrise.

Sophie sentit ses joues s'enflammer sous l'effet du compliment.

— Merci.

Bronte ricana.

— Ce ne sont que des verres. Je croyais qu'elle était capable de soulever dix fois son poids?

La jeune fille se mordit la lèvre. Elle ignorait jusqu'où elle pouvait aller, mais elle était résolue à impressionner l'Ancien.

Elle devait être plus forte qu'elle n'en avait conscience – sinon comment aurait-elle pu retenir le réverbère? Elle prit une nouvelle inspiration et repoussa chaque particule d'énergie qu'elle sentait en elle vers le fauteuil laissé vide à côté de Bronte.

L'assistance tout entière retint son souffle à la vue des trois fauteuils qui lévitaient, parmi lesquels celui qu'occupait le Conseiller hostile à l'adolescente.

— Incroyable ! souffla Alden.

Sophie n'eut guère le temps de s'en féliciter. Une crampe lui meurtrit l'estomac sous le coup de l'effort. Elle lâcha prise avec un cri : gobelets et fauteuils s'écrasèrent à grand fracas, plaquant Bronte au sol.

Frappés d'horreur, tous contemplaient la catastrophe, bouche bée. Mais lorsque Bronte hurla qu'on l'aide à se relever, l'assemblée éclata de rire.

À l'exception de Sophie. Elle avait fait tomber un des Conseillers. Une erreur qui, à n'en pas douter, lui fermerait toutes les portes.

Kenric dissipa ses angoisses d'une tape dans le dos.

— Je n'ai jamais vu pareil talent. Tu es même douée pour notre langue, ton accent est impeccable. Presque aussi parfait que le leur, dit-il en désignant Alden et Fitz.

— Pardon ? demanda Sophie, persuadée d'avoir mal entendu.

• Fitz s'esclaffa.

— Tu t'exprimes dans la Langue des Lumières depuis notre arrivée, comme tu l'as fait hier.

Elle parlait une autre langue… avec un accent ?

— Notre langage nous vient d'instinct, expliqua Alden. Nous parlons dès la naissance. Je suis sûr que les Hommes ont vu en toi un nourrisson bien singulier. Même si, à l'oreille humaine, notre langue n'est qu'un babil.

Ses parents la taquinaient souvent pour avoir été un bébé bavard. Elle agrippa la table.

— Est-ce que vous auriez un mot qui ressemble à « choupine » ?

— Choupine ? répéta Alden d'un air interrogateur.

— Je le prononçais tout le temps quand j'étais petite. Mes parents pensaient que c'était une déformation de mon prénom. Ils en ont même fait mon surnom, à mon grand désespoir.

Elle rougit en entendant Fitz pouffer de rire.

Kenric haussa les épaules.

— Je ne vois pas de quel mot il pourrait s'agir.

Fitz et Oralie hochèrent la tête. Alden, lui, était devenu livide.

— Qu'y a-t-il ? lui demanda Bronte, toujours occupé à épousseter sa cape.

Alden balaya la question d'un revers de main.

— C'est sans doute sans importance.

— À moi de décider ce qui est important ou non, insista Bronte.

Leur hôte soupira.

— Peut-être… peut-être disait-elle « suldreen ». Mais ce serait tiré par les cheveux.

Bronte pinça les lèvres.

— Qu'est-ce que ça veut dire ? demanda Sophie.

Alden hésita avant de répondre.

— C'est le nom scientifique du colibri lunaire, une espèce rare.

— Et en quoi est-ce mauvais signe ?

Elle détestait se sentir dévisagée de la sorte – comme une énigme impossible à résoudre. Les adultes la regardaient toujours ainsi, mais d'ordinaire elle pouvait lire dans leurs pensées ce qui les perturbait tant. À présent, elle regrettait de ne pas en avoir la permission.

— Ce n'est pas mauvais signe. C'est juste intéressant, dit Alden à voix basse.

Bronte poussa un grognement.

— C'est troublant, vous voulez dire.

— Comment ça ? insista Sophie.

— Disons que ce serait une coïncidence gênante. Mais tes parents ont probablement raison. Tu devais essayer de répéter ton prénom, à force de l'entendre à longueur de journée, dit Alden, autant pour s'en convaincre que pour rassurer Sophie.

— En tout cas, je pense en avoir assez entendu pour prendre ma décision, aboya Bronte, chassant les colibris de l'esprit de Sophie. Je vote contre. Et rien ne pourra me faire changer d'avis.

Sophie n'était guère surprise, mais elle ne put contenir un sentiment de panique. Avait-elle échoué ?

Kenric secoua la tête.

— Ne sois pas ridicule, Bronte. Je vote pour, et rien ne pourra me faire changer d'avis.

Sophie retint son souffle. Tous les regards se tournèrent vers Oralie, dans l'attente de sa décision. Elle n'avait pas prononcé un mot depuis le début de la séance, aussi son opinion restait-elle un mystère pour la jeune fille.

— Donne-moi ta main, Sophie, dit Oralie d'une voix aussi ravissante et frêle que son visage.

— Oralie est Empathe, expliqua Fritz. Elle perçoit les émotions des autres.

Sophie lui tendit une main tremblante, dont Oralie se saisit avec délicatesse.

— Je sens beaucoup de peur et de confusion, murmura-t-elle. Mais aussi une sincérité hors du commun. Il y a encore autre chose… que je ne saurais décrire.

Elle ouvrit ses immenses yeux azur pour les plonger dans ceux de Sophie.

— Tu as mon vote.

Alden joignit les mains, l'air ravi.

— Voilà qui est décidé, donc.

— Pour le moment, rectifia Bronte. Il y aura un autre examen. J'y veillerai personnellement.

Le sourire d'Alden se dissipa.

— Quand?

— Nous devrions attendre la fin de l'année, pour laisser à Sophie le temps de s'acclimater, décréta Kenric.

— Excellent, approuva Alden.

— Inconscients! maugréa Bronte. En tant que Conseiller supérieur, j'invoque mon droit d'exiger un sondage.

Alden se leva avec un hochement de tête.

— C'était bien mon intention. J'ai prévu de l'amener à Quinlin dès que nous en aurons fini ici.

Bien qu'elle ait toutes les raisons de se réjouir, Sophie était trop occupée à essayer de déchiffrer le terme « sondage », qui ne lui disait rien de bon.

— C'est quoi, un sondage? demanda-t-elle à Fitz pendant qu'Alden raccompagnait les Conseillers dehors.

Fitz se renfonça dans son fauteuil.

— Une autre technique pour lire les pensées. Elle n'a rien de terrible. On y a souvent recours dans la phase d'entraînement télépathique, qu'apparemment tu vas découvrir. Je n'arrive pas à croire que tu aies réussi le test! Ça ne semblait pas vraiment gagné, au début.

— Je sais, soupira-t-elle. Pourquoi Bronte a-t-il exigé un sondage?

— Parce qu'il est pénible. Et aussi parce que l'incapacité de mon père à lire en toi l'inquiète.

— Pourquoi serait-il inquiet?

— Disons plutôt qu'il est… ennuyé. Mon père est très fort. Et moi aussi, ajouta-t-il avec un sourire arrogant. Alors, si aucun de nous deux n'arrive à percer ton esprit, qui en serait capable?

— Je vois, dit Sophie en essayant de démêler le sens de ses paroles. Mais en quoi le fait que personne ne puisse lire mes pensées le concerne?

— C'est sans doute à cause de ton éducation.

Elle prit une profonde inspiration avant de lâcher malgré elle:

— Tu veux dire parce que ma famille est humaine. Et pas moi.

Quelques secondes s'écoulèrent avant qu'il acquiesce.

Un gouffre s'ouvrit soudain en elle. Elle avait donc vu juste. Aucun lien de parenté ne la rattachait à sa famille – et Fitz le savait. Il évitait son regard, à l'évidence gêné.

Sophie ravala sa peine, la réservant pour plus tard, lorsqu'elle pourrait s'y adonner en toute intimité. Elle s'éclaircit la gorge, tenta de retrouver une voix normale.

— Et pourquoi est-il inquiet?

— Parce que c'est une situation complètement inédite.

La pièce claire et chaleureuse se fit soudain plus froide.

— Ça n'est jamais arrivé avant?

— Non.

Un mot minuscule, aux implications démesurées.

Pourquoi vivait-elle parmi les humains?

Alden reparut dans la salle avant qu'elle ait eu le temps de poser la question.

— Tu veux bien venir avec moi, Sophie? On va te trouver de quoi t'habiller. Toi aussi, Fitz, tu ferais bien de te changer.

Sophie hésita. Elle ferait sans doute mieux de leur demander de la ramener chez elle. On devait avoir prévenu ses parents qu'elle séchait les cours.

D'un autre côté, elle croulait déjà sous les ennuis – alors autant retarder au maximum la punition. Et puis, elle n'était pas encore prête à rentrer. Une foule de questions se pressait dans sa tête.

— Où allons-nous ? demanda-t-elle en suivant Alden hors de la pièce.

Il lui sourit.

— Que dirais-tu de voir l'Atlantide ?

Chapitre 9

— C'est ça, l'Atlantide ?

Sophie cachait mal sa déception. Ils se trouvaient au milieu de nulle part, sur un amas de rochers sombres encerclés par l'écume. Les seuls signes de vie provenaient de rares mouettes, qui se contentaient de crier et de déféquer. On était loin du continent perdu qu'elle avait imaginé.

— Non, ce n'est que la voie qui y mène, rectifia Alden, qui enjamba une mare pour rejoindre un roc triangulaire. L'île est sous nos pieds, à l'abri de la lumière. On ne peut l'atteindre en sautant.

Sophie emboîta le pas à Fitz. Les rochers étaient glissants, et les chaussures rouges qu'Alden l'avait forcée à mettre pour aller avec sa longue robe n'arrangeaient rien. Elle avait imploré l'elfe de la laisser mettre un pantalon, mais le port de la robe était apparemment un signe de son statut, en particulier en Atlantide – une cité noble, d'après Alden, où l'aristocratie avait élu siège. Affublée d'une coupe empire et d'un décolleté garni de perles, la jeune fille se sentait déguisée.

Mais voir Fitz en habits elfiques était encore plus étrange. Sa longue tunique bleue ornée de broderies complexes aux revers possédait des manches agrémentées de poches, de la taille de son éclaireur. Un pantalon noir, avec des poches aux chevilles (pour lui éviter de s'asseoir sur ce qu'il transportait, avait-il expliqué), et des chaussures de la même couleur complétaient sa tenue. Nulle trace de collants ni de chaussons pointus – heureusement –, mais il avait déjà plus une allure d'elfe, ce qui ancrait davantage la situation dans le réel.

Une pierre bougea sous le pied de Sophie, qui tomba dans les bras du garçon.

— Désolée, murmura-t-elle, le visage soudain de la même teinte que sa robe.

Fitz haussa les épaules.

— J'ai l'habitude. Biana, ma sœur, est maladroite elle aussi.

Sophie n'était pas sûre d'apprécier la comparaison.

— Donc l'Atlantide a vraiment sombré? demanda-t-elle pour changer de sujet.

Elle le suivait vers une saillie qui surplombait la mer.

— Les Anciens ont organisé la catastrophe, répondit Alden.

Il ouvrit un compartiment secret dans le flanc de l'étrange rocher. À l'intérieur, des centaines de minuscules fioles de verre. Il en attrapa une avant de les rejoindre au bord de l'eau.

— Comment les humains auraient-ils cru à notre disparition, autrement?

Sophie jeta un œil à l'étiquette : « Un tourbillon. Ouvrir avec précaution. »

— Reculez.

Alden déboucha le flacon, qu'il jeta dans l'océan. Une bourrasque leur fouetta le visage, et le vacarme des flots emplit l'air.

— Les dames d'abord! cria Alden, en désignant l'écume.

— Pardon, mais… Quoi?

— Peut-être ferais-tu mieux de montrer l'exemple, papa? suggéra Fitz.

Alden acquiesça et leur fit un petit signe de la main avant de sauter. Sophie poussa un hurlement. Fitz éclata de rire.

— À ton tour.

Il l'attira vers le rivage.

— Tu plaisantes, j'espère! implora-t-elle en essayant, sans succès, de se dégager de sa prise.

— C'est impressionnant, mais pas du tout dangereux, lui assura-t-il.

Elle déglutit et contempla le maelström tourbillonnant à ses pieds. Les embruns salés lui glacèrent le visage.

— Tu crois vraiment que je vais sauter?

— Je peux te pousser, si tu préfères.

— Ne t'avise même pas d'essayer!

— Très bien, alors saute. Je compte jusqu'à cinq.

Il fit un pas vers elle.

— Un…

— OK, j'y vais!

Sophie tenait à garder un semblant de dignité. Elle prit une profonde inspiration, ferma les yeux et s'élança. Elle cria tout le temps que dura sa chute. Il lui fallut une seconde avant de se rendre compte qu'elle ne se noyait pas, et encore une autre pour arrêter de gesticuler comme une imbécile. Elle ouvrit les yeux et sursauta.

Le tourbillon formait un tunnel d'air qui plongeait et slalomait à travers les eaux sombres tel le plus extravagant des toboggans. Elle commençait tout juste à apprécier le manège lorsqu'elle émergea du vortex pour atterrir sur une énorme éponge. Elle eut la sensation d'être léchée de la tête aux pieds par une meute de chatons – l'haleine en moins –, avant de rebondir et de finir debout sur un coussin géant.

Elle lissait sa robe, quand ses mains se figèrent.

— Je ne suis pas mouillée.

— L'éponge absorbe l'eau à l'atterrissage. Attention !

Alden l'écarta juste à temps : Fitz débou la comme une fusée, à l'endroit même où elle se tenait un instant auparavant.

Elle sauta de l'éponge pour gagner la terre moelleuse. On aurait dit du sable humide et compact.

— Voici enfin l'Atlantide, annonça Alden avec un large geste vers la métropole qui scintillait devant eux.

Sophie dut écarquiller les yeux pour en prendre l'ampleur. La cité était enveloppée d'un dôme rempli d'air qui s'estompait au loin dans l'océan. Des tours de cristal vrillées s'étiraient vers le ciel. La ville argentée était baignée d'une lueur bleutée qui irradiait depuis leurs flèches pointues. Les bâtiments s'alignaient pour former un réseau complexe de canaux, connectés entre eux par des ponts incurvés. Les photos qu'elle avait vues de Venise s'imposèrent à son esprit, mais ici, tout semblait lisse, moderne, impeccable. On avait beau être au fond de l'océan, l'air était frais et vivifiant. Seul un murmure étouffé, pareil au son que l'on entend lorsque l'on porte une conque à son oreille, trahissait les profondeurs marines.

— On dirait que le cristal est votre matériau de prédilection, fit remarquer Sophie, qui avait emboîté le pas à Alden pour entrer dans la ville.

Il lui sourit.

— Le cristal retient l'énergie que nous utilisons pour tout alimenter, et il est taillé de façon à laisser pénétrer juste ce qu'il faut de clarté. Bien sûr, nous avons dû opérer quelques changements lors de la submersion de l'Atlantide. Nous avons recouvert les immeubles d'argent afin qu'ils reflètent la lumière créée dans les flèches des tours et éclairent ainsi la cité.

— Pourquoi avoir noyé l'Atlantide, mais pas les autres villes ?

— Nous avions bâti ce lieu pour les humains. C'est pourquoi vous le connaissez par son vrai nom. Il y a fort longtemps, les hommes parcouraient ces mêmes rues.

Sophie observa les alentours. Des elfes allaient de boutique en boutique, jeunes et élégants. Les hommes portaient de lourdes capes de velours, comme s'ils participaient à un festival Renaissance, et les robes des femmes changeaient de couleur à mesure qu'elles bougeaient. Des pancartes annonçaient des promotions spéciales sur les éclairs en bouteille ou des accréditations rapides pour les omniscientes. Un enfant la dépassa au trot, une sorte de poulet-lézard en laisse. Pas étonnant que les humains aient inventé des mythes délirants après la disparition des elfes.

Parvenu au grand canal, Alden héla une des calèches qui flottaient au fil de l'eau – un bateau argenté en forme d'amande, équipé de deux banquettes à dossier. Le cocher, vêtu d'une courte pèlerine verte, conduisait depuis la banquette avant, tenant les rênes d'une créature brune qui glissait sur les flots.

Sophie poussa un hurlement à la vue du scorpion de deux mètres cinquante qui se cabra. La queue relevée, il semblait prêt à piquer.

— Qu'est-ce que c'est que cette chose ? s'écria-t-elle.

— Un euryptéride, expliqua Alden. Un scorpion de mer.

— Ne me dis pas que tu as peur ! lança Fitz.

Elle recula un peu plus.

— Ces filles, alors…

Fitz se pencha pour caresser la carapace brune et luisante qui recouvrait le dos de la bête. Sophie s'attendait à ce que les pinces la découpent en deux, mais la créature, immobile, émit un sifflement sourd, comme si elle appréciait les caresses.

— Tu vois ? Inoffensif.

Fitz grimpa dans la calèche.

Alden le suivit et ouvrit la portière pour la jeune fille.

— Quinlin nous attend, Sophie. Il est temps de découvrir ce qui se cache dans la forteresse de ton esprit.

Chapitre 10

Chaque fibre de son être criait à Sophie de fuir, fuir à toutes jambes l'insecte mutant qui la terrifiait – d'autant plus qu'il allait l'emmener se faire sonder. Pourtant, elle serra les dents et s'installa à bord de l'embarcation, le dos profondément enfoncé dans la banquette pour être aussi loin que possible de l'affreux scorpion des mers.

— Où allons-nous? demanda le cocher, hilare, à Alden.

— Au bureau de Quinlin Sonden, je vous prie.

Le conducteur secoua les rênes, et l'animal fouetta l'onde de sa queue, tirant l'embarcation.

— C'est qui, ce Quinlin, au juste? dit Sophie.

Alden sourit.

— C'est le meilleur sondeur que je connaisse. Il devrait être capable, lui, de se glisser dans ton esprit.

L'image lui causa un frisson d'horreur. Elle tenta de se calmer en pensant à autre chose.

— Pourquoi est-ce qu'il travaille ici?

La ville n'avait rien de désagréable, mais faire la navette devait vite s'avérer lassant.

— L'Atlantide est notre cité la plus sûre. Tout ce qui nécessite une protection élevée se trouve ici. Y compris ton dossier.

— J'ai un dossier?

— Classé top secret.

— Qu'est-ce qu'il y a dedans?

— Tu le sauras bien assez tôt.

Elle ouvrit la bouche pour poser une nouvelle question, mais Alden désigna le cocher d'un hochement de tête. Il lui faudrait attendre qu'ils soient seuls.

La calèche s'engagea dans une espèce de quartier d'affaires. Les rues étaient peuplées d'elfes, tous vêtus de longues capes noires, et les bâtiments d'argent s'étiraient plus haut qu'ailleurs, leurs façades ornées de fenêtres rondes et d'enseignes lumineuses annonçant leurs noms: « Trésorerie », « Service des identités », « Service interespèces ». La moitié d'entre eux était illisible.

— C'est quoi, ce charabia? demanda Sophie, le doigt pointé vers un immeuble dont l'enseigne n'avait pas de sens.

Alden suivit son regard.

— Les runes, tu veux dire?

— Ce sont des runes?

Elle effleura du doigt l'inscription qui courait le long de son nexus.

Alden acquiesça.

— C'est notre ancien alphabet.

— Tu n'arrives pas à les lire?

Fitz semblait plus surpris qu'elle ne l'aurait souhaité. Elle commençait à se lasser d'être toujours à la traîne.

Alden se frotta le menton.

— Mais tu sais que ce sont des lettres?

— Oui, simplement elles n'ont aucun sens pour moi. Ça va me poser problème à l'école?

Elle retint son souffle. Que penseraient les autres élèves si elle ne savait même pas lire?

— Non, on ne s'en sert que rarement, dit Fitz.

Elle respira de nouveau.

— Seulement pour les grandes occasions.

Elle hésita à poser la question suivante, qu'elle rechignait à formuler.

— C'est grave si je ne sais pas les lire ?

— Ce devrait être instinctif, concéda Alden. Mais peut-être as-tu été affectée par ton éducation humaine. Nous n'avons jamais eu affaire à un cas comme le tien, alors il est difficile de se prononcer.

Encore ce mot : « éducation ». Un véritable fossé entre elle et les autres.

Comment était-elle censée s'intégrer si elle était la seule élève à devoir rejoindre sa famille humaine tous les soirs ? Et, à la réflexion, avait-elle seulement le choix ? Jamais ses parents ne la laisseraient s'installer ici, eux qui refusaient même qu'elle déménage dans un autre État pour aller à l'université.

— Comment je...

— Tu n'as pas à t'inquiéter, Sophie, l'interrompit Alden. Je suis sûr que les tests nous donneront la réponse.

Ce n'était pas la question qui la taraudait, mais l'idée de passer des tests supplémentaires lui fit oublier le reste de ses problèmes. Pourvu qu'elle réussisse le suivant sans jeter un autre membre du Conseil à terre.

Ils tournèrent dans un canal étroit et calme, bordé d'arbres violets au feuillage épais et large comme du varech. La voie finissait en cul-de-sac au pied d'un immeuble argenté, une tour dénuée de fenêtre ou d'ornement autre qu'une petite pancarte annonçant en lettres blanches soignées : « Quinlin Sonden – Mentaliste en chef ». Tout signe de vie s'était évanoui, et la porte noire était close. Pourtant, le scorpion de mer s'arrêta devant. Alden tira de sa poche un petit cube vert, que le cocher passa sur le brassard qu'il portait au coude, avant de le rendre à son propriétaire une fois que l'objet eut émis un minuscule bip.

Alden franchit la porte et Sophie le suivit d'un pas mal assuré. En dépit des encouragements de Fitz, elle se demandait encore si le sondage serait douloureux. Ou pire – quels souvenirs humiliants il ferait remonter.

Alden ignora la réceptionniste installée dans l'entrée faiblement éclairée pour se diriger droit vers l'unique cabinet visible tout au fond. La petite pièce carrée sentait l'humidité, et un bureau en marbre massif occupait la moitié de sa surface. Un grand elfe à la peau sombre et aux cheveux mi-longs bondit de son siège pour esquisser un salut élégant.

— Nul besoin de toutes ces simagrées, voyons, mon ami, dit Alden avec un clin d'œil.

— J'insiste, répondit Quinlin en posant son regard sur Sophie. Des yeux bruns ?

— Unique, à n'en pas douter, acquiesça Alden.

— Le mot est faible.

Sous le regard appuyé de Quinlin, Sophie ne savait plus où se mettre.

— Vous l'avez vraiment trouvée… après toutes ces années ?

On ne lui avait toujours pas expliqué pourquoi on la cherchait.

— À toi de me le dire, répondit Alden. Tu as son dossier ?

— Juste là.

Quinlin brandit un petit carré argenté qu'il tendit à Sophie.

— Il faut le lécher, expliqua Fitz. Ils ont besoin de ton ADN.

Elle s'exécuta, en s'efforçant de ne pas penser à l'hygiène. Le métal se réchauffa, et elle manqua de le lâcher lorsqu'un hologramme se dressa en son centre : deux brins d'ADN qui tournoyaient dans les airs avec une lueur surnaturelle. La mention « Correspondance » clignotait au-dessus en lettres vertes.

Il fallut un instant à Sophie pour se rendre compte qu'elle retenait son souffle.

Son ADN correspondait. Elle avait vraiment sa place ici.

— Voilà donc la raison des sacrifices de Prentice, murmura Quinlin qui contemplait les doubles hélices luisantes comme s'il s'agissait d'un enfant disparu enfin retrouvé.

Prentice ? Était-ce un nom ?

Et quels sacrifices avait-il consentis ?

Alden anticipa sa question.

— Il avait ses raisons. Tu le comprendras en procédant au sondage.

Sophie sursauta lorsque Alden posa les mains sur ses épaules. Il voulait sans doute la rassurer, mais c'était peine perdue, surtout à présent que Quinlin s'approchait d'elle.

— Ce n'est pas si terrible, Sophie, lui affirma Fitz.

— Il y en a pour moins d'une minute, ajouta le mentaliste.

Elle ravala ses angoisses avec un hochement de tête.

Deux doigts fins et froids prirent appui sur ses tempes, et Quinlin ferma les yeux. Sophie compta les secondes. Il s'en écoula 278 avant que Quinlin se rétracte. Moins d'une minute, tu parles.

Quinlin la contemplait, bouche bée.

— C'est bien ce que je pensais, murmura Alden d'un air absent avant de faire les cent pas.

— Vous non plus, vous n'entendez rien ? demanda Sophie.

Quelque part, elle se sentait soulagée – elle détestait se dire qu'on pouvait découvrir ses pensées les plus intimes.

Mais elle n'aimait guère l'expression qu'affichait Quinlin, visiblement en état de choc.

— Qu'est-ce que ça signifie ? demanda-t-il à voix basse.

— Qu'adulte, elle sera la plus grande des Gardiennes que nous ayons jamais connues, répondit Alden dans un soupir.

— Si ce n'est pas déjà le cas, grogna Quinlin.

Alden se figea. Puis il se tourna vers Sophie, le visage blême.

— Qu'est-ce que c'est qu'une Gardienne ? demanda la jeune fille.

Il s'écoula quelques secondes avant qu'Alden ne réponde.

— Certaines informations sont trop importantes pour être enregistrées. Dans ce cas, nous les partageons avec un Gardien, autrement dit un Télépathe hautement qualifié et chargé de protéger les secrets.

— Comment pourrais-je déjà en être une ?

— Quinlin ne faisait que plaisanter, déclara Alden avec un sourire de façade qui contredisait son propos.

Mais pourtant, le seul secret qu'elle gardait pour le moment concernait l'endroit où elle avait caché le jeu de karaoké de sa sœur Amy, afin de ne pas avoir à supporter sa voix de casserole à longueur de journée… Comment aurait-elle pu être une Gardienne ?

— Peut-être ferions-nous mieux de passer à l'étage.

Alden désigna le hall d'entrée, où la réceptionniste prenait des notes, de toute évidence l'oreille tendue.

Quinlin les conduisit à l'autre bout de son petit bureau. Il lécha une bande argentée sur le mur : une étroite porte coulissa pour révéler un escalier en colimaçon. Ils montèrent jusqu'à une pièce ovale et vide. Des images de feux de forêt étaient projetées sur les murs, en direct.

Un frisson s'empara de Sophie lorsqu'elle reconnut le décor.

— Pourquoi est-ce que vous surveillez les incendies de San Diego ?

Elle désigna une vue aérienne du sud de la Californie. Des traînées de feu blanches formaient un cercle presque parfait autour de la ville du sud-ouest de l'État.

— Tu connais cette zone ? s'enquit Quinlin.

— Oui, j'habite dans le coin.

Le cri de stupeur de Quinlin lui vrilla les tympans.

Alden contemplait les images, soucieux.

— Pourquoi ne m'as-tu rien dit à propos des feux ? demanda-t-il à son fils.

— Je ne pensais pas que c'était important.

— Je ne t'ai pas demandé de me dire ce qui était important. Je t'ai demandé de tout me dire.

Alden se tourna vers Quinlin.

— Pourquoi surveilles-tu ces incendies ?

— Ils brûlent blanc, et contre le vent. Comme si le pyromane savait ce qu'il faisait. Et puis… tu ne trouves pas qu'ils ressemblent au signal ?

Sophie n'avait pas la moindre idée de ce qu'était ce « signal », mais elle n'aimait guère la façon dont le front d'Alden se plissait de plus belle, formant de petites vallées d'inquiétude.

— C'est donc de cette façon que tu as découvert l'article que tu m'as envoyé, murmura Alden. Je me demandais pourquoi tu cherchais de ce côté-là. Nous avions déjà écarté cette zone des années auparavant.

— Quel article ? demanda Quinlin.

— Celui sur l'enfant prodige de San Diego. Il m'a mené droit à Sophie.

Quinlin se tortilla. Le reflet des flammes incandescentes lui donnait un air plus éperdu encore.

— Je ne t'ai pas envoyé d'article. Il y avait un mot écrit de ma main ?

Alden fronça les sourcils.

— Non. Mais tu étais le seul au courant de mes activités.

— À l'évidence non, dit Quinlin à voix basse.

— Que se passe-t-il ? demanda Sophie.

À présent, elle n'avait que faire de la politesse – ou du signe de main de Fitz, qui lui signifiait de se taire.

— Quel signal ? Que se passe-t-il avec ces feux ? Est-ce que je dois dire à ma famille de fuir ?

Jamais elle n'aurait imaginé se sentir si frustrée de ne pas pouvoir lire les pensées des autres. Les réponses qui lui manquaient en cet instant, juste à sa portée. Mais qu'arriverait-il si on la surprenait en train de s'en emparer ?

Elle n'avait aucune envie de le découvrir.

— Tu n'as pas à t'inquiéter, Sophie, lui assura Alden. Je sais que tout cela te semble étrange, mais je te promets que nous contrôlons la situation.

Son ton calme et posé fit rougir Sophie. Peut-être réagissait-elle de façon exagérée.

— Je suis désolée. J'ai eu une drôle de journée. Entre le type qui a essayé de m'enlever ce matin et…

— Comment ? intervint Quinlin en regardant tour à tour Sophie et Alden. Est-ce que c'était…

— Un elfe ? compléta Alden. J'en doute.

— Comment peux-tu l'affirmer ? demanda Quinlin.

Le père de Fitz se tourna vers Sophie.

— Qu'est-ce qui l'a arrêté ?

Elle frémit en revoyant le regard désespéré du kidnappeur juste avant l'intervention de M. Forkle.

— Le voisin a menacé d'appeler la police.

— Tu vois ? dit Alden à Quinlin. Jamais ils n'auraient renoncé aussi facilement.

— Ils ?

Le mot ne plaisait guère à la jeune fille : il suggérait une entité anonyme et multiple prête à l'attaquer.

Alden sourit.

— Je voulais dire un elfe, n'importe lequel. Tu as vu comme nous pouvions sauter rapidement. Si l'un d'entre nous voulait vraiment t'enlever, ce n'est pas la menace des autorités qui l'en empêcherait. Il t'aurait simplement attrapée au moment d'activer son éclaireur.

Elle tressaillit en imaginant la scène.

— Mais, et les feux ? Pourquoi sont-ils blancs ?

— Le pyromane a sans doute eu recours à un accélérateur chimique. Les humains adorent ce genre de produits. J'y jetterai un œil, promit Alden. Je passe mes journées à suivre des pistes suspectes qui ne mènent jamais nulle part. Les humains ne cessent de commettre des actes aberrants et dangereux. Lorsqu'ils ne s'immolent pas par le feu, ils déversent du carburant dans l'océan ou font sauter des bâtiments. À chaque fois, j'enquête afin de m'assurer que la situation ne dégénère pas, mais rien ne sort jamais de cette pièce. La position officielle du Conseil sur ce sujet est qu'il faut laisser les humains se débrouiller. Encore une raison pour laquelle Quinlin travaille ici : le Conseil prend rarement le temps de venir vérifier nos activités.

— Même si la baby-sitter que m'a collée Bronte passe ses journées à prendre des notes, marmonna Quinlin. Il aurait au moins pu choisir une réceptionniste digne de ce nom.

Alden leva les yeux au ciel avant d'esquisser un nouveau sourire.

— Au moins est-elle aussi peu douée pour l'espionnage. Tu aurais dû voir la tête de Bronte quand il a su pour Sophie. On aurait cru que ses yeux allaient sortir de leurs orbites !

Quinlin s'esclaffa.

— Garder ce secret pendant douze ans… c'est certainement un record !

— Comment se fait-il que le Conseil n'ait pas été au courant ? ne put s'empêcher de demander Sophie. Pourquoi toutes ces cachotteries ?

— Bronte nous a expressément ordonné d'ignorer tout indice de ton existence, expliqua Alden. Il pensait que l'ADN découvert était un faux et que je ne faisais que perdre mon temps. Voilà pourquoi il s'est montré si dur avec toi, aujourd'hui. Il déteste avoir tort. Et encore plus savoir que j'ai agi dans son dos. Je peux vous faire confiance pour ne pas ébruiter toute cette affaire ?

Alden attendit la réponse des deux adolescents.

Sophie sentait bien qu'on ne lui disait pas tout, aussi avait-elle du mal à exprimer son consentement.

— Vous promettez de me tenir au courant pour les feux ?

Alden soupira.

— Entendu, s'il se passe quoi que ce soit d'important. On est d'accord ?

Sophie hocha le menton. Elle s'efforçait de faire le tri dans toutes ces informations. Pourquoi aurait-on remplacé son ADN par un faux ? Et d'ailleurs, comment pouvaient-ils disposer d'un échantillon en premier lieu ?

Alden se tourna vers Quinlin.

— Envoie-moi tout ce que tu as sur ces incendies. Il faut que je ramène Sophie chez elle.

— Je te mets les informations de côté, promit Quinlin, avec un petit signe de tête.

— Je te remercie. C'était un plaisir de te revoir, mon ami.

Alden descendit l'escalier d'un pas rapide et c'est à peine s'il salua la réceptionniste en la dépassant. Il héla une autre calèche aquatique, mais cette fois, Sophie était trop distraite pour se soucier de la monstrueuse créature qui les tirait à travers les canaux.

Les faits flottaient pêle-mêle dans sa tête. Prentice. ADN correspondant. Gardiens. Feux blancs encerclant la ville où elle habitait. Un « signal », selon Quinlin. Mais un signal de quoi ?

Et pourquoi est-ce que personne ne pouvait lire ses pensées ?

Elle n'avait toujours pas le moindre début de réponse lorsque le bateau s'arrêta. Ils avaient rejoint un petit lagon bleu situé très à l'écart de la ville : les flèches d'argent n'étaient plus qu'un lointain point lumineux. Des dunes d'une blancheur éclatante entouraient le petit lac, sur la rive ouest duquel se dressait une étrange statue noire, haute de deux étages au moins, érigée sur une étroite base ronde et surmontée d'un large cercle. Une pellicule irisée miroitait au cœur de l'anneau, donnant à l'édifice des airs de jouet à bulles de savon géant.

— Accrochez-vous bien, intima Alden à Sophie et Fitz en se plaçant entre eux pour leur tenir la main.

Elle n'eut pas le temps de demander pourquoi : les pieds d'Alden décollèrent du fond de la calèche, et il entraîna les adolescents derrière lui. Elle s'agrippa à sa main de toutes ses forces, hurlant à mesure qu'ils s'éloignaient du sol.

Le ricanement de Fitz la fit rougir. Elle allait devoir apprendre à garder son calme, à maîtriser ses frayeurs.

Les elfes pouvaient donc léviter… Y avait-il seulement une chose dont ils n'étaient pas capables ?

— Est-ce que j'ai envie de savoir ce qu'on fait exactement ? demanda-t-elle.

Alden les orientait vers la statue.

— Tu vas voir, répondit Fitz.

Ils traversèrent l'anneau. La pellicule s'étira pour former une bulle géante autour d'eux.

Sophie ne put se retenir d'en toucher la paroi, chaude et humide comme l'intérieur de sa joue. Mais son attention fut détournée par le grondement sourd qui retentit sous leurs pieds.

Elle jeta un œil juste à temps pour voir un immense geyser jaillir du lagon et projeter leur bulle hors de l'Atlantide.

Chapitre 11

— Est-ce qu'il arrive aux elfes de faire les choses normalement ? demanda Sophie, qui regardait les vagues s'écraser en contrebas.

Leur bulle flottait au gré de la brise, haut dans les nuages.

— Quel intérêt ?

Le sourire d'Alden allégea l'inquiétude qui la minait depuis qu'ils avaient quitté le bureau de Quinlin. S'il pouvait se montrer détendu, peut-être la situation n'était-elle pas si effrayante qu'il y paraissait. Et puis, il était difficile de ressentir autre chose qu'une joie absolue en survolant le monde à bord d'une bulle géante.

D'autant que Fitz lui tenait la main.

— Prête à rentrer ? demanda-t-il, son éclaireur présenté à la lumière.

À peine eut-elle le temps d'acquiescer que la bulle éclata. Sophie ne put retenir le début d'un cri avant qu'une bourrasque tiède les emporte au loin.

La jeune fille cligna des yeux dans la lumière aveuglante.

— Je croyais que vous me rameniez chez moi, lança-t-elle en contemplant une nouvelle fois les immenses portes d'Everglen.

À vrai dire, elle était plutôt soulagée. Ils ne lui avaient toujours pas expliqué ce qu'elle était censée raconter à sa famille à propos de toute cette histoire. En fait, il y avait un tas de choses qu'on ne lui avait pas encore précisées. Son cerveau semblait bourré à craquer d'interrogations sans réponse.

— Qu'est-ce que je dois…

Elle fut interrompue par un éclair lumineux qui les poussa à se couvrir le visage. Lorsqu'elle rouvrit les yeux, un grand elfe en tunique noire avançait vers eux. Son teint olive contrastait violemment avec sa chevelure blonde, et alors que son visage respirait la jeunesse, ses yeux bleu foncé brillaient d'une lueur ancestrale.

— Quel toupet de me faire venir! s'exclama-t-il à la figure d'Alden.

Plus petit que le père de Fitz d'une dizaine de centimètres, il ne semblait pourtant guère intimidé par la différence de taille.

— Plutôt me faire exiler que de former un membre de ta famille!

Du coin de l'œil, Sophie vit Fitz serrer le poing. Sans ciller, Alden fit un petit pas en arrière et sourit.

— Oui, Tiergan, j'ai bien conscience de ton sentiment. Et je t'assure que jamais je ne t'aurais fait venir à moins d'être convaincu que tel était le souhait de Prentice.

Tiergan perdit aussitôt son air féroce. Il recula, les bras croisés sur la poitrine.

— Depuis quand es-tu devenu l'interprète attitré des vœux de Prentice?

— Qui est Prentice? demanda Sophie.

Tiergan se retourna vers elle et la détailla rapidement du

95

regard. Il ne cacha pas sa stupeur lorsqu'il remarqua la couleur de ses yeux.

— Oui, dit Alden devant sa réaction. C'est exactement ce que tu crois. Tiergan, je te présente Sophie Foster. Le nouveau prodige de Foxfire, qui se trouve avoir besoin d'un Mentor en télépathie.

L'homme avala plusieurs fois sa salive avant de parler.

— C'est elle, n'est-ce pas ? C'est elle que cachait Prentice ?

— Oui, confirma Alden. Elle a passé ces douze dernières années parmi les humains.

— OK, sérieusement, les interrompit Sophie, tout à fait rebutée par la façon dont Tiergan la dévisageait (on aurait dit qu'il assistait à la mort de son chiot préféré). Qui est Prentice, et quel est le rapport avec moi ?

— Je regrette, Sophie, il s'agit d'informations confidentielles, dit Alden à voix basse.

— Mais c'est de moi qu'on parle.

Elle jeta un regard à Fitz, qui haussa les épaules, comme si la situation le dépassait.

— Si cela s'avère nécessaire, je te le dirai, promit Alden. Pour l'instant, tout ce que le monde a besoin de savoir, c'est que tu es la Télépathe la plus exceptionnelle que j'aie jamais vue et qu'il te faut un Mentor. D'où ta convocation, ajouta-t-il à l'adresse de Tiergan. Sophie a déjà pénétré les défenses de Fitz et de Bronte, qui plus est sans avoir reçu aucun entraînement. Il lui faut le meilleur Mentor qui existe. Je sais que tu as pris ta retraite, mais j'ai pensé que, étant donné les circonstances, tu te laisserais peut-être convaincre de retourner à Foxfire.

Colère et ressentiment se lisaient sur les traits de Tiergan. Jamais Sophie ne se serait attendue à une réponse favorable de sa part, mais il hocha la tête.

— Tu acceptes ? demanda Alden d'un ton qui mêlait surprise et soulagement.

— Oui. Mais seulement pour cette année. Ce sera bien assez pour aiguiser ses capacités. Après quoi, vous me laissez tranquille et plus personne ne me demande mon aide.

— C'est tout à fait raisonnable, acquiesça Alden.

— Attendez, les coupa Sophie. Je n'ai pas voix au chapitre ?

— Que veux-tu dire ? demanda Alden.

Elle prit une profonde inspiration avant de pouvoir répondre.

— Je ne suis pas certaine d'avoir envie de progresser en télépathie.

Elle avait toujours détesté lire les pensées des autres, même lorsqu'elle n'avait pas eu à se soucier de règlements ou de restrictions. Tiergan, quant à lui, ne semblait même pas vouloir la former. Peut-être valait-il mieux faire comme si elle n'était pas Télépathe du tout.

— Tu es folle ? demanda Fitz. Tu te rends compte un peu de la chance que tu…

Tiergan le fit taire d'un signe de la main. Il s'approcha de Sophie et attendit qu'elle croise son regard.

— La vie de Télépathe parmi les humains peut s'avérer un véritable fardeau. J'imagine que tu souffrais de terribles migraines et entendais toutes sortes de choses dont tu te serais bien passée, n'est-ce pas ?

Elle acquiesça, ébahie devant ce changement d'attitude. Il semblait presque… gentil.

Les sourcils froncés, il détourna le regard en marmonnant quelques mots incompréhensibles. Mais il sembla à Sophie saisir le terme « irresponsable ».

— Ce n'est pas une fatalité, reprit-il au bout d'un moment. Avec un entraînement adéquat, tu apprendras à canaliser tes pouvoirs. Mais tu as le choix. On devrait toujours avoir le choix, répéta-t-il d'une voix plus forte, comme pour en faire profiter Alden. Si tu ne veux pas de cet entraînement, rien ne t'y oblige.

Sophie sentit le poids de leurs regards sur elle. Elle savait ce qu'Alden et Fitz souhaitaient entendre. Et ce ne serait pas désagréable de contrôler enfin son pouvoir.

— Essayer ne coûte rien, je suppose.

— Tu supposes, railla Fitz tellement bas qu'il croyait son commentaire passé inaperçu.

Tiergan le fusilla du regard et l'adolescent détourna les yeux, rouge de honte.

Alden s'éclaircit la gorge.

— Très bien, voilà qui règle la question. J'avertirai Dame Alina de ton retour à Foxfire. Mais le nom de ton prodige restera secret. Le Conseil ne veut pas que la télépathie de Sophie s'ébruite, du moins dans l'immédiat.

— Pourquoi faut-il le cacher? demanda la jeune fille.

La remarque d'Alden avait ravivé une vieille blessure. Elle pensait en avoir fini avec les secrets.

— Ce ne sera que temporaire, dit Alden avec douceur. Le temps de permettre à tout le monde de s'adapter à ta présence. D'ici là, vos séances seront classées comme des cours de soutien.

S'adapter. Comme si elle était un problème avec lequel il fallait apprendre à vivre. Pourquoi ne pas intituler ces heures de rattrapage « La vie elfique pour les nuls », tant qu'on y était?

— Je me doute bien que tu dois te sentir perdue, Sophie, mais je ferai de mon mieux pour tout t'expliquer une fois à l'intérieur, d'accord? demanda Alden.

Elle hocha la tête. Avait-elle le choix?

— Bien.

Il se tourna vers Tiergan, qui s'était un peu écarté du groupe.

— Je suppose que tu n'as pas envie d'entrer.

— Pour une fois, tu supposes bien, lâcha Tiergan d'un ton glacial avant de s'adoucir en regardant l'adolescente. À mardi, Sophie.

Puis il brandit son éclaireur à la lumière du soleil avant de disparaître dans un éclair étincelant.

Alden s'esclaffa.

— Eh bien, ce n'était pas si terrible !

Il lécha un panneau sur le portail gigantesque et saisit la main de Sophie à l'instant où les battants s'écartaient.

— Allez viens ! Voyons si je ne peux pas répondre à certaines des questions qui doivent te trotter dans la tête.

Il la conduisit à travers le vaste domaine d'Everglen en lui expliquant que son emploi du temps scolaire se composerait de deux séances de travail journalières, d'une pause déjeuner, et d'une heure d'étude. En tant que « prodige » – c'était ainsi qu'ils appelaient leurs élèves –, elle suivrait huit matières, dont la plupart étaient enseignées en cours particulier par des Mentors issus de la noblesse. Sophie se sentit soudain fébrile à l'idée de se retrouver en tête à tête avec des aristocrates. Sacrée pression.

Sans parler de son retard. Non seulement l'année scolaire était déjà entamée, mais Sophie commençait au Niveau 2, en adéquation avec son âge. Il lui faudrait donc reprendre de zéro les bases déjà acquises, ce qui ne réduirait en rien son retard. Voilà qui la changerait, elle qui, jusque-là, avait toujours été première de la classe.

Le doute pesait davantage sur ses épaules à chacun de ses pas, mais elle se ressaisit. Sa place était ici. Elle devait se raccrocher à cette idée. Les fragments épars de sa vie s'emboîtaient enfin.

À une exception près.

— Qu'est-ce que je vais dire à ma famille ? demanda-t-elle à Alden. Ils n'accepteront jamais de me voir disparaître tous les jours sans une explication.

L'elfe se mordit la lèvre tandis qu'il ouvrait la porte d'Everglen et laissait passer Sophie et Fitz devant lui.

— À ce propos, Sophie, j'ai à te parler.

La tristesse qu'elle lut dans ses yeux lui donna l'impression d'avoir avalé quelque chose de visqueux. De toute évidence, la discussion ne s'annonçait pas agréable.

— Mon bureau est par ici, dit Alden, qui la guida le long d'un autre couloir rutilant. Nous y serons au calme. Il y a tellement de choses à v…

Il fut interrompu par des bruits de dispute. Ils pénétrèrent dans un vaste salon rempli de fauteuils rembourrés et de statues élégantes, et se trouvèrent nez à nez avec une jeune fille aux cheveux noirs. De l'âge de Sophie, elle semblait se crier dessus toute seule.

Une elfe vêtue d'une élégante robe violette se matérialisa soudain à ses côtés avant de remarquer :

— Tu es rentré.

Sophie couina. Fitz ricana. Pour garder son calme, c'était réussi.

— Sophie, je te présente mon épouse, Della, dit Alden, les lèvres pincées. (Il étouffait un rire.) Et ma fille Biana, ajouta-t-il en désignant la plus jeune. Ma chère, je ne suis pas sûr que notre hôte soit habituée à côtoyer des Éclipseurs.

— Je suis confuse, dit Della à Sophie, avec un doux sourire.

Elle avait une voix musicale, avec juste une pointe du même accent qu'Alden et Fitz.

— Tout va bien ? ajouta-t-elle.

— Oui, marmonna l'adolescente en s'efforçant de ne pas la dévorer des yeux.

D'une beauté exceptionnelle – longue chevelure brune et bouche en cœur – Della attirait tous les regards. Quant à Biana, elle alliait à merveille tous les traits les plus avantageux de ses parents. À côté, Sophie avait l'impression d'être un troll dégingandé. Plus encore lorsque Biana demanda, les sourcils froncés :

— C'est ma robe ?

— Oui, intercéda Alden. Je l'ai prêtée à Sophie le temps de faire quelques courses.

— Je peux aller me changer, proposa la jeune fille.

— Non, ce n'est pas la peine, dit Biana en détournant le regard. Tu peux la garder. Elle est un peu ringarde.

— Oh… merci.

— Quinlin t'a envoyé les documents demandés, annonça Della à son mari. Je les ai mis sur ton bureau.

Son sourire se dissipa.

— Et le Conseil a rejeté notre demande. En revanche ils ont approuvé celle de Grady et Edaline.

Alden se passa une main dans les cheveux – comme le faisait Fitz lorsqu'il était agacé.

— Dans ce cas, je ferais mieux de les appeler.

Il se tourna vers Sophie.

— Après quoi nous aurons une longue discussion, toi et moi, d'accord ?

Elle acquiesça et le regarda s'éloigner avec un pincement au cœur. Elle se doutait bien de ce qu'il allait lui dire et elle n'était pas prête à l'encaisser. Mais la présence de Della et Biana, dont elle sentait les regards posés sur elle, l'intimidait.

— Tiens, le Conseil a envoyé ces colis pour toi, dit Della avec un sourire radieux.

Deux petits paquets enveloppés d'un épais papier blanc dans les mains, elle s'avança vers Sophie, clignotant à chaque pas à la manière d'un stroboscope.

— Elle ne s'en rend pas compte, expliqua Fitz à Sophie dont les yeux s'arrondissaient comme des soucoupes. Les Éclipseurs laissent passer la lumière, si bien qu'ils peuvent paraître invisibles même lorsqu'ils bougent.

Della défit les paquets.

— Soulève tes beaux cheveux blonds, tu veux bien ?

Sophie s'exécuta, et Della attacha derrière sa nuque un épais cordon d'argent. Ajusté comme un ras-du-cou, il soutenait un anneau fait du même métal, gravé et garni en son centre d'un petit cristal limpide. Son pendentif d'identification, expliqua Della. Chacun devait en porter un, afin d'être facilement localisable. Il était plutôt joli. Mais c'était surtout un objet elfique de plus dont elle aurait à expliquer l'utilité à sa famille.

Della tendit à Sophie un minuscule cube vert.

— Chaque fois que tu as besoin de payer pour quelque chose, il te suffit de le sortir. Ton épargne a été activée.

Il fallut une minute à Sophie pour enregistrer le terme « épargne ».

— J'ai de l'argent ?

Della confirma d'un hochement de tête.

— Cinq millions, selon l'usage.

— De dollars ? s'étrangla Sophie.

— De lustres, rectifia Fitz avec un rire. Un lustre doit valoir un million de dollars environ.

— C'est quoi, un dollar ? demanda Biana.

— Une monnaie humaine.

Elle retroussa son petit nez parfait.

— Beurk !

Sophie ignora l'affront. Comment les elfes pouvaient-ils distribuer pareilles sommes ?

— Nous procédons différemment par ici, expliqua Della. L'argent est quelque chose dont nous disposons, pas quelque chose dont nous avons besoin. Personne n'en manque jamais.

La jeune fille n'en croyait pas ses oreilles.

— Mais… pourquoi travailler, alors, si on a déjà de l'argent ?

— À quoi occuperions-nous nos journées autrement ?

— Je ne sais pas. À vous amuser ?

— Mais le travail, c'est amusant, remarqua Della. N'oublie pas : le temps n'a pas de prise sur nous. Une fois que tu te seras faite à cette idée, je pense que tu constateras que notre façon de faire est bien plus logique.

— Peut-être, concéda Sophie, qui essayait de digérer le concept.

— Prête ? demanda Alden en regagnant la pièce.

Della acquiesça.

— As-tu pu les faire changer d'avis ?

Alden secoua la tête, au désespoir de sa femme. Tous, à vrai dire, semblaient… tristes – à l'exception de Biana, qui, elle, paraissait soulagée.

— Qu'est-ce qui se passe ? demanda l'adolescente en tentant d'ignorer la panique qui la gagnait.

Alden poussa un long soupir.

— Viens, Sophie. Allons discuter.

Chapitre 12

Un des murs du bureau d'Alden était constitué d'une large baie vitrée incurvée qui surplombait un lac argenté. Un aquarium, s'élevant du sol au plafond, encadrait le reste de la pièce. Sophie attendait dans un énorme fauteuil à oreilles face à Alden, qui s'assit derrière un bureau noir recouvert de livres et de parchemins. Les murs d'eau semblaient se refermer sur elle et sa poitrine se serra d'anxiété.

Elle prit une grande inspiration pour se rappeler qu'elle n'était pas en train de se noyer, avant de pointer du doigt les journaux humains empilés près de son fauteuil. Certains articles étaient encerclés de rouge ou barrés.

— On se tient au courant de l'actualité?

— Pour te retrouver, oui.

Alden sortit un autre quotidien d'un tiroir et lui tendit le fameux papier. Sa photo était entourée.

— Vous ne savez pas qui vous l'a envoyé? demanda-t-elle.

— J'ai ma petite idée. Mais tu n'as pas à t'en inquiéter.

— C'est ce que vous ne cessez de me répéter, fit-elle remarquer avec une pointe d'agacement.

— Parce que c'est la vérité.

Elle soupira.

— Dans ce cas, si vous trouvez la réponse, peut-être pourrez-vous découvrir comment le journaliste a su pour moi. Mes parents étaient bouleversés.

Son cœur manqua un battement lorsqu'elle vit l'expression d'Alden.

— Je crois que je sais ce que vous allez me dire, lança-t-elle à l'instant où il s'apprêtait à parler.

Elle avait besoin d'énoncer l'évidence en premier. C'était le seul moyen de survivre au choc.

— Vous allez m'annoncer que je n'ai aucun lien de parenté avec ma famille.

Elle sentit sa gorge se nouer quand les mots s'envolèrent, comme s'ils emportaient un peu d'elle au passage.

— Certes, j'avais prévu d'aborder le sujet.

Une ombre parcourut le visage d'Alden.

— Mais nous devons d'abord discuter des raisons pour lesquelles tu ne peux plus vivre avec eux.

Ses paroles s'entrechoquèrent dans la tête de Sophie, incompréhensibles.

Alden contourna son bureau pour la rejoindre et lui prendre la main, appuyé contre le fauteuil.

— Je suis vraiment navré, Sophie. Nous n'avons jamais fait face à pareille situation et il n'y a pas de solution idéale. Tu ne peux pas cacher tes pouvoirs à jamais, d'autant qu'ils vont s'intensifier. Tôt ou tard, quelqu'un se doutera que tu es différente, et nous ne pouvons nous y résoudre, pour ta sécurité comme pour la nôtre. Maintenant que le Conseil est au courant de ton existence, tu as l'ordre de t'installer ici. Séance tenante.

Elle se sentit pâlir à mesure qu'elle assimilait le message.

— Oh.

Un mot trop simple, incapable de traduire l'émotion qui l'étreignait, mais elle ne pouvait trouver mieux. Elle refusait en partie de le croire – d'accepter toutes ces choses invraisemblables qu'il lui annonçait. Elle avait également envie de faire un scandale et de pleurer jusqu'à ce qu'il la ramène chez elle, auprès des siens.

Mais une voix minuscule l'en empêchait. La voix de la raison.

Au plus profond d'elle-même, loin derrière la peur, la souffrance et la peine, elle savait qu'il disait vrai.

Depuis l'âge de cinq ans, elle avait vécu chaque jour dans la crainte d'être démasquée. Elle ignorait combien de temps elle pourrait encore tenir ainsi. Les migraines causées par la télépathie devenaient presque insupportables – et si elles devaient encore s'intensifier…

Sans parler de la solitude. Elle ne s'était jamais sentie en phase avec sa famille. N'avait jamais eu d'ami. Sa place n'était pas dans le monde des humains et elle était fatiguée de prétendre le contraire.

Mais la situation n'en était pas moins douloureuse. Et terrifiante.

— Est-ce que je pourrai leur rendre visite ? demanda-t-elle dans une tentative de calmer l'angoisse qui menaçait de la terrasser.

Alden détourna les yeux avant de secouer la tête.

— Je regrette, mais j'ai bien peur que ce soit impossible. Ce n'est pas sans raison que nous appelons les zones habitées par les humains les « Cités interdites ». L'accès y est strictement limité. De toute façon, ils te croiront morte.

Elle bondit aussitôt sur ses pieds.

— Vous allez me tuer ?

106

— Aux yeux de ta famille et du reste de l'humanité…
oui.

L'espace d'un instant, elle fut trop sonnée pour répondre
– son esprit envahi d'images affreuses de pierres tombales
annonçant : « Ci-gît Sophie Foster ». Mais il y avait pire.

Elle ferma les yeux, cherchant à tout prix à étouffer
l'horrible tableau, qui se fit pourtant plus vivace : ses parents,
debout devant sa tombe, le visage en larmes.

— Vous ne pouvez pas leur faire une chose pareille,
murmura-t-elle en ravalant ses propres sanglots.

— Nous n'avons pas le choix. Si tu disparaissais, ils
mettraient tout en œuvre pour te retrouver, ce qui attirerait
beaucoup trop l'attention.

— Mais vous allez leur briser le cœur !

— J'aimerais tant pouvoir faire autrement.

Elle refusait de l'accepter. Les elfes étaient capables de
voyager par rayon lumineux, de lire les émotions et de sonder les esprits. Il devait forcément y avoir un moyen de
préserver sa famille.

Une idée infâme germa dans son esprit.

— Vous ne pourriez pas les pousser à m'oublier ? Faire
en sorte que je n'aie jamais existé ?

Alden se mordit la lèvre.

— C'est plus compliqué… mais possible. Crois-tu vraiment que ce serait mieux pour eux ? Il faudrait les relocaliser.
Ils perdraient leur emploi, leur maison, tous leurs amis…

— C'est mieux que de leur faire croire que leur fille est
morte.

Il se détourna, visiblement affecté par ses paroles, et
plongea son regard dans l'aquarium.

— Et toi ? dit-il après un moment de silence. Ces êtres te
sont chers, Sophie. Si nous t'effaçons, tu ne leur manqueras

pas, ils ne sauront même pas que tu existes. Cette douleur ne sera-t-elle pas trop dure à supporter?

Une unique larme glissa le long de sa joue.

— Si. Mais je serai la seule à la ressentir. Je crois que pour eux…

Elle serra les poings et la mâchoire.

— Pour eux, c'est la meilleure solution.

Plusieurs secondes s'écoulèrent avant qu'Alden ne se retourne vers elle, l'air peiné.

— Si tel est ton souhait, nous nous y plierons.

— Merci, murmura-t-elle.

Elle avait peine à croire à ses propres mots. Son cerveau semblait s'être éteint, trop surchargé pour fonctionner. Venait-elle vraiment de consentir à effacer la totalité de son passé? Elle se renfonça dans son fauteuil démesuré et sécha ses larmes.

— Je pourrai leur dire au revoir, au moins?

Alden secoua la tête.

— Le Conseil m'a formellement interdit de te ramener là-bas.

La pièce se mit à tournoyer et un petit sanglot échappa à Sophie. Jamais elle n'aurait pu imaginer qu'en quittant la maison ce matin-là, elle disait adieu à sa famille, pour toujours. C'en était trop.

— Je vous en prie. J'ai besoin de leur dire au revoir.

Alden étudia son visage un long moment avant d'acquiescer.

— Je ne peux t'y emmener sans risquer une audience, mais je peux te donner vingt minutes avant d'alerter le Conseil du changement de programme et laisser Fitz t'accompagner. Tu devras bien sûr te changer pour y aller, et revenir avant qu'on puisse te remarquer, sinon il risque de gros ennuis. Je peux compter sur toi ?

Elle hocha la tête, séchant ses larmes de plus belle.

— Merci.

Alden se précipita aussitôt vers la porte de son bureau pour appeler Fitz. Sophie ne parvenait pas à se concentrer tandis qu'il mettait son fils au courant de la situation. Elle était trop occupée à préparer ce qu'elle allait dire à ses parents.

Comment leur faire ses adieux ?

Chapitre 13

— Où étais-tu passée? entendit hurler Sophie à l'instant où elle franchissait le seuil de chez elle.

Le visage de son père, d'ordinaire si doux, était tordu par l'inquiétude et la colère.

Sa mère, elle, se frottait les tempes.

— On était sur le point d'appeler la police!

Sophie sentait les larmes qu'elle retenait lui brûler les yeux. Ses parents, sa maison, tout ce qui se rattachait à sa vie – c'était la dernière fois qu'elle les verrait. Cette pensée lui était bien trop insupportable, aussi fit-elle la seule chose dont elle était capable : traverser la pièce en courant, jeter ses bras autour de ses parents, et les serrer de toutes ses forces.

— Que t'est-il arrivé, Sophie? demanda son père au bout d'une minute. Le lycée a appelé pour dire que tu n'étais pas allée en cours, aujourd'hui.

Il imagina brièvement des horreurs indicibles.

Sophie grimaça en percevant les pensées de son père.

— Rien de grave. J'ai juste eu une journée un peu étrange. Elle enfouit son visage dans le giron maternel.

— Je vous aime.

— Nous aussi, on t'aime, chuchota sa mère, complètement perdue.

— Que se passe-t-il, Choupine? demanda son père.

Sophie frémit en entendant son surnom – la preuve que sa véritable place n'était pas auprès de sa famille.

— Elle joue la comédie pour se tirer d'affaire, déclara Amy, qui venait de faire irruption dans la pièce.

Elle adorait voir son aînée se faire remonter les bretelles.

— Combien de fois t'ai-je dit de ne pas écouter aux portes? lança leur mère.

La fillette ignora le commentaire.

— Combien de temps, la punition?

— Trois mois, répondit leur père.

Amy adressa un sourire triomphant à sa sœur.

— Ça ne fait rien, dit Sophie sans lâcher ses parents. Je suis désolée de vous avoir causé du souci. Je ne recommencerai plus, c'est promis.

Pour une fois, elle allait tenir parole.

— Bon, disons deux mois, décida sa mère en frottant avec tendresse le dos de sa fille.

Amy fit la moue. Sophie ne put s'empêcher de sourire devant sa mesquinerie.

Elle était stupéfaite de se rendre compte qu'Amy allait lui manquer. Son agaçante, son insupportable petite sœur pourrie gâtée. Bien sûr, elles passaient leur temps à se chamailler, mais avec elle, les disputes, c'était… amusant. Pourquoi ne l'avait-elle jamais remarqué jusqu'à présent?

Elle fondit sur sa petite sœur pour l'embrasser.

Leurs parents retinrent leur souffle.

— Euh… tu fais quoi, là? demanda Amy, qui se tortillait pour échapper à son étreinte.

Sophie ignora ses protestations.

— Je sais qu'on ne s'entend pas toujours bien, Amy, mais tu es ma sœur et je t'adore.

La cadette se dégagea d'un coup des bras qui la serraient.

— Tu es malade ?

— Absolument pas. Je tenais juste à te dire que je t'aime. Je vous aime tous.

Elle regarda ses parents. Ébahis, ils observaient la scène en train de se jouer entre leurs filles.

— Je n'aurais pas pu rêver d'une meilleure famille.

— Mais qu'est-ce qui te prend ? insista Amy.

— Rien.

Sophie leur tourna le dos pour ravaler ses larmes.

— Je vais dans ma chambre.

Reprenant ses esprits, son père s'éclaircit la gorge.

— Tu ne t'en tireras pas aussi facilement, Choupine. Nous devons encore discuter de ce qui est arrivé aujourd'hui.

— Oui, entendu, répondit-elle, désespérée et impatiente de s'en aller. Mais plus tard.

Fitz montait la garde au dehors et elle devait se dépêcher.

Elle fonça à l'étage, et une fois dans sa chambre, fit son sac dans un état second. Elle n'emporta pas grand-chose. Tout lui semblait appartenir à une autre personne – une autre vie.

Lorsqu'elle eut terminé, elle s'autorisa une minute pour mémoriser chaque détail de la pièce : les murs bleu pâle, les piles de livres poussiéreux recouvrant le moindre centimètre carré disponible, l'édredon en patchwork bleu et jaune que sa mère lui avait confectionné quand elle était bébé. À présent, sa chambre lui paraissait un désert. Peut-être parce qu'elle-même se sentait comme une coquille vide.

Puis elle prit une profonde inspiration, éteignit la lumière, et ferma la porte.

Dans le couloir, elle trébucha sur la silhouette pelucheuse de Marty.

— Désolée, bonhomme, murmura-t-elle.

Les larmes aux yeux, elle s'accroupit près de lui, pour caresser sa douce fourrure. Marty était son seul ami – mais elle ne pouvait pas l'emmener. Ses parents et sa sœur auraient besoin de lui.

— Amy prendra soin de toi, lui promit-elle en se relevant.

Il ouvrit sa petite bouche rose pour émettre un miaulement faible et pathétique.

— Toi aussi, tu vas me manquer.

Fitz lui avait confié un disque de gaz soporifique à diffuser au cas où elle ne pourrait s'éclipser. Elle espérait ne pas avoir à s'en servir – la perspective de droguer sa famille lui donnait la nausée –, mais ils l'attendaient au pied de l'escalier.

— Où crois-tu aller comme ça? demanda son père, qui fixait d'un œil mauvais le sac à dos pendu à son épaule.

Amy gloussa.

— Elle a touché le fond, mais creuse encore…

— Sophie Elizabeth Foster, tu vas nous dire ce qui se passe, et immédiatement! hurla sa mère.

Sophie les dévisagea, la main serrée sur le somnifère, trop pétrifiée pour l'utiliser.

— Je suis désolée, parvint-elle à articuler. Je dois m'en aller.

Son père s'interposa entre elle et la porte.

— Tu n'iras nulle part.

— Je n'ai pas le choix.

— Assieds-toi, lui ordonna-t-il, en désignant le canapé du salon.

À l'évidence, ils n'allaient pas la laisser partir, et le temps lui manquait.

— Très bien. Je vous promets de tout vous expliquer si vous vous asseyez et que vous m'écoutez.

Son mensonge la fit grimacer. Elle se détestait d'avoir dit une chose pareille. Pourtant, ce fut efficace. Ils se dirigèrent tous les trois vers le sofa et attendirent qu'elle s'exécute.

Elle manipula le disque, ordonnant à ses mains de dévisser le couvercle comme Fitz le lui avait indiqué. Mais elle en était incapable – elle ne pouvait pas partir sur un mensonge.

— Surtout… Surtout n'oubliez pas que je vous aime. Je vous serai éternellement reconnaissante pour tout ce que vous avez fait pour moi. Je dois m'en aller maintenant, mais je ne vous oublierai jamais.

La vue brouillée par les larmes, elle retenait sa respiration et tordait le disque entre ses mains. L'air s'engouffra entre ses doigts à mesure que le gaz s'échappait, et elle le lâcha avant de reculer.

Elle parvint à compter jusqu'à trente (pour laisser le temps au gaz de se dissiper) avant de reprendre son souffle. Et de s'écrouler au sol, le visage enfoui dans les mains.

— Ne t'inquiète pas, Sophie. Tout va bien se passer.

Elle reconnut la voix de Fitz. Il était accroupi par terre, un bras autour de ses épaules. Une partie de son cerveau savait qu'elle aurait dû être gênée de maculer sa veste de larmes, de bave et de morve, mais elle ne parvenait pas à s'en soucier.

— J'ai drogué ma famille, murmura-t-elle.

114

— Tu as fait le bon choix.

— Ce n'est pas l'impression que j'en ai.

Une nouvelle vague de sanglots s'empara d'elle et il la serra plus fort.

— Écoute, Sophie, je suis désolé, mais il faut qu'on s'en aille. Les Effaceurs seront là d'une minute à l'autre, et ils ne doivent pas nous trouver ici.

— Les Effaceurs ?

— Des Télépathes entraînés pour effacer les souvenirs. À l'heure qu'il est, je suis sûr que le Conseil les a déjà envoyés.

Elle se força à lâcher Fitz et essuya son visage baigné de larmes sur sa chemise.

— Donne-moi une minute.

— Je vais prendre tes affaires. Elles sont en haut ?

Elle désigna son vieux sac à dos violet.

— Je ne prends que ça.

— C'est tout ?

— Qu'est-ce que tu veux que j'emporte de plus ? Et pour quoi faire ?

— C'est maintenant ou jamais, Sophie. N'abandonne rien que tu puisses regretter ensuite.

— Non, il n'y a rien d'au…

Elle s'interrompit net : elle faisait erreur. Il y avait une chose que la jeune fille avait décidé de laisser derrière elle car elle avait trop honte de la garder. Une chose dont elle ne pouvait soudain plus supporter de se séparer.

— Ella, murmura-t-elle.

Le simple fait de prononcer son nom l'aida à se sentir un peu mieux.

— Je n'ai pas dormi sans elle depuis l'âge de cinq ans. Je pensais la laisser, mais…

Elle ne put finir sa phrase.

— Où est-elle?

— À l'étage, sur mon lit. C'est l'éléphant bleu clair avec une chemise hawaïenne.

Elle rougit, mais il s'abstint de rire. Il semblait comprendre, d'une certaine manière.

— Je reviens tout de suite, promit-il.

Elle ferma les yeux pour ne pas avoir à contempler sa famille endormie et compta les secondes en attendant le retour de Fitz. Quand il lui tendit l'éléphant élimé, elle fut surprise de constater qu'elle se sentait un peu moins triste, à présent qu'elle avait un objet auquel se raccrocher. Elle emportait avec elle quelque chose qu'elle aimait.

— Je suis prête, dit-elle avec une détermination nouvelle.

Fitz l'aida à se relever et la guida jusqu'à la porte. Elle fut tentée de se retourner une dernière fois, mais regarda droit devant elle. Puis, serrant Ella d'un bras et Fitz de l'autre, elle fit les deux pas les plus difficiles de sa jeune existence – pour sortir du passé et entrer dans l'avenir.

Chapitre 14

Alden et Della faisaient les cent pas derrière l'immense et éblouissant portail d'Everglen. Lorsque les portes s'ouvrirent enfin, Della serra aussitôt Sophie contre elle. En lui caressant les cheveux, l'elfe lui murmurait à l'oreille que tout irait bien. Sophie attendit que les larmes viennent, mais elle avait déjà pleuré tout son saoul.

— Ni vu ni connu, assura Fitz à son père en lui tendant l'éclaireur noir.

— Merci, Fitz. Peut-être devrais-tu la laisser respirer, ma chère, dit Alden à son épouse.

Della relâcha son étreinte et Sophie prit une inspiration tremblante.

— Tout va bien? demanda Alden, le visage sombre.

— Non, admit-elle.

Il acquiesça.

— Le plus dur est fait.

— Je l'espère, dit-elle en serrant Ella contre sa poitrine. Et maintenant, qu'est-ce qui se passe?

— Della et moi allons veiller personnellement à la relocalisation de ta famille. En notre absence, Fitz peut t'aider à t'installer ici.

— Ici ? Je vais habiter avec vous ?

Une lueur d'espoir. Vivre avec Alden et son épouse serait merveilleux.

Della se tordit les mains.

— Oh, Sophie, nous aimerions tellement… nous l'avons même proposé. Mais le Conseil a décidé de te placer chez d'autres tuteurs.

Des tuteurs ? Voilà qui lui semblait bien formel et peu chaleureux.

— Je les ai choisis moi-même, assura Alden. Ce sont de bons amis. Je suis sûr qu'ils te plairont.

— OK, acquiesça-t-elle sans grand enthousiasme.

L'idée de vivre avec des étrangers n'avait rien d'excitant, mais elle était trop épuisée pour y réfléchir.

— Nous reprendrons cette discussion demain, dit Alden. Pour l'heure, nous devons partir. Elwin attend de voir Sophie, Fitz.

Le garçon hocha la tête.

Della étreignit une dernière fois Sophie avant de rejoindre son mari, qui présenta à la lumière l'éclaireur au cristal bleu.

— Où allez-vous déplacer ma famille ? ne put s'empêcher de demander la jeune fille.

— Je regrette, Sophie, soupira Alden. Je ne suis pas autorisé à te le dire.

Elle ne mit qu'un court instant à comprendre pourquoi.

— Vous craignez que j'essaie de les voir.

— En effet. La tentation pourrait être trop forte.

La réalité la frappa soudain et un frisson lui parcourut l'échine. Elle ne reverrait plus jamais sa famille. Elle était orpheline.

— Et si tu emmenais Sophie à l'intérieur, Fitz ? suggéra Alden à voix basse. Elwin l'attend dans le jardin d'hiver.

Fitz tenta d'entraîner Sophie avec lui, mais elle fit volte-face vers Alden.

— Ma famille a toujours rêvé d'une maison avec un grand jardin, pour avoir un chien.

— On devrait pouvoir s'arranger, promit Alden.

— Nous prendrons bien soin d'eux, ajouta Della. Ils seront à l'abri du besoin et du danger, ils auront tout ce qu'ils ont jamais désiré, à part…

Elle n'alla pas au bout de sa pensée.

Si Sophie conservait le moindre doute quant à son choix de se faire effacer, il s'évanouit instantanément. La certitude d'avoir épargné à sa famille la douloureuse anxiété qui la tourmentait valait tous les sacrifices. Son dernier cadeau, pour les remercier de s'être occupés d'elle. Ils ne s'étaient pas portés volontaires pour élever une étrangère – et nul doute que ça n'avait pas dû être de tout repos.

Ce qui l'amena à se demander… pourquoi eux ?

Comment deux humains ordinaires s'étaient-ils retrouvés avec une elfe pour fille – et sans le savoir ?

Et surtout, pourquoi ?

Elle croisa le regard d'Alden, la question déjà sur ses lèvres, mais se retint à la dernière seconde. Elle n'était pas prête à en apprendre plus sur la famille qui l'avait abandonnée. Elle doutait que son histoire, quelle qu'elle soit, fût plaisante. Sophie avait déjà reçu son quota de mauvaises nouvelles pour une seule soirée. Elle laissa donc Fitz l'emmener, et choisit de ne pas regarder Alden et Della disparaître pour aller effacer toute trace de son existence.

— Qui est Elwin ? demanda Sophie à Fitz, qui lui faisait parcourir un nouveau couloir luisant.

— Un docteur. Il va t'examiner vite fait.

Elle se figea, le cerveau traversé par des images d'aiguilles et autres horreurs médicales.

— Qu'est-ce qu'il y a?

— Je déteste les docteurs.

Elle aurait dû faire preuve de courage devant Fitz, mais elle en était incapable. Ses courts séjours hospitaliers lui inspiraient encore de fréquents cauchemars.

— Tout va bien se passer, je t'assure.

Il lui agrippa la main pour l'entraîner vers le jardin d'hiver et rit lorsqu'elle tenta de résister. Il ne semblait pas remarquer comme son corps tout entier tremblait.

— Qu'est-ce que vous fabriquez? demanda soudain Biana derrière eux.

— Rien, répondit Fitz en poussant Sophie à faire quelques pas dans la bonne direction.

— Où étais-tu passé? J'ai demandé à papa, mais il a refusé de me répondre.

— Parce que ce ne sont pas tes affaires, rétorqua Fitz.

— Tu me le diras après?

— Laisse tomber, OK? Je suis occupé, là.

— J'avais remarqué, marmonna Biana en fixant leurs mains.

Sophie tenta de se dégager de l'étreinte du garçon. Elle n'était pas sûre d'apprécier les sous-entendus de Biana.

Fitz serra plus fort.

— N'y songe même pas. Je t'emmène auprès d'Elwin. Ce n'est pas si terrible, tu verras.

Sous le regard de Biana, elle perdit toute volonté de résister et laissa Fitz l'entraîner vers une porte dorée surmontée d'une arche, au bout du couloir.

Fitz se plaça derrière elle pour l'empêcher de fuir.

— Je vais poser tes affaires dans ta chambre. Tu n'as qu'à garder Ella, murmura-t-il. Elle t'aidera peut-être à surmonter ta peur.

— Merci, marmonna-t-elle.

Elle lui tendit le sac à dos, sans pour autant faire le moindre geste pour ouvrir la porte.

Fitz se pencha vers elle.

— Tu sais quoi? S'il t'arrive quoi que ce soit de déplaisant, je te laisserai me frapper à l'estomac aussi fort que tu le voudras. Marché conclu?

Elle accepta d'un signe de tête.

À l'instant où Fitz ouvrait la porte et la poussait à l'intérieur, elle surprit un dernier regard noir de Biana, mais elle était trop effrayée pour s'en inquiéter.

Baignées d'un doux clair de lune à travers les parois de la véranda, d'énormes plantes poussaient dans des pots luisants répartis à travers la pièce. Certaines fleurs, gigantesques, auraient sans doute pu la dévorer, pourtant Sophie les remarqua à peine. Allongée sur un lit moelleux, elle gardait les yeux braqués sur l'homme – l'elfe – penché sur elle, prête à bondir à la moindre apparition d'une seringue.

— On en aura plus vite fini si tu restes tranquille, dit Elwin tout en ajustant son oreiller.

Elle s'efforça de ne pas gigoter, mais entre ses cheveux noirs en bataille et ses immenses lunettes irisées, le médecin avait tout l'air d'un savant fou.

Il lui souleva le bras droit.

— Qu'est-ce que vous…

D'un claquement de doigt, il fit apparaître un globe de lumière verte autour de son coude.

— Tu vois? C'est tout à fait indolore.

Elle contempla la sphère brillante.

— Comment avez-vous fait?

— En tant que Flasheur, je peux manipuler la lumière comme bon me semble, même si je ne suis pas aussi talentueux qu'Orem Vacker. Tu le verras à l'œuvre lors de la prochaine éclipse totale. C'est une de nos fêtes les plus importantes.

Aussi étrange que cela puisse paraître à Sophie, les elfes possédaient leurs propres traditions. Ce qui, à bien y réfléchir, lui semblait également logique. Ils vivaient dans un monde à eux, dont elle avait tout à apprendre – le plus vite serait le mieux – si elle ne voulait pas toujours passer pour une idiote.

— Eh bien, sacrés dégâts! Mais rien de permanent, ajouta-t-il aussitôt en la voyant se crisper. Et tu n'y es pour rien. Alimentation toxique, eau et air pollués. Tes pauvres cellules innocentes n'avaient aucune chance.

— Vous pouvez voir mes cellules?

— Bien sûr. Tu croyais vraiment que je portais ces lunettes parce qu'elles me donnent fière allure?

Elle esquissa un sourire.

— Qu'est-ce qu'elles font?

— Plein de choses. Tout dépend de la couleur de la lumière utilisée.

D'un nouveau claquement de doigt, il fit apparaître des sphères de lumière bleue, violette et rouge sur le corps de sa patiente en plissant les yeux, puis retira ses lunettes. Sophie fut soulagée: il n'était pas d'une beauté aussi ahurissante que les autres elfes qu'elle avait rencontrés. Ses yeux étaient plus gris que bleus, sa bouche un peu trop petite pour sa

122

large mâchoire. Mais lorsqu'il souriait, son visage tout entier s'illuminait.

— Tu peux te redresser, lui dit-il, présentant un petit carré argenté devant ses yeux lorsqu'elle se fut exécutée.

Il fronça les sourcils.

— Qu'est-ce qu'il y a? Dites-moi. Je peux encaisser.

Il s'esclaffa.

— Quel sérieux! Je m'attendais à ce que la couleur de tes yeux soit due aux toxines. Pourtant tes yeux sont impeccables. Ils sont juste… marron.

— Ils l'ont toujours été. Même quand j'étais bébé. Vous savez pourquoi?

C'est à peine si elle avait murmuré la question.

— Aucune idée. Mais je vais faire des recherches, je suis sûr qu'il y a une explication. Et une fois que je l'aurai découverte, on tiendra là un sacré cas d'étude!

— Quoi? Non… pas question!

Comment était-elle censée s'intégrer si on la transformait en cobaye?

— D'accord, calme-toi. Je te laisserai tranquille.

Sophie respira de nouveau.

— Merci.

— Tout le plaisir est pour moi, dit Elwin avec un rire.

Il farfouilla dans la sacoche pendue à son épaule pour en sortir de minuscules fioles colorées.

— Bien, sans vouloir t'inquiéter, ton organisme a besoin d'une sérieuse cure de détoxication. On va commencer par celle-là.

Sophie se prépara au goût amer des médicaments, mais les flacons étaient remplis de sirops sucrés – comme des nectars de fruits inconnus – qui la réchauffèrent de l'intérieur en d'agréables chatouilles.

— Bravo ! dit Elwin en débarrassant les fioles vides avant de déposer une grande bouteille transparente devant elle. Nous en prenons tous une par jour, mais j'aimerais que tu en boives deux dans l'immédiat, histoire de rattraper le temps perdu.

— « Jouvence en bouteille », lit-elle sur l'étiquette. Jouvence comme la fontaine ?

— J'imagine que c'est de là que viennent les légendes, oui, dit-il. Elle contient des enzymes essentielles à notre bonne santé.

Froide et légèrement sucrée, l'eau était aussi plus désaltérante que tout ce qu'elle avait pu goûter jusque-là. Elle engloutit le contenu de la bouteille d'un trait et la lui tendit. Il lui en donna une autre, qu'elle vida tout aussi vite.

— Il me manque certains des médicaments dont tu as besoin, mais je donnerai une liste à Alden. J'aimerais te revoir dans quelques semaines pour une consultation de suivi.

Sophie ne put réprimer une grimace.

— Juste pour un petit check-up, rien de bien méchant, s'esclaffa Elwin. Je travaille à Foxfire, tu peux donc venir me voir quand tu veux.

L'allusion à sa nouvelle école la poussa à tirer sur l'un de ses cils.

— Qu'est-ce que tu fabriques ?

— Tic nerveux, désolée.

— Tu t'arraches les cils ?

— Ce n'est pas douloureux.

— Quand même.

— On dirait ma mère.

La chaleur des médicaments s'estompa quand la réalité des derniers événements remonta à la surface.

— Enfin, celle que je croyais être ma mère.

Il s'assit à côté d'elle sur le lit.

— Alden m'a mis au courant. Tu veux en parler ?

— Pas vraiment.

Elle regarda Ella et la serra plus fort.

Elwin siffla.

— Tu es drôlement courageuse, tu sais ?

— Parfois, on n'a pas le choix, répondit-elle d'un ton qu'elle souhaitait désinvolte.

— C'est vrai, acquiesça-t-il dans un rire.

— Quoi ?

— C'est plutôt drôle, sortant de la bouche d'une personne qui serre un éléphant en peluche.

Les joues de Sophie s'enflammèrent.

— Je sais que c'est ridicule mais…

— Je te taquine. Moi-même, je suis incapable de dormir sans Stinky le Stégosaure – il n'y a pas de quoi avoir honte.

Il rit de plus belle.

— Enfin, tu ferais mieux d'aller te reposer. La journée a été longue. On se revoit dans quelques semaines.

— Alors, ce coup de poing ? demanda Fitz en la conduisant jusqu'à sa chambre.

— Pas la peine, marmonna-t-elle, horrifiée par tout le cirque qu'elle avait fait.

Il devait la prendre pour la plus grande des mauviettes.

Fitz sourit de toutes ses dents.

— C'est quoi, cette phobie des docteurs ? Tu avais plus peur de voir Elwin que de plonger dans le tourbillon !

— Je suppose que tu ne t'es jamais retrouvé bardé d'aiguilles ou relié à une batterie de machines.

— Tu as raison, concéda-t-il avec un frisson.

Elle se sentit un peu mieux. Au moins comprenait-il sa peur à présent.

— Pourquoi on t'a fait subir une chose pareille ?

— Les piqûres, c'était pour soigner une réaction allergique, il y a quelques années.

Elle se frotta le bras au souvenir des hématomes causés par les aiguilles.

— Et les machines, c'était parce que je m'étais cogné la tête quand j'avais cinq ans.

— Comment tu as fait ton compte ?

— Je ne m'en souviens plus… je suppose que j'ai dû perdre connaissance et me fracturer le crâne sur le bitume. Tout ce que je sais, c'est que je me suis réveillée à l'hôpital sous les yeux de mes parents paniqués. Ils m'ont dit que le voisin avait appelé les secours et que j'étais restée plusieurs heures dans les vapes.

— Tu avais cinq ans ?

Elle confirma d'un hochement de tête.

— C'était avant ou après les premiers symptômes de ta télépathie ?

— En même temps. C'est à l'hôpital que j'ai commencé à lire dans les esprits. J'ai toujours pensé que c'était une conséquence de ma chute, mais peut-être qu'il s'agissait juste de la manifestation de mes gènes elfiques.

Il resta silencieux.

— Quoi ?

— C'est juste que… la télépathie ne se déclenche pas à cet âge-là. Il faut qu'elle soit débloquée.

— De quelle manière ?

— Aucune idée. Il y a peu de choses capables de déclencher un pouvoir spécial, et aucune qui existe dans les Cités interdites. Il faudra que mon père se renseigne.

Elle réprima un soupir. À cause d'elle, Alden allait devoir se plonger dans les recherches.

Fitz s'arrêta devant une chambre à coucher digne d'une princesse : immense lit à baldaquin, chandeliers de cristal et parois de verre surplombant le lac.

— Te voilà chez toi. Je suis à l'autre bout du couloir, si tu as besoin de quoi que ce soit.

Son cœur se mit à palpiter de façon anormale lorsque leurs regards se croisèrent, et elle dut détourner les yeux afin de ne pas bégayer.

— Merci pour ton aide. Sans toi, je ne sais pas comment j'aurais pu supporter cette journée.

Il s'éclaircit la gorge.

— Je ne mérite pas ta gratitude.

— Pourquoi ?

Il tapa du pied.

— Parce que… je savais ce qui allait se passer, mais je ne t'en ai pas avertie quand je t'ai ramenée ici. Je n'avais pas pensé que ce serait si difficile pour toi de quitter ta famille. Pas avant de te retrouver par terre. J'ai l'impression d'avoir gâché ta vie.

— Fitz.

Elle marqua une pause, cherchant comment traduire toutes les émotions étranges qui la traversaient.

— Cette journée a été horrible pour moi. Mais tu avais raison, hier, quand tu disais que ma place était ici.

Fitz se redressa comme si on l'avait soulagé d'un poids.

— Vraiment ?

— Vraiment. Ne t'en fais pas pour moi. Je vais bien.

Elle se répéta ces mots comme un mantra, priant pour qu'ils soient vrais, pendant qu'elle s'enfermait dans sa chambre et enfilait son pyjama.

Pourtant, seule dans les ténèbres, sans personne pour la border ni Marty pour s'installer sur son oreiller, le courage lui fit défaut. Roulée en boule, elle pleura tout ce qu'elle avait perdu. Mais une fois endormie, elle rêva d'une vie remplie de joies et d'amis, où elle était enfin à sa place.

Chapitre 15

— Elle est vivante! plaisanta Fitz lorsque Sophie se hasarda dans le salon le lendemain.

Assis dans un fauteuil rembourré, il lisait un ouvrage intitulé *Comment attraper le vent en vingt-cinq leçons.*

— Tu sais que tu as manqué le petit déjeuner et le déjeuner?

— Vraiment?

Sophie balaya la pièce du regard à la recherche d'une horloge, mais tout était recouvert de tissus bariolés – comme si une pluie de costumes s'était abattue sur le mobilier.

— Désolée. Je devais être fatiguée.

— Tu as eu une journée difficile hier. Et puis, ton organisme a besoin de repos pendant la cure de détoxication, expliqua Della en se matérialisant au centre de la pièce.

Sophie porta la main à sa poitrine. Comment diable pouvait-on s'habituer aux apparitions fantomatiques des Éclipseurs?

— Comment te sens-tu? demanda Della, soucieuse.

Sophie ne savait que répondre.

— En tout cas tu as bonne mine. Oh, bien sûr, tu étais déjà jolie avant, mais je pense que le traitement te réussit vraiment ! Tu devrais voir comme tes cheveux sont brillants, et tes yeux si... exotiques. Tu vas en briser, des cœurs, en grandissant.

— Qui ça ?

Biana fit son entrée dans la pièce vêtue d'une robe cintrée dont les complexes broderies dorées miroitaient à chacun de ses pas. Elle semblait bien plus glamour qu'il n'était convenable pour une enfant de douze ans.

— Sophie, répondit Della en souriant à leur hôte. Tu ne la trouves pas ravissante aujourd'hui ?

Sophie avait déjà dû connaître moment plus embarrassant, mais impossible de se le rappeler. Encore moins quand Biana demanda d'un ton dédaigneux :

— Ce n'est pas la même robe qu'hier ?

— Tous mes vêtements étaient...

Della interrompit Sophie d'un geste.

— Je suis désolée. J'aurais dû te faire envoyer une tenue. J'ai passé la matinée à faire les boutiques.

D'un grand geste, elle désigna l'explosion textile.

— Regarde. Ta nouvelle garde-robe.

— Tout est pour moi ?

Allait-elle devoir se changer cinq fois par jour ?

Della lui adressa un clin d'œil.

— Je t'ai pris tout le nécessaire, ainsi qu'un peu de superflu. La seule chose qui manque, c'est un nouveau nexus. Je me suis dit que tu préférerais le choisir toi-même. À moins que tu veuilles garder le vieux nexus de Fitz ?

Sophie regarda le bracelet qui ornait son poignet.

— Il était à toi ? demanda-t-elle au garçon, qui confirma d'un signe de tête.

L'idée lui plaisait – plus qu'elle n'aurait souhaité l'admettre.

Elle effleura la pierre scintillante, parfaitement assortie aux yeux de Fitz.

— Tu veux que je te le rende ?

— Je n'en ai plus besoin. Il est à toi.

Tout à fait consciente que les regards des trois elfes étaient rivés sur elle, elle s'efforça de prendre un ton détaché pour répondre :

— Autant le garder alors, plutôt que de le gaspiller.

— Si c'est ce que tu veux, approuva Della avec un sourire. Je devrais avoir fini les valises d'ici quelques minutes, après quoi je t'apporterai à manger.

— Les valises ?

Sophie sentit son cœur se serrer en voyant Alden pénétrer dans la pièce avec son sac à dos et Ella.

— Vous me mettez à la porte ?

Une tentative de plaisanterie qui ne parvint pas à masquer complètement la douleur de la jeune fille.

Della se précipita pour lui prendre les mains.

— Bien sûr que non. Nous pensions que tu voudrais t'installer dans ta nouvelle maison. Si tu préfères attendre quelques jours, je défais tes valises sur-le-champ.

Sophie avala sa salive afin d'affermir sa voix.

— Non, c'est bon. Et ne vous embêtez pas avec le déjeuner. Je n'ai pas vraiment faim.

Elle avait l'estomac tellement noué qu'il n'y avait plus aucune place pour la nourriture.

Della sourit avec tristesse.

— Tu vas bien t'entendre avec Grady et Edaline, j'en suis sûre.

Sophie sentit ses paumes devenir moites en entendant ces noms inconnus.

— Comment sont-ils ?

— Ils sont formidables, promit Alden. Ils gèrent une réserve animalière à Havenfield, autant dire qu'on ne s'ennuie jamais avec eux.

— Ils ont des enfants?

Della jeta un regard à son mari, qui détourna les yeux.

— Grady et Edaline ont perdu leur fille unique il y a une quinzaine d'années, dit-il. Elle s'appelait Jolie. Elle avait vingt ans. C'était... un terrible accident.

Della semblait émue. Alden secoua la tête.

— Je ne sais pas s'ils en parleront d'eux-mêmes, mais il serait sans doute préférable que tu attendes de voir s'ils y font allusion. C'est le meilleur moyen de savoir s'ils sont prêts à en parler. Mais tu n'as aucune raison de t'inquiéter. Il va sans dire que leur deuil les a affectés, pourtant ils n'en restent pas moins deux des êtres les plus merveilleux que je connaisse. Tu vas les adorer.

Il lui tendit la main.

— Allez, viens. Il est temps de rencontrer tes nouveaux tuteurs.

— Quel genre d'animaux abrite la réserve? demanda Sophie lorsqu'un rugissement phénoménal secoua le sol.

Où qu'elle porte le regard, ce n'était que prairies clôturées remplies de créatures étranges, qui ressemblaient à des mutants d'animaux ordinaires. Ella, rayonnante dans sa fourrure bleue, lui semblait soudain banale.

— Havenfield fait partie des centres de réhabilitation du Sanctuaire, expliqua Alden. Les animaux sont d'abord amenés ici pour être dressés, avant d'être relâchés dans leur habitat protégé. Et ils ne sont pas faciles à attraper. Nous essayons toujours de mettre le grappin sur Nessie. Une véritable anguille, celle-là!

— Ces créatures vivent à proximité des humains ?

— D'où crois-tu que viennent les légendes ? C'est pour cette raison qu'ils ne sont pas en sécurité. Nous avons même été contraints de capturer les espèces en voie de disparition, comme les gorilles, les lions, les mammouths…

— Les mammouths ont disparu, le coupa-t-elle.

— Va le dire au troupeau qui s'égaie au Sanctuaire.

— Vous avez un troupeau de mammouths laineux ?

D'une certaine manière, elle en était encore plus surprise que par l'existence des gobelins ou des ogres.

— Nous avons des colonies de tout. Mammouths, tigres aux dents de sabre, dinosaures…

Il s'esclaffa devant son expression stupéfiée.

— Chaque espèce existe pour une raison. Qu'on en laisse disparaître une seule, et c'est la planète qui se trouve privée de la beauté et des qualités uniques dont elle était porteuse. Voilà pourquoi nous nous assurons qu'elles continuent toutes de s'épanouir. Grady et Edaline entraînent les animaux à devenir végétariens en les nourrissant de produits gnomiques, ainsi ils ne se chassent plus les uns les autres une fois rapatriés au Sanctuaire.

Un nouveau rugissement interrompit leur conversation. Sans doute une bête guère satisfaite de son nouveau régime alimentaire.

Ils arrivèrent à un embranchement. Un des sentiers dévalait d'abruptes falaises jusqu'à une plage de galets bordée de ténébreuses cavernes. Il semblait pourtant moins effrayant que celui, plus large et bordé de fleurs, qui les mènerait chez ses nouveaux tuteurs.

Le chemin débouchait sur une vaste prairie où des gnomes étaient occupés à attraper au lasso ce qui ressemblait à un lézard géant recouvert de plumes vert fluo. La créature ruait en signe de protestation.

— Oh, arrête ton cinéma! lui ordonna une voix rauque et masculine, quelque part au milieu des cordes et des plumes.

Rugissement.

— Très bien. Je t'aurai prévenue, dit la voix.

Les gnomes tirèrent sur leurs lassos, attirant le cou de la bête assez bas pour qu'un elfe blond se hisse sur son dos – un exploit si l'on considère que l'animal en question faisait deux fois la taille d'un éléphant.

Grondement.

— J'essaie de t'aider, petite idiote! hurla l'elfe à la créature qui ruait et se cabrait.

Sophie serra les dents en espérant qu'elle n'allait pas voir son nouveau tuteur se faire croquer par un lézard.

— Tu veux un coup de main, Grady? lança Alden.

— Non, j'y suis presque.

Il plongea pour attraper un objet noir pris dans les plumes de la bête. La forme se tortilla, mais Grady l'ôta d'un coup sec, manquant au passage de perdre l'équilibre. Le lézard à plumes cessa ses gesticulations, et l'elfe jeta sa prise à l'un des gnomes avant de glisser de sa monture.

— Désolé pour le spectacle, dit-il à Alden une fois de retour sur la terre ferme.

— Du tout, mon ami. C'est Verdi qui fait encore des siennes?

— Ce n'est pas pour rien qu'elle est en résidence permanente chez nous.

— Que dirais-tu de rencontrer un tyrannosaure, Sophie? proposa Alden.

Elle écarquilla les yeux. Les dinosaures n'avaient pas disparu! Voilà qui était incroyablement cool. Et ils ne res-

134

semblaient en rien à l'image que s'en faisaient les humains. Elle comprenait mieux les commentaires méprisants de Fitz au musée.

— On ne risque rien? demanda-t-elle en emboîtant le pas à Alden.

Entre voir le dinosaure et rencontrer Grady, elle ne savait pas trop ce qui la troublait le plus.

— Maintenant qu'on lui a ôté ce jaculus du cou, non. C'est un serpent ailé qui se nourrit de sang.

Elle serra Ella pour se donner du courage et passa de l'autre côté d'Alden afin de s'éloigner du gnome qui peinait à maîtriser le reptile suceur de sang.

— Tout doux, Verdi, fit Alden lorsque le mastodonte tourna la tête dans leur direction.

Avec ses immenses yeux jaunes, ses griffes acérées et son museau pointu, Verdi semblait encore plus intimidante de près. Le dinosaure s'inclina devant Sophie pour mettre sa tête à sa hauteur, et elle s'efforça de ne pas trop trembler. Une rangée de crocs pointus se mit à luire de salive à la lumière.

— Es-tu surprise par leur apparence? demanda Alden, qui d'un geste lui fit signe d'approcher.

— Je ne m'attendais pas à ce qu'ils aient des plumes fluo, admit-elle, incapable de forcer ses jambes à faire un pas de plus.

Grady s'esclaffa à ses côtés. Elle fit volte-face pour observer de plus près ce nouveau tuteur monteur de dinosaures. Entre ses traits ciselés et sa tunique ornée de plumes, elle ne parvenait pas à décider s'il lui rappelait plus James Bond ou Robin des bois – une impression étrange. Il était si différent de son père empâté et dégarni qu'elle ne savait pas trop comment réagir.

Son beau visage s'étira dans un sourire.

— Sophie, je présume.

Étreignant Ella, elle serra la main emplumée qu'il lui tendait. Il n'avait rien d'effrayant – ce qui n'empêchait pas les genoux de Sophie de jouer des castagnettes.

— Tu veux caresser Verdi ? demanda Grady.

Elle ne tenait pas vraiment à se rapprocher davantage de ces crocs mortels, mais elle ne voulait pas passer pour une mauviette non plus. Elle prit donc une profonde inspiration et avança juste assez pour frotter légèrement la joue du tyrannosaure. Verdi se montrait docile, fixant Sophie de son œil jaune imperturbable. La jeune fille se laissa captiver par son regard.

— Elle souffre encore, dit-elle sans trop savoir d'où elle tenait cette conviction.

— Vraiment ? demanda Grady qui écarta aussitôt les plumes sur le cou de Verdi. En effet, la plaie est assez profonde. Je ferais mieux de la traiter.

Sophie recula et se boucha le nez lorsque Grady appliqua sur la plaie une pâte brune écœurante qui sentait la mort, la pourriture et le thon – pas la meilleure des combinaisons.

— Du fumier de kelpie, expliqua Alden. Ça soulage la plupart des morsures.

Elle pria pour ne jamais avoir à toucher la mixture pendant son séjour ici.

Grady referma le pot puant et se frotta les mains sur le torchon que lui présentait un gnome.

— Tu devais avoir raison, Sophie. Elle semble plus détendue à présent. Je parie que tu t'entends bien avec les animaux.

— C'est vrai… avec les bêtes normales, en tout cas.

Elle jeta un dernier regard au gigantesque lézard à plumes. Verdi l'observait toujours, et peut-être était-elle folle, mais Sophie aurait juré que le dinosaure essayait de la remercier.

— Allons, Edaline doit nous attendre.

La voix de Grady semblait lasse, et ses pas aussi réticents que ceux de Sophie sur le chemin qui conduisait à la maison surplombant l'océan. Bien que petite comparée au palais d'Alden et de Della, elle resterait un manoir aux yeux des humains : plus haute que large, avec des colonnes dorées divisant les murs de verre gravé, et une coupole étincelante au centre du toit.

Point d'entrée luxueuse comme à Everglen, mais un immense salon aux murs transparents donnant sur l'océan et un mobilier clairsemé. Un large escalier central en volute menait vers les étages tandis qu'un chandelier de cristal finement tressé cascadait depuis le toit en forme de dôme. Simple mais élégant, et surtout très propre. Tellement propre que l'endroit paraissait inhabité.

Edaline fit son entrée vêtue d'une robe bleu pâle taillée dans un tissu duveteux qui flottait autour d'elle à chacun de ses mouvements. Elle avait des joues roses et douces, de grands yeux turquoise, et ses boucles ambrées et soyeuses descendaient au-delà de ses épaules. Hormis Della, c'était l'elfe la plus belle que Sophie eût jamais vue – si l'on omettait les ombres violettes sous ses yeux. La mère humaine de Sophie présentait les mêmes cernes par moments, mais uniquement quand elle était tendue ou fatiguée.

La jeune fille se demanda ce qui pouvait bien préoccuper Edaline. Elle espérait que ce n'était pas l'idée de la voir habiter chez eux.

La maîtresse de maison lança un regard réprobateur à son mari.

— Tu es couvert de duvet de dinosaure! Je suis désolée, je lui avais pourtant dit de se rendre présentable, dit-elle à Alden.

L'elfe s'esclaffa.

— J'aimerais bien voir quelqu'un monter un tyrannosaure sans récolter quelques plumes au passage!

— C'est que tu n'as jamais vu Edaline dans le feu de l'action, contra Grady avec un sourire.

Sophie tenta d'imaginer une personne si délicate jouant au rodéo avec un dinosaure. Non, impossible.

— Je vais me débarbouiller, annonça Grady, qui grimpait déjà les marches de l'escalier quatre à quatre.

Edaline approuva d'un hochement de tête. Avant de prendre une profonde inspiration et de se tourner vers son invitée.

— Bienvenue chez nous.

La voix tremblante, l'elfe semblait encore plus nerveuse que Sophie, ce qui rassura quelque peu l'adolescente. Au moins Edaline trouvait-elle ce moment tout aussi effrayant.

— Je vous remercie de m'accueillir.

Elle ne savait pas quoi dire d'autre.

Edaline esquissa un sourire, mais son regard était empli de tristesse.

— Tu restes pour le thé, bien sûr, dit-elle à Alden. Il y a de la guimolle.

Le visage du père de Fitz s'illumina aussitôt.

— Si tu insistes.

La guimolle s'avéra être une sorte de gâteau gluant au goût de cookies fraîchement sortis du four, trempés dans de la crème glacée et nappés de sucre et de caramel. Il fondait sur la langue et constituait, à n'en pas douter, le meilleur plat que Sophie eût jamais goûté. Elle gloussa en voyant

Alden se servir trois parts. Grady les rejoignit quelques minutes plus tard, les cheveux encore humides après une douche rapide, et en prit quatre tranches.

Le goûter était servi dans une alcôve de la cuisine, et malgré les dinosaures à plumes orange qui paissaient dans l'un des enclos à l'extérieur, Sophie eut un peu l'impression d'être à la maison. Peut-être était-ce les nappes pastel, ou les fleurs peintes avec force détails sur la porcelaine, mais pour la première fois de la journée, elle oublia le mal du pays qui l'étreignait depuis son réveil.

— Veux-tu un peu de jus de luxuriante? lui proposa Edaline.

— Euh… d'accord.

Edaline claqua des doigts. Un petit « pop » retentit, accompagné d'un éclair lumineux, et une bouteille vert pâle apparut sur la table.

Sophie bondit en arrière, comme si la bouteille était possédée. Grady partit d'un grand rire.

— J'en déduis que tu n'as encore jamais vu d'Invocateur à l'œuvre?

— Comment? balbutia-t-elle lorsqu'elle eut retrouvé la parole.

Edaline sourit – d'un air franc, cette fois, qui illumina son visage tout entier.

— Si je sais où se trouve un objet, je peux le faire venir à moi par la force de l'esprit. C'est un peu comme la télé-portation, mais pour les objets.

C'était l'un des pouvoirs les plus géniaux qu'on puisse imaginer.

— Et vous, qu'est-ce que vous savez faire? demanda Sophie à Grady.

Le sourire de son tuteur s'évanouit.

— Rien d'aussi divertissant, je t'assure.

Elle attendit qu'il développe, mais il détourna le regard. Alden se leva.

— J'ai bien peur de devoir y aller.

Il sortit un papier chiffonné de sa poche et le tendit à Edaline.

— Elwin lui a prescrit ces médicaments pour les semaines à venir. Tu devrais pouvoir les trouver chez *Slurp & Burp*.

Edaline blêmit.

— Je l'emmènerai demain, sans doute. Elle a besoin d'autre chose ?

— Della s'est occupée du reste. Tu la connais, dès qu'il s'agit de shopping...

— En effet. Un jour, j'ai fait l'erreur de lui demander son aide pour acheter un cadeau pour... la fille d'une amie. Quatre heures plus tard, ma garde-robe était entièrement renouvelée mais je n'avais toujours pas de cadeau.

Grady saisit la main de sa femme, qui se détourna vers la fenêtre.

Sophie ressentait leur peine. Elle la comprenait, elle qui avait perdu sa famille entière. Alden les avait peut-être réunis pour cette raison. Ils connaissaient tous le deuil. Mais elle n'avait aucune envie d'en parler, aussi demeura-t-elle silencieuse.

Alden piocha dans sa poche un fin carré de cristal, qu'il tendit à Sophie.

— C'est un transmetteur. Il te permettra de communiquer avec n'importe qui dans ce monde. Alors si jamais tu as besoin de quoi que ce soit, ou que tu as envie de parler, tu n'auras qu'à prononcer mon nom devant l'écran pour me joindre. D'accord ?

Elle fit signe qu'elle avait compris et, les battements de son cœur résonnant à ses oreilles, elle serra Ella à l'étouffer. Elle n'avait rien contre Grady et Edaline, mais se retrouver seule avec eux lui faisait tout drôle. De quoi pourraient-ils bien parler ?

Alden se pencha pour murmurer à son oreille.

— Tout va bien se passer, Sophie. Si tu as besoin de quoi que ce soit, peu importe l'heure, je suis là. Utilise ton transmetteur.

Elle acquiesça.

— Bien.

Il salua Grady et Edaline, adressa à Sophie un dernier sourire d'encouragement, et brandit son éclaireur. Il disparut dans une étincelle.

Un silence assourdissant suivit son départ.

Grady revint à lui le premier. Bondissant sur ses pieds, il donna un coup de coude à Sophie.

— Allons donc voir ta nouvelle chambre !

— C'est vraiment à moi, tout ça ?

Sa chambre à coucher occupait l'intégralité du troisième étage.

Des cristaux en forme d'étoile pendaient au plafond, suspendus par des cordons scintillants, tandis que des fleurs bleues et violettes émergeaient du tapis pour emplir la pièce de leur doux parfum. Un gigantesque lit à baldaquin se dressait au milieu et un mur tout entier était dédié aux armoires et commodes. Des bibliothèques chargées d'épais volumes aux couleurs vives couvraient les autres parois. Elle disposait même de sa propre salle de bains, avec douche en cascade ainsi qu'une baignoire de la taille d'une piscine.

— J'espère que ta nouvelle chambre te convient, dit Edaline, nerveuse.

Elle plaisantait, non ?

— C'est génial ! s'exclama Sophie, déjà plus enthousiaste à l'idée d'habiter là.

Elle laissa tomber son sac à dos mais décida de garder Ella près d'elle. C'était rassurant d'avoir quelque chose à quoi se raccrocher.

La chambre de Grady et Edaline occupait la moitié du deuxième étage, constitué pour le reste d'un long couloir avec trois portes closes. Deux donnaient sur leurs bureaux respectifs. Ils ne mentionnèrent pas la troisième pièce, mais Sophie supposa qu'il s'agissait de la chambre de Jolie. Même s'ils ne lui interdirent pas l'accès à cette partie de la maison, ils ne la lui firent pas visiter non plus, et les tremblements dans leurs voix décidèrent Sophie à ne jamais s'y aventurer.

Après un inconfortable mais délicieux dîner de légumes verts liquéfiés au goût de pizza, Grady et Edaline laissèrent Sophie défaire seule ses valises – ce qui ne fut pas plus mal.

Déballer ses affaires concrétisait la situation.

À présent, elle vivait ici, dans ce monde étrange et un peu trop parfait où tout ce qu'elle savait était faux, et où les douze premières années de sa vie se résumaient à un sac à dos bourré de vêtements froissés qu'elle ne mettrait plus, d'un iPod impossible à charger et d'un album photos rempli de souvenirs effacés de toutes les mémoires – excepté de la sienne.

Au moins savait-elle qu'elle ne manquerait pas à ses parents et à sa sœur de la même façon qu'eux lui manquaient. Où qu'ils soient, leur nouvelle vie serait meilleure sans elle. Alden et Della y veilleraient personnellement.

Elle mettait de côté les derniers vestiges de sa vie humaine quand les larmes lui montèrent aux yeux. Elle se blottit sur son lit avec Ella et s'autorisa une dernière fois à pleurer un bon coup.

Lorsque enfin ses sanglots cessèrent, elle se jura de ne plus regarder en arrière.

Grady et Edaline ne ressemblaient pas à ses parents, Havenfield n'avait rien de commun avec son ancienne maison, mais peut-être était-ce pour le mieux. Peut-être qu'ainsi la transition serait moins dure. Et peut-être qu'avec le temps, elle se sentirait vraiment chez elle, qui sait ?

Chapitre 16

Sophie fut réveillée par une aube extraordinaire : des rayons roses, violets et orange zébraient le ciel et se reflétaient dans l'océan. Elle appréciait la vue, mais il lui faudrait trouver un moyen d'assombrir les murs de verre. Hors de question qu'elle se réveille tous les jours aux aurores.

Grady et Edaline finissaient leur petit déjeuner dans la cuisine lorsqu'elle descendit. Sophie traîna sur le pas de la porte, hésitant à les interrompre.

— Soit tu es une lève-tôt, remarqua Grady en débarrassant les parchemins qu'il lisait pour lui faire de la place, soit tu n'as pas fermé les volets.

Elle se glissa dans une chaise à côté de lui.

— Comment on fait ?

— Il suffit de taper deux fois dans tes mains.

— Que dirais-tu d'avaler un morceau ? demanda Edaline.

Sa voix trahissait son épuisement et les cercles sous ses yeux paraissaient si foncés qu'on aurait dit des hématomes. Sur un hochement de tête de Sophie, elle invoqua un bol de bouillie orange et une cuiller. Chaque bouchée avait un goût de pain à la banane chaud et beurré. Sophie fut tentée d'en redemander, mais elle ne voulait pas s'imposer.

Comme elle ne savait pas comment s'adresser à ses tuteurs, elle fixa les parchemins de Grady. Impossible de déchiffrer l'écriture brouillonne à l'envers, mais elle remarqua un symbole dans un coin : une tête d'oiseau recourbée, dont le bec pointait vers le bas. L'image lui chatouilla l'esprit, comme si elle lui était familière, mais elle ne trouvait aucun souvenir à lui associer.

Surprenant son regard, Grady roula ses papiers.

— De la paperasse d'un autre temps.

Il souriait, mais à l'évidence il ne voulait pas qu'elle voie le contenu des rouleaux. Ce qui ne fit bien sûr qu'aiguiser la curiosité de Sophie. D'autant qu'elle avait remarqué une ligne de runes au bas de la feuille, et cette fois, elle en avait saisi le sens.

— Projet Colibri, bafouilla-t-elle avant d'y réfléchir à deux fois.

— Tu arrives à lire ? demanda Grady.

Sophie confirma d'un hochement de tête et eut un léger mouvement de recul lorsqu'elle vit son expression. Un mélange de colère, de confusion… et de crainte.

— D'habitude je n'y arrive pas, mais cette fois, oui. Qu'est-ce que c'est, ce Projet Colibri ? murmura-t-elle.

Grady parut contrarié.

— Rien qui te concerne.

Pourtant, selon Alden, le mot qu'elle répétait sans cesse nourrisson signifiait « colibri ». Une coïncidence ? Elle n'y croyait pas. Elle arracha l'un de ses cils.

Grady passa une main sur son visage, s'efforçant de se calmer.

— Je suis désolé. Je ne voulais pas te faire peur. C'est juste qu'il s'agit de documents top secret, et que ces runes sont codées. Personne n'est censé pouvoir les lire à moins d'en avoir mémorisé la clef.

Elle déglutit, dans une tentative d'humidifier assez sa langue pour la faire fonctionner.

— Mais alors, comment se fait-il que j'aie pu les déchiffrer ?

— Aucune idée.

Grady échangea un regard avec son épouse.

— Peut-être l'éducation que tu as reçue des humains a-t-elle modifié ta façon d'appréhender les choses.

Exactement la même excuse qu'Alden lui avait fournie pour expliquer son incapacité à lire les runes normales. Même si Sophie n'était pas vraiment convaincue, elle ne trouvait aucune autre explication valable. Si on lui avait appris à déchiffrer des runes cryptées, elle n'aurait certainement pas pu l'oublier.

— Si tu as fini de te préparer, nous devrions aller chercher les médicaments qu'Elwin t'a prescrits, intervint Edaline.

Elle traînait sur chaque mot, comme si la phrase tout entière n'était qu'un long soupir – guère motivant pour Sophie. Mais elle ne pouvait pas refuser, aussi se leva-t-elle en tripotant les plis de sa robe violette. L'article qu'elle portait avait beau être le plus simple parmi tous les achats de Della, elle ne s'en sentait pas moins ridicule dedans. Les elfes avaient-ils quelque chose contre les jeans ?

Grady approuva la proposition de sa femme.

— Salue Kesler de ma part.

Edaline grommela.

— Voilà qui devrait être intéressant.

Sophie jeta un regard à Grady en espérant qu'il ne lui en veuille pas pour les documents. Il lui adressa un petit sourire. Puis Edaline lui prit la main et elles sautèrent.

Elles atterrirent sur une île appelée Mystérium. Le long des rues étroites s'alignaient de petits bâtiments tous semblables, comme sortis d'un moule. Des vendeurs ambulants emplissaient l'air de parfums d'épices et de bonbons au milieu du brouhaha des nombreux passants. Les robes de Sophie et d'Edaline juraient avec les simples tuniques et pantalons des autres elfes.

— Pourquoi est-ce qu'ils n'ont pas à se déguiser, eux ? se plaignit Sophie.

— Mystérium est une ville de la classe ouvrière.

— Oh… Attendez, je croyais que tout le monde recevait la même somme à la naissance ?

— En effet, mais l'argent n'a rien à voir avec la position sociale. Notre monde est fondé sur le talent. Les individus de talent modeste obtiennent des postes modestes, et s'habillent en conséquence.

— Voilà qui est injuste, marmonna Sophie. Le talent, ça ne se contrôle pas. Pourquoi devraient-ils mener une vie inférieure ?

— Leur vie n'est pas inférieure. Leurs maisons sont aussi belles que celle d'Alden ou la nôtre. Mais ils vont travailler dans une ville d'un autre genre. Une cité conçue pour leur type de travail.

Edaline serra plus fort la main de Sophie quand plusieurs badauds commencèrent à lui faire signe.

— Tout va bien ? demanda Sophie.

— Oui, je ne suis pas habituée à côtoyer une telle foule, c'est tout.

Tête baissée tout du long, Edaline mena Sophie à travers le village encombré, évitant les autres elfes dont elles croisaient le chemin. Tous semblaient la reconnaître, pourtant, et les murmures les suivaient où qu'elles aillent.

— Regarde, c'est Edaline Ruewen… Je n'en reviens pas!

— Je pensais qu'elle ne sortait jamais de chez elle.

— C'est le cas.

Edaline fit mine de ne rien remarquer. Elles ne ralentirent le pas qu'une fois arrivées devant le seul immeuble qui se détachait du reste : une boutique peinte d'une vingtaine de couleurs différentes, aux murs incurvés et au toit difforme, qui n'aurait pas détonné dans une comptine.

« Slurp & Burp : joyeux apothicaires », annonçait l'enseigne.

La porte rota sur leur passage.

À l'intérieur, un véritable labyrinthe d'étagères remplies de flacons colorés. Edaline se dirigea vers l'arrière-boutique, qui abritait un laboratoire équipé de béchers bouillonnant sur des becs de gaz aux flammes arc-en-ciel. Un elfe élancé vêtu d'une blouse blanche planait autour des expériences, flanqué d'un garçon maigrichon. Sans doute son fils : tous deux avaient la même tignasse blonde en bataille et les mêmes yeux pervenche.

— Je suis à vous dans une minute, promit l'apothicaire tout en versant une lampée de substance orange dans une des éprouvettes. Prépare-toi à ajouter l'amarallitine, Dex.

Le jeune homme utilisa une longue paire de pinces pour attraper une fiole jaune luisante et la maintenir au-dessus de l'expérience depuis une distance raisonnable.

— Prêt ? demanda-t-il.

— Pas encore.

Le père chaussa une paire d'épaisses lunettes noires.

— OK. Vas-y!

Il fit un bond en arrière à l'instant où le garçon versa le contenu de la fiole. Le bécher émit des étincelles avant de lâcher un énorme nuage de fumée, remplissant la pièce d'une odeur de pieds. Sophie réprima un haut-le-cœur en espérant que la concoction ne figurait pas sur l'ordonnance d'Elwin.

L'homme donna une claque dans le dos au garçon et ôta ses lunettes.

— C'est le premier que tu ne fais pas sauter aujourd'hui. Edaline! s'exclama-t-il en levant enfin les yeux. C'est bien toi?

— Bonjour, Kesler.

— Bonjour, Kesler, répéta-t-il en imitant sa voix douce à la perfection. C'est tout ce que tu trouves à dire? Viens donc ici, que je t'embrasse!

Edaline traversa la pièce à la vitesse d'un escargot, mais elle n'échappa pas à son étreinte bourrue.

— Tu as l'air en forme, Eda... mais qu'est-ce que tu fais là? Tu ne viens jamais en ville.

— Je sais, dit-elle en lui tendant le bout de papier froissé. Elwin m'a dit de prendre ceci pour Sophie.

Kesler parcourut la liste deux ou trois secondes avant de redresser la tête d'un coup.

— Sophie?

Il arrêta son regard sur la jeune fille, bouche bée.

— J'ai... manqué un épisode?

— Oui. (Edaline prit une profonde inspiration.) Sophie vit avec nous, à présent.

Les yeux de Kesler passaient de Sophie à Edaline, comme s'il ne parvenait pas à décider laquelle des deux se révélait la plus fascinante.

— Depuis quand?

— Depuis hier... c'est une longue histoire.

Elle fit signe à Sophie de les rejoindre.

— Sophie, je te présente mon beau-frère, Kesler, et mon neveu, Dex.

— Bonjour, marmonna la jeune fille, trop gênée pour croiser leur regard, d'autant qu'il s'agissait là de la famille de sa tutrice.

Elle sentait littéralement leurs yeux la fixer.

— Sophie entre à Foxfire lundi, expliqua Edaline.

— Cool! s'exclama Dex. Quel niveau?

— Deux.

— Moi aussi! Est-ce que tu connais déjà ton emploi du t… C'est pas vrai!

Il se pencha sur le visage de Sophie et pointa ses yeux du doigt.

— Comment fais-tu pour obtenir cette couleur? Parfois j'arrive à rendre les miens rouges, ce qui fiche la trouille à tout le monde, mais marron, j'avais encore jamais vu. J'adore!

Elle sentit ses joues s'empourprer.

— En fait, j'ai les yeux marron, c'est tout.

— Tu es sérieuse? Excellent! Tu as vu ça, papa?

— J'ai vu.

Kesler l'étudia comme une de ses expériences.

— D'où viens-tu exactement, Sophie?

— Je… euh…

Elle ne savait pas trop si elle avait le droit de dire la vérité.

— Sophie vivait dans les Cités interdites il y a encore quelques jours, expliqua Edaline à sa place.

La jeune fille grimaça en entendant Kesler demander « Quoi? » pile au moment où Dex s'écriait: « C'est le truc le plus cool que j'aie jamais entendu! C'était génial? Je parie que c'était énorme. Tu es humaine, alors? C'est pour ça que tu as les yeux marron? »

— Je ne suis pas humaine. J'ai seulement été élevée par eux.

Les mots avaient beau sortir de sa bouche, ils sonnaient faux aux oreilles de Sophie.

— Je crois que tu la mets mal à l'aise, Dex, dit Edaline avant qu'il ait pu poser une nouvelle question.

— Vraiment? Désolé. Ce n'était pas mon intention.

— Ce n'est rien. Je suis bizarre, je le sais, dit Sophie avec un haussement d'épaule.

Dex lui adressa un sourire agrémenté de fossettes.

— J'adore tout ce qui est bizarre. Est-ce que…

La porte rota de nouveau.

— Toi!

Une grande femme à la cape vert foncé pénétra dans la boutique d'un pas vif, bousculant Sophie et Edaline au passage. Une grande perche vêtue d'un capuchon rose traînait des pieds à sa suite.

— Qu'est-ce que c'est, cette fois, Vika? demanda Kesler, clairement agacé.

— Demande à ton fils. C'est son œuvre, ça crève les yeux.

Elle abattit le capuchon de sa fille, révélant un scalp chauve et luisant.

Edaline, Sophie et Kesler sursautèrent comme un seul homme. Dex, lui, semblait avoir le plus grand mal à ne pas sourire.

— Salut Stina. Tu as changé de look? Tu as l'air différente aujourd'hui. Attends, laisse-moi deviner…

— Maman! grommela Stina.

Les joues de Kesler frémirent comme s'il se retenait de rire.

— Nous ne vendons pas de produit contre la calvitie, Vika.

— Ce n'est pas parce que vous n'en vendez pas que vous n'en fabriquez pas! insista-t-elle.

151

Kesler jeta un regard à Dex.

— Toi aussi, tu sais les préparer, lui rappela son fils.

— Je sais que c'était toi, espèce de crétin de sasquatch ! s'écria Stina.

Dex leva les yeux au ciel et désigna un point derrière l'oreille de la jeune fille chauve.

— Tu savais que tu avais un creux au crâne à cet endroit-là ?

Sophie étouffa un rire. Stina, quant à elle, se jeta sur Dex dans un tourbillon de membres squelettiques.

— Il suffit ! hurla Kesler en les séparant. Maîtrise ta fille, Vika.

— Pourquoi moi ? Tu peux parler !

Kesler lui lança un regard assassin, mais il se contenta de serrer les dents en répliquant :

— J'ai des capillairoïdes en stock. Cadeau de la maison. Ses cheveux devraient repousser d'ici une semaine.

— Une semaine ? gémit Stina. Mais je ne peux pas aller à l'école avec une tête de… de…

— D'ogre ? suggéra Dex, un sourire narquois aux lèvres. Stina hurla.

— Si ma fille manque une seule journée de cours à cause de ton garnement, je ferai en sorte qu'il soit tenu pour responsable ! rugit Vika.

— Vous ne pouvez rien prouver, grommela Dex.

— Pas la peine. Ça ne surprendra personne de la part d'un mal-assorti !

Le visage aimable de Kesler se tordit dans une expression de rage. Il respira profondément avant de reprendre la parole. Sophie ignorait ce qu'était un « mal-assorti », mais l'insulte devait être grave.

— Très bien, voici ce que je vous propose, éructa Kesler.

Vous deux allez disparaître de ma vue, et lorsque j'aurai fini de servir ces clientes, je verrai si je peux intensifier l'effet des capillairoïdes. Sinon, elle n'aura qu'à porter un chapeau.

Vika le contempla avec mépris, mais il ne flancha pas.

— Je suppose que nous n'avons pas le choix. Personne d'autre n'irait gâcher sa vie à fabriquer des remèdes ridicules dans une boutique minable.

— Pourquoi un tel succès si elle est si minable ? rétorqua Kesler.

Vika ne sembla pas trouver de repartie. Elle se contenta de rabattre le capuchon de sa fille avant de l'entraîner dehors.

— J'aurai ta peau, promit Stina à Dex.

— Oh, j'ai trop peur !

Stina fixa alors ses yeux emplis de rage sur Sophie.

— Qu'est-ce que tu regardes, toi ?

Sophie tourna la tête.

— Rien du tout.

La porte rota une dernière fois avant de claquer.

Kesler frappa du poing sur la table, faisant sursauter tout le monde.

— Tu veux bien m'expliquer ce que c'est que ces histoires, Dex ?

— Sans façon.

— Sois plus prudent, mon garçon, soupira Kesler. Tu sais bien ce que certains disent de nous – surtout Vika et Timkin Heks.

— Disons que la boutique n'arrange pas les choses, murmura Edaline. Peut-être que si elle était un peu plus classique…

— Hors de question, la coupa Kesler. Rien ne me rend plus heureux que de voir tous ces nobles snobinards froncer le nez.

— Tout comme rien ne me rend plus heureux que la boule à zéro de Stina, ajouta Dex, un sourire jusqu'aux oreilles.

Kesler ne put retenir un rire.

— Puisque tu es à l'origine de tout ce bazar, à toi de trafiquer les capillairoïdes, Dex. Edaline a besoin de mon aide pour sa prescription.

Le garçon partit en grommelant chercher des ingrédients dans l'arrière-boutique. Il revint quelques secondes plus tard chargé de flacons qu'il répartit sur le plan de travail, un sourire sournois aux lèvres.

— L'élixir va accélérer la repousse, en effet, glissa-t-il à Sophie. Mais elle risque de se retrouver avec une barbe.

Sophie gloussa en notant dans un coin de sa tête de ne jamais se mettre Dex à dos.

— Qu'est-ce qu'elle t'a fait ?

— C'est un vrai démon, c'est tout, dit-il en pilant des feuilles noires dans un mortier. Tu peux me croire.

À peine rentrée à Havenfield, Edaline se retira dans sa chambre. Grady, quant à lui, essaya d'apprendre à Sophie comment sauter toute seule. Jamais de sa vie elle ne s'était montrée aussi nulle pour quoi que ce soit.

Lors de ses vingt premières tentatives, elle ne parvint pas à sentir les plumes tièdes – malgré l'insistance de Grady pour qu'elle se concentre sur le fourmillement de ses cellules. Après quoi, elle ne pouvait plus tenir assez longtemps pour faire quoi que ce soit, excepté transpirer sous le coup de la chaleur.

Lors de sa cinquante-septième tentative, elle se transporta enfin à l'autre bout de la propriété. Après avoir enchaîné cinq autres essais couronnés de succès, ses forces menacèrent de l'abandonner. Aussi manqua-t-elle de pleurer de joie lorsque Grady annonça qu'elle en avait assez fait. Mais il fronça les sourcils en vérifiant son nexus.

Il désigna le rectangle gris qui n'affichait qu'une lichette de bleu.

— Ta concentration n'est qu'à dix pour cent. Les autres enfants de ton âge sont généralement à trente pour cent au moins.

Oui, bien sûr, mais ils s'entraînaient depuis tout petits – un fait qu'elle choisit de ne pas souligner. Elle ne voulait pas paraître capricieuse.

— Je fais de mon mieux.

— Je sais, répondit Grady en triturant l'ourlet de sa tunique. Mais je ne sais pas si tu te rends compte de ce qui t'attend. Alden m'a rapporté que Bronte ne voulait pas de toi à Foxfire, ce qui veut dire qu'il t'aura dans son colli-mateur. Il va harceler tes Mentors. Surveiller tes résultats. Et au moindre signe de faiblesse, il interviendra pour essayer de te faire renvoyer. Je ne serais pas surpris qu'il milite pour ton transfert à Exillium… Et crois-moi, tu n'as pas envie de te retrouver dans un endroit pareil.

Elle acquiesça, réprimant un frisson. Voilà qui ne la ras-surait guère sur Foxfire. Comment était-elle censée réussir avec un tel handicap ?

Grady se força à sourire.

— Je sais que tu luttes pour t'adapter et que tu as des tonnes de choses à apprendre, mais tu vas devoir repousser tes limites au maximum. Et je te promets que je serai tou-jours là pour t'aider. Edaline aussi.

Un éclair lumineux sortit Sophie de son état de panique: deux elfes venaient d'apparaître à quelques mètres d'eux. Elle reconnut Dex, de *Slurp & Burp*. La femme qui l'accom-pagnait ressemblait à Edaline, si ce n'est qu'elle avait les

155

cheveux en bataille et que sa robe jaune ordinaire était toute froissée.

— Tu n'as pas pu t'empêcher de venir constater par toi-même, pas vrai, Juline ? demanda Grady.

— J'ai quand même le droit de rendre visite à ma sœur, non ? rétorqua la mère de Dex, les yeux rivés sur Sophie.

Grady s'esclaffa.

— Où est passé le reste de la fratrie ?

— À la maison, avec Kesler. Je ne voulais pas vous envahir.

— Peut-être voulais-tu aussi pouvoir papoter sans être interrompue ? la taquina Grady. Si tu montrais ta chambre à Dex, Sophie ? J'ai le sentiment que ces dames ont beaucoup de choses à se dire.

Sophie ne savait absolument pas quoi faire de Dex. Elle n'avait jamais eu d'ami auparavant – surtout pas d'ami garçon – et encore moins elfe. Dex semblait plutôt à son aise, cependant. Il parcourut la chambre de la jeune fille, touchant tout ce qui retenait son attention. Il trouvait les vêtements humains hilarants, et se montra plus ravi encore lorsqu'il trouva l'album qu'elle avait dissimulé sur l'étagère.

— C'est toi ? demanda-t-il en désignant la photo de couverture.

Sophie sentit ses yeux picoter en regardant l'image. Son père et sa sœur faisaient signe au photographe tandis qu'elle se cachait à l'arrière-plan pour ériger un château de sable.

— Oui. C'était l'été dernier.

— C'est ton père ?

— Oui. Enfin, euh… c'est l'homme qui m'a élevée, rectifia-t-elle en ravalant les larmes qui s'étaient formées au coin de ses yeux.

156

Il lui faudrait du temps pour s'y faire. Mais elle n'avait guère le choix. Elle n'était pas sa fille. Il ne savait même plus qu'elle existait.

— Qu'est-ce qui leur est arrivé?

— Je n'ai pas le droit de savoir.

La tristesse perçait dans sa voix. Elle avait beau s'interdire d'y penser, des questions se faufilaient jusqu'à son esprit: où étaient-ils? Comment allaient-ils?

— Désolé, dit Dex, visiblement embarrassé. Tu veux en parler?

— Pas vraiment.

Elle n'était pas sûre de se sentir prête à parcourir l'album, mais Dex l'avait déjà ouvert et tournait les pages. Elle pria pour qu'il ne trouve pas de photos de bébé nu à l'intérieur.

— Pourquoi est-ce que tu as pris une photo avec ce type en costume de souris géante? Non... j'ai une meilleure question: qui pourrait bien avoir envie de porter un costume pareil?

— C'est à Disneyland.

Il leva brusquement la tête.

— Je possède mes propres terres?

— Quoi?

— Je m'appelle Dizznee.

Elle éclata de rire.

— Je suis à peu près sûre qu'il s'agit d'une coïncidence.

Il plissa les yeux en regardant le cliché.

— Tu portes des ailes de fée?

— OK, je crois qu'on en a assez vu pour aujourd'hui.

Elle lui arracha l'album des mains avant qu'il ait pu trouver de quoi alimenter encore ses railleries.

— Désolé. Je n'arrive pas à me calmer. Enfin, j'avais encore jamais rencontré d'humain, pas dans la vraie vie.

Et toi, tu as vécu parmi eux. (Il secoua la tête.) Qu'est-ce que tu fais chez Grady et Edaline ? Tu es de la famille ?

Elle serra la mâchoire.

— Je n'ai pas de famille du tout.

— Tu es en vie. Tu as forcément des parents.

Elle secoua la tête.

— Mes vrais parents ne tenaient pas à ce que je connaisse leur identité, alors en ce qui me concerne, ils n'existent pas.

Dex semblait ne pas savoir quoi ajouter. Honnêtement, elle non plus.

— Eh, ce n'est pas un de ces machins qui jouent de la musique ? dit-il en soulevant son iPod.

— Si. Comment tu le sais ?

— Ma mère adore les films humains. Elle n'en a pas beaucoup, mais dans l'un d'entre eux on aperçoit un de ces appareils, et j'ai toujours rêvé d'en voir un. On n'a rien de semblable ici.

— Vraiment ? Pourquoi ?

— Les elfes ne sont pas très branchés musique, contrairement aux nains. Eux, ils ont de la musique géniale.

Il passa les doigts sur l'écran.

— La batterie est morte.

— Il n'y a pas de prise ici. Impossible de le charger.

Dex le retourna.

— Je n'y connais pas grand-chose en technologie humaine, mais je te parie que je pourrais l'alimenter à l'énergie solaire.

— Tu es sérieux ?

— Enfin, ça vaut le coup d'essayer.

Il glissa le MP3 dans sa poche et se dirigea vers son bureau pour farfouiller parmi ses affaires scolaires. Il examina son emploi du temps.

— Sir Conley est plutôt sympa, à ce qu'il paraît. Sinon, bonne chance avec Lady Galvin. Elle a le plus fort taux d'échec de toute l'histoire. Il me semble bien que son dernier prodige a échoué il y a quelques semaines.

Le cœur de Sophie battait si fort qu'elle fut étonnée qu'il ne traverse pas sa poitrine. Allaient-ils la pousser à l'échec ? Bronte serait bien capable de trafiquer son emploi du temps.

Mais… c'était l'école. Elle avait toujours été bonne en classe. Elle prit une profonde inspiration pour se calmer.

— Je peux t'aider à te repérer demain, proposa Dex.

Sophie ressentit un vif soulagement. Elle n'aurait pas à affronter cette épreuve toute seule. Sauf que…

— Être vu avec l'étrange nouvelle aux yeux marron et au passé humain ne te dérange pas ?

— Tu rigoles ? J'ai trop hâte d'annoncer à tout le monde que je suis ton premier ami !

Elle sourit.

— Parce qu'on est amis ?

— Oui ! Enfin, si tu es d'accord.

— Bien sûr !

Le sourire de Dex s'élargit, faisant ressortir ses fossettes.

— Génial. À demain matin, alors.

Chapitre 17

Sophie essayait toujours d'identifier ses fournitures scolaires parmi les étonnants gadgets que lui avait donnés Della lorsque la sonnette retentit. Dex devait passer la prendre à Havenfield pour lui éviter d'arriver seule à Foxfire.

Un rire lui échappa lorsqu'elle le fit entrer.

— Et dire que je trouvais mon uniforme ridicule…

Elle ne pouvait pas croire qu'il lui fallait se pavaner dans une robe plissée bleue accompagnée de collants noirs et d'un ensemble chemise, gilet et cape. Pourtant, Dex était encore plus mal loti. Le pourpoint bleu lacé par-dessus une chemise noire et assorti d'un pantalon bleu à poches de cheville n'était pas si mal. Mais avec sa petite cape qui lui descendait à la taille, on aurait dit un super-héros particulièrement minable… Capitaine Myrtille à la rescousse !

— C'est quoi, ce délire avec les capes ? demanda-t-elle.

— Je sais, c'est vraiment ridicule, pas vrai ? Mais c'est une marque de notre statut, alors on ne peut pas y couper.

— Les capes ?

— Oui, tu n'avais pas remarqué que seuls les nobles en portaient ? Foxfire est la seule école de la noblesse, c'est-à-dire que tu dois forcément passer par cet établissement pour en

160

faire partie, donc on porte des demi-capes pour marquer le coup. Au moins l'année prochaine on sera débarrassé de cet alcyon à la noix. (Il tira sur l'oiseau bleu orné de joyaux qui agrafait sa cape au niveau du cou.) On passera mastodontes.

Il s'esclaffa devant l'air perdu de Sophie.

— Chaque niveau a sa mascotte. Pour le Niveau 2 c'est l'alcyon, tu sais, l'oiseau idiot qui détecte les tempêtes. Mais comme pour le Niveau 3, c'est le mastodonte, lors de la cérémonie d'ouverture de la rentrée on sera déguisés en éléphants. C'est cool. Tu as de la chance d'avoir manqué le costume d'alcyon. On avait l'air ridicules.

Se déguiser en éléphant ne lui semblait pas aussi séduisant que Dex avait l'air de le penser, mais elle n'aurait pas à s'en inquiéter avant l'année prochaine. Si on l'autorisait à rester.

Chaque chose en son temps, se rappela-t-elle.

— Tu portes le blason des Ruewen, remarqua Dex.

Il désigna le triangle de tissu cousu sur la cape de la jeune fille à hauteur du cœur : un aigle écarlate en plein vol tenant une rose blanche entre ses serres. Son écusson à lui était carré et représentait des instruments de chimie assemblés pour former un arbre.

— Chacun porte le blason de sa famille sur son uniforme. Si Grady et Edaline te laissent arborer le leur, c'est du sérieux. Ils vont t'adopter ?

— Je n'en sais rien.

Elle n'y avait jamais réfléchi – elle ne s'était même pas encore faite à l'idée d'être orpheline.

Et s'ils ne l'adoptaient pas ?

Tout, dans sa vie, paraissait temporaire. Sa scolarité à Foxfire. Sa maison. Comme si tout pouvait lui être arraché du jour au lendemain.

— Où sont-ils, d'ailleurs ? demanda Dex en balayant la pièce du regard.

— Un gnome a fait irruption pendant le petit déjeuner en criant qu'une manticore avait piqué un stégosaure, et ils sont partis à toutes jambes.

— Et on dit que mes parents sont loufoques…

— C'est assez dingue, ici. Mais ils ont l'air gentils.

— Grady et Edaline ? Oh oui, ils sont géniaux ! Ils ne voient pas beaucoup de monde à cause de ce qui est arrivé à Jolie. Je ne les ai pas connus avant, mais d'après ma mère ils organisaient des fêtes extravagantes dont on parlait toute l'année. Maintenant, ils ne sortent plus de chez eux…

— Bien souvent, on n'est plus le même après avoir perdu un être cher, déclara Sophie.

— Vraiment ?

— Oui.

Elle était sur le point de lui demander ce qui le surprenait tant quand elle se rappela les éclaircissements d'Alden sur la longévité des elfes. La mort était sans doute un phénomène rare dans ce monde. Ce qui devait rendre le deuil encore plus difficile pour les quelques elfes qui s'y trouvaient confrontés.

— Ma mère pense que t'avoir avec eux leur fera du bien, déclara Dex. Peut-être que ta présence les aidera à tourner la page.

Sophie n'en était pas si sûre, mais les paroles de son ami l'apaisèrent. Si elle parvenait à leur rendre un peu de leur gaieté, peut-être Grady et Edaline accepteraient-ils de la garder. Elle comprenait ce qu'ils ressentaient – sans doute mieux que la majorité des elfes.

— Attends une minute, dit-elle, les sourcils froncés. Comment tu peux connaître l'adoption ? Je suppose que les orphelins ne courent pas vraiment les rues, ici.

162

— C'est vrai, concéda Dex. Il y a eu une affaire retentissante à ce sujet il y a quelques années : un garçon nommé Wylie dont le père était en exil et dont la mère venait de mourir. Quelque chose avait rompu sa concentration pendant un saut et elle s'était évaporée, je crois. Je n'en sais pas beaucoup plus, si ce n'est que Sir Tiergan l'a adopté et l'a retiré de Foxfire.

— Sir Tiergan… le Mentor en télépathie ?

— Oui, c'est bien lui… mais comment est-ce que tu le connais ?

— Euh… Alden a parlé de lui, marmonna-t-elle, tentant de rattraper sa gaffe.

Elle avait oublié qu'elle était censée n'avoir aucune connexion avec cet homme.

— Oh oui, il déteste Alden ! Il le tient pour responsable de l'exil du père, je crois. Mais je me trompe peut-être. Wylie a quelques années de plus que moi, alors je ne l'ai jamais rencontré. Tu es prête ?

Elle mit sa sacoche en bandoulière.

— Fin prête. Comment on y va ?

Il la mena jusqu'à la coupole et désigna les centaines de cristaux suspendus au chandelier rond.

— Un luminateur 500. Tu as de la chance. Comme mes parents ne sont pas des aristos, ils n'ont droit qu'au 250, du coup il manque plein de destinations à la mode. Foxfire ! s'écria-t-il.

Les cristaux pivotèrent pour en laisser descendre un qui projeta un rayon de lumière vers le sol.

— Ça va aller ?

Non. Mais elle plaqua un sourire sur ses lèvres, prit une profonde inspiration et laissa les plumes tièdes la traverser pour l'emporter vers sa première journée à Foxfire.

— C'est une école, ça? demanda Sophie en tentant d'analyser l'étrange structure déployée devant eux.

Une pyramide en verre de cinq étages dominait les lieux depuis le centre d'une vaste cour en pierre. Le bâtiment principal, tout en verre teinté, l'entourait d'un U anguleux. Six tours – chacune d'une couleur différente – séparaient les ailes, tandis que la septième, un autre luminateur, s'élevait au milieu, plus haut que les autres.

Sur la gauche, on apercevait le dôme d'un amphithéâtre ainsi que deux autres bâtiments plus petits, tous de la même pierre luisante que le château dont Fitz lui avait donné un aperçu à Lumenaria. Sur la droite, deux tours géantes, l'une en or et l'autre en argent, s'entrelaçaient. Si on y ajoutait les vastes terrains d'herbe violette, l'endroit ressemblait plus à une petite ville qu'à une école. Sophie essaya de ne pas imaginer combien il serait facile de s'y perdre.

Dex la conduisit à l'étage inférieur de la pyramide en verre, où se pressaient les prodiges dans des uniformes assortis aux six couleurs du campus. Tout espoir de retrouver Fitz se dissipa lorsque Sophie contempla le chaos. Elle se cacha derrière Dex en priant pour que personne ne la remarque.

— Qu'est-ce qu'on fait là? demanda-t-elle dans un murmure.

— Chaque journée commence par l'orientation. Rien de bien méchant. Dame Alina, la principale, se contente de lire les annonces pendant qu'on fait l'appel.

— Comment peut-on faire l'appel avec autant de monde?

Il tira son pendentif d'identification de son col.

— Ils nous pistent avec ça.

Des milliers de cloches retentirent dans un carillon complexe, et tous firent face au mur du fond, lequel affichait à présent un gros plan sur Dame Alina, une beauté renversante au teint de porcelaine et aux traits délicats.

Elle lissa sa chevelure couleur caramel et retroussa les lèvres.

— Bonjour, chers prodiges. Tout d'abord, quiconque a mis de la puantine dans mon bureau ce week-end sera… Ce n'est pas drôle! aboya-t-elle devant l'éclat de rire général, avant de plisser les yeux. Écoutez-moi bien, je mettrai tout mon talent à punir le ou la responsable.

Elle laissa planer la menace avant de continuer.

— La semaine dernière, quatorze prodiges ont démontré de nouveaux talents. Un record.

Elle applaudit, bientôt imitée par toute l'assemblée.

— Et, le meilleur pour la fin… mais où est-elle? Ah, la voilà!

Un projecteur se braqua sur Sophie.

— Je vous demande d'accueillir Sophie Foster, un prodige de Niveau 2, qui commence aujourd'hui sa scolarité à Foxfire.

Tous les yeux se tournèrent vers elle. Son nom siffla à travers la pièce comme dans un nid de vipères: « Ssssssophie. »

Dame Alina s'éclaircit la gorge.

— Est-ce une manière d'accueillir un nouvel élève?

Le silence se fit quelques secondes avant que tout le monde se mette à applaudir. Sophie chercha un trou où disparaître.

— Je préfère, dit Dame Alina. Voilà qui conclut les annonces pour aujourd'hui. Passez une merveilleuse journée!

Tout le monde applaudit et, sur l'écran, Dame Alina leur décocha un sourire splendide en battant des cils. Puis tous les yeux revinrent sur Sophie. Les chuchotements reprirent de plus belle.

— Aide-moi à sortir d'ici, dit la jeune fille à son camarade d'un ton suppliant.

Dex s'esclaffa avant de l'emmener vers la sortie la plus proche.

— Je n'arrive pas à le croire, marmonna Sophie.

— Ce n'est rien.

— Elle les a obligés à applaudir, Dex.

Elle enfouit son visage dans ses mains.

— Tout le monde était surpris, c'est tout. On n'a jamais vu un prodige arriver en cours d'année.

Elle ne put retenir un grognement. Pourquoi fallait-il toujours qu'elle soit l'exception ?

— Détends-toi. Tout va bien se passer. Allez, viens !

Il la guida jusqu'au bâtiment principal, lequel était divisé en six ailes différentes par les tours colorées, à raison d'une aile par niveau. Les murs de l'aile deux étaient du même bleu que leur uniforme et les bannières arboraient un alcyon en plein vol.

Dex changeait si souvent de couloir que Sophie ne put en tenir le compte bien longtemps. Elle était déjà totalement perdue lorsqu'ils pénétrèrent dans un énorme préau qui abritait des arbres de cristal scintillant. Une statue d'alcyon occupait le centre de la cour : elle brillait tant qu'elle semblait taillée dans du saphir plutôt que dans de la pierre. Au milieu d'un brouhaha de conversations, les prodiges rangeaient livres et fournitures dans les casiers étroits longeant les murs. Tous se turent lorsqu'ils remarquèrent Sophie.

— OK, on est dans l'atrium, expliqua Dex en ignorant le spectacle dont ils étaient les principaux acteurs.

Il consulta l'emploi du temps de Sophie et la conduisit vers le mur du fond et une porte signalée par une rune qu'elle ne pouvait lire.

— Voilà ton casier. Tu vois cette bande argentée ? dit-il en désignant un rectangle brillant juste en dessous du symbole. Tu la lèches. Ton ADN sert à déverrouiller le loquet.

— C'est dégoûtant.

— Ça a bon goût.

Elle en doutait, mais tout le monde l'observait, alors elle s'exécuta.

— De la guimolle ?

— C'est l'académie qui choisit le parfum. Il change tous les jours… mais quand c'est au tour d'Elwin de décider, il faut se méfier. La semaine dernière, il a choisi poivre. On a tous éternué comme des fous.

Le casier de Dex se trouvait deux emplacements plus loin. Un fort coassement se fit entendre à l'ouverture de la porte, qu'il s'empressa de refermer avec un cri, mais trop tard : l'atrium tout entier était empli d'un parfum d'œufs pourris mélangé à de la mauvaise haleine et un soupçon de couche sale.

— Elle a mis un muscrapaud dans mon casier ! cria-t-il.

Un ricanement aigu, presque un sifflement, éclata derrière eux. Ils firent volte-face pour découvrir une jeune fille qui les dominait tel un phasme géant. Elle avait la tête recouverte d'une tignasse brune frisée, aussi fallut-il un instant à Sophie pour reconnaître la fille chauve croisée chez *Slurp & Burp*. À ses côtés, deux autres filles caquetaient telles des sorcières maléfiques.

— Comment as-tu fait pour ouvrir mon casier ? demanda Dex en marchant droit sur Stina.

C'est à peine s'il atteignait ses épaules.

— Tu l'avais laissé ouvert, crétin. Je suppose que c'est trop compliqué pour un fils de mal-assortis de fermer les portes.

167

Dex grinça des dents, puis, le regard pétillant, pointa une rangée de poils désordonnés le long de la joue de Stina.

— Jolie, ta barbe. J'espère que tu sais te raser!

Stina se palpa le menton, poussa un hurlement et empoigna Dex par le col.

— Espèce de petit…

— Il suffit, mademoiselle Heks! tonna une elfe longiligne vêtue d'une robe et d'une cape bleu foncé en traversant le mur du préau pour les séparer. Que se passe-t-il ici? Et qu'est-ce que c'est que cette odeur?

— Elle a glissé un muscrapaud dans mon casier! déclara Dex.

— Vendredi dernier, il a mis du sérum de calvitie dans mon jus de luxuriante! rétorqua Stina.

La Mentor secoua la tête, dans un ondoiement de sa chevelure noir corbeau.

— Un tel comportement… devant notre nouveau prodige…

Ses yeux en amande s'arrêtèrent sur Sophie.

— Je suis désolée de t'imposer un tel spectacle, ma chère.

— Vous avez traversé le mur, se contenta de dire Sophie.

— C'est courant chez les Passeurs, déclara la dame avant de se tourner vers Dex et Stina. Vous devriez avoir honte, tous les deux. Présentez vos excuses.

Dex fit la grimace. Les yeux de Stina lançaient des éclairs. Tous deux marmonnèrent pourtant un « Désolé ».

— Puisque vous avez besoin de sympathiser, vous pourrez passer le reste de la semaine en retenue, ensemble.

— Mais, Lady Alexine…

— Je ne veux pas le savoir. Sors ce muscrapaud de là avant qu'il n'empeste le reste de l'établissement, Dex. Quant à toi, Stina, tu as de drôles de poils au menton. Tu ferais bien d'aller voir Elwin.

Dex éclata de rire et Stina vira au rouge betterave. Couvrant sa barbe d'une main, elle sortit en trombe du préau, ses acolytes sur les talons. Lady Alexine traversa l'atrium et disparut à travers le mur opposé.

— Tu vois? lança Dex en refermant son casier d'un coup de pied. Je t'avais bien dit que c'était un démon.

Sophie hocha légèrement la tête.

— C'est quoi, au juste, un muscrapaud?

— C'est un genre de grenouille qui émet des gaz pestilentiels sous le coup de la peur. Tu ferais mieux de t'en aller, à moins de vouloir sentir le rot de muscrapaud toute la journée.

Elle ne se le fit pas dire deux fois. En plus d'être la nouvelle bizarre, elle n'avait pas besoin d'empester, par-dessus le marché!

— Dis, c'est bien toi le prodige dont Dame Alina a parlé? La nouvelle? demanda un petit garçon en la rattrapant dans un couloir.

Les cheveux bruns en bataille et le visage rond, il faisait quelques centimètres de moins qu'elle.

— Sophie, rectifia-t-elle.

— Moi, c'est Jensi. Ouh là! Tu as des yeux drôlement étonnants… cool, enfin bref… donc tout le monde veut te parler mais ils ont trop peur alors j'ai décidé de montrer l'exemple.

— Euh… merci, dit Sophie, qui luttait pour suivre le rythme de son discours débité à la vitesse d'une mitraillette.

On aurait dit qu'il avait englouti un baril de sucre au petit déjeuner.

— Vous voyez ? Je vous avais dit qu'elle avait l'air sympa, lança-t-il à la ronde, faisant rougir plusieurs de ses camarades.

Nul doute que Sophie les battait tous, pourtant.

— Je n'ai jamais entendu parler de toi, alors que je connais presque tout le monde. Où est-ce que tu te cachais pendant tout ce temps ? demanda Jensi.

La question à laquelle elle espérait ne jamais avoir à répondre. Alden lui avait pourtant conseillé de se montrer honnête.

— Je vivais chez les humains, murmura-t-elle.

— Les humains !

Le silence se fit. Sophie réussit un hochement de tête.

— Eh ben, c'est un peu dément mais cool, on t'appellera « l'Humaine », ça va être génial !

Elle fit la moue.

— Pourquoi pas « Sophie », tout simplement ?

— Si tu y tiens.

Ils arrivèrent à un croisement. Sur un coup de tête, Sophie prit à droite.

Jensi la suivit.

— On va où ?

— Au cours d'élémentalisme, répondit Sophie, à qui le « on » de Jensi n'avait pas échappé.

Il s'esclaffa.

— Alors là, pour le coup, tu ne vas pas du tout dans la bonne direction ! Suis-moi, je vais t'accompagner.

L'envie la démangeait de fuir ce garçon gênant qui attirait beaucoup trop l'attention sur elle. Mais elle avait besoin d'aide, aussi ravala-t-elle sa fierté.

Ils rebroussèrent chemin et prirent tellement de virages et d'embranchements que Sophie fut forcée d'admettre qu'elle se serait perdue sans lui. Puis ils pénétrèrent finalement dans un couloir étroit au parfum de tempête, juste avant la première goutte de pluie.

Jensi désigna une porte en bois tordue.

— Tu as cours là. Oh, fais attention, je ne voudrais pas que tu te fasses zapper dès le premier jour!

— D'accord… attends! ajouta-t-elle à l'instant où elle assimilait ses paroles. Qu'est-ce que tu entends par « zapper »?

Jensi avait déjà disparu. Elle contempla le sol en se demandant s'il plaisantait. On était dans une école. La direction n'autoriserait pas la mise en danger des élèves, quand même?

Elle inspira bien fort pour calmer ses nerfs, prit son courage à deux mains, et poussa la porte. Un coup de tonnerre fit trembler le plancher, puis un éclair traversa le plafond, renversant Sophie au passage.

Chapitre 18

— Alors, ce premier cours ? demanda Dex en lui tendant un plateau.

Il lui fit de la place dans la file de la cantine.

— Oh, très bien… à ceci près que j'ai failli me faire électrocuter.

Elle tenta de masquer le tremblement de sa voix. Sir Conley avait retenu l'éclair qui menaçait de la frapper en l'attrapant dans une minuscule fiole striée à la dernière seconde. Ce qui n'avait pas empêché les poils de Sophie de se dresser sur ses bras. D'autant qu'elle avait également raté l'exercice pratique et surpris Sir Conley à prendre des notes à ce sujet. Allait-il les envoyer à Bronte ?

— C'est ça, l'élémentalisme, remarqua Dex. Attends de devoir capturer ta première tornade. Elles ne se laissent pas attraper facilement.

Évidemment. Puisqu'il s'agissait de tornades !

— Pourquoi est-ce qu'on doit apprendre à mettre tous ces trucs en bouteille ?

— La maîtrise des éléments est un premier pas vers l'accès à la noblesse.

— Pourquoi ?

— Aucune idée. Aucun de mes parents n'en fait partie, alors je n'y connais pas grand-chose.

Tout juste. Ses parents étaient des « mal-assortis » – quel que soit le sens de cette expression.

— Au fait, qu'est-ce que tu fais là ? Tu n'es pas en retenue ?

— Faut bien manger, grommela-t-il en remplissant son assiette d'aliments aux couleurs vives.

La queue serpentait à travers une série d'étals, comme dans l'aire de restauration d'un centre commercial. Aucun plat familier à l'horizon, aussi Sophie copia-t-elle Dex.

— Désolé d'avoir pris une punition dès ton premier jour. Tu vas t'en sortir, toute seule ?

— Bien sûr !

Elle avait déjeuné seule toute sa vie, alors un jour de plus ou de moins…

Sauf qu'il n'y avait pas une seule table de libre à l'intérieur de la cafétéria, qui occupait tout le premier étage de la pyramide en verre. Sophie scruta les visages des élèves, espérant trouver Fitz, mais elle ne vit que des inconnus, dont la plupart détournaient le regard comme pour la décourager d'aller les rejoindre.

Elle était au bord de la panique lorsqu'une paire d'yeux bleu-vert retint son attention. Hélas, ils appartenaient au visage parfait de Biana.

Biana soutint son regard en secouant la tête, de façon à peine perceptible, mais le message était clair : « Ne songe même pas à venir t'asseoir ici. »

Sophie ignora son ego piqué au vif pour se concentrer sur un problème plus important : Biana était assise à côté de Fitz. Où allait-elle bien pouvoir s'installer à présent ?

Jensi surgit à ses côtés.

— Mes amis et moi on a une table, il n'y a que des garçons et la plupart sont un peu nazes mais tu peux venir avec nous.

Elle l'aurait serré dans ses bras si elle n'avait eu les mains prises.

— Merci, Jensi !

S'ils avaient été humains, les amis de Jensi auraient été maigrichons, boutonneux et équipés d'appareils dentaires. Étant des elfes, ils étaient plutôt pas mal – ou du moins l'auraient-ils été s'ils n'avaient attaché leurs cheveux dans des queues-de-cheval graisseuses. Ils la dévoraient du regard comme s'ils n'avaient encore jamais vu une fille de près. L'un d'entre eux se mit même à baver.

— Désolé, marmonna Jensi en posant d'un geste brusque son plateau. Allez, les gars. Je vous avais dit de la jouer cool !

— Désolé, vieux, lancèrent-ils à l'unisson sans quitter Sophie des yeux.

Jensi soupira, comme résigné.

— Alors, l'élem ?

— Pardon ?

— L'élémentalisme, expliqua une des queues-de-cheval graisseuses. C'est comme ça qu'on dit, tu ne savais pas ?

— Bien sûr que non, puisque jusqu'à maintenant elle vivait avec des humains, rétorqua Jensi sans laisser à Sophie le temps de répondre.

Il sourit de toutes ses dents, comme s'il lui avait ôté une épine du pied. Mais elle résista à grand-peine à l'envie de se cacher sous la table. Surtout lorsque les garçons s'enfoncèrent dans leurs sièges avec un « Ben mon vieux ».

Elle retint difficilement un soupir.

— Le cours d'élémentalisme ne s'est pas trop mal passé. Je ne me suis pas fait zapper.

— Sans blague ! tenta le baveux. Autrement tu aurais les vêtements tout cramés.

Jensi leva les yeux au ciel.

— Passons… Qu'est-ce que tu as après ?

— L'Univers.

Le nom seul paraissait redoutable.

— Tu veux dire l'Uni ? demanda le baveux avec un clin d'œil appuyé.

Les autres garçons gloussèrent et Jensi les foudroya du regard.

— Cette expression n'existe pas. Arrêtez de vous payer sa tête.

— Désolé, vieux… marmonnèrent-ils.

— Et lâchez-moi avec vos « vieux » ! Je commence à en avoir ma claque !

— Désolé, vieux.

Jensi semblait prêt à exploser. Sophie toussa pour cacher son rire.

— Merci de vous être occupés d'elle, les gars. Je prends le relais, les interrompit une voix féminine.

Toutes les queues-de-cheval graisseuses se remirent à baver avec des yeux de merlan frit devant la jeune fille mutine et gracile qui attrapa le plateau de Sophie et lui fit signe de la suivre.

— Qu'est-ce que tu fais ? siffla Sophie.

— Je vole à ton secours, chuchota la nouvelle venue, avec un léger mouvement de tête pour rejeter sa chevelure blonde en arrière.

Ne sachant trop que faire, Sophie murmura un rapide au revoir à l'adresse de la tablée avant de rattraper l'adolescente.

— Tu me revaudras ça une autre fois, déclara la fille sans se retourner.

Elle était fort menue, et son uniforme semblait avoir passé la nuit roulé en boule sur le sol, ce qui ne l'empêchait pas d'être jolie. Peut-être était-ce dû à la façon dont elle avait tressé une partie de ses cheveux en de minuscules nattes, ou à ses immenses yeux bleu glacier.

— T'asseoir avec ces types ? C'est du suicide social, dit-elle.

— Jensi n'est pas si nul, rétorqua Sophie.

Certes, son enthousiasme était quelque peu débordant, mais il avait déjà volé deux fois à sa rescousse en une journée.

— Lui, il est OK, mais les autres… (Elle frissonna.) Je m'appelle Marella. Pas Mare. Ni Ella. Pas de surnom.

Elle guida Sophie jusqu'à sa table, où elle posa le plateau à côté du sien.

— La plupart des élèves ici ne valent pas la peine que je perde mon temps avec eux. Mais je me suis dit qu'une fille capable de se faire détester par Stina en moins de quelques heures, c'était mon genre. Assieds-toi.

Pour une raison quelconque, Sophie obéit.

— Stina me déteste ?

— Et comment ! Mais ce n'est pas plus mal. C'est une véritable teigne.

— C'est ce que j'ai entendu dire.

Elle n'était pas sûre de vouloir se faire des ennemis, pourtant. Bronte pourrait-il s'en servir contre elle, s'il l'apprenait ?

— En tout cas, quand je t'ai vue là-bas encerclée par ces baveux, j'ai eu pitié pour toi et j'ai pensé que j'allais me faire une amie.

À l'entendre, Sophie aurait dû se sentir honorée de cette faveur.

— Bon alors, tu manges ?

— Oh, pardon !

Sophie se hasarda à mordre dans une boulette verte soufflée avant de grimacer : un goût de réglisse amère trempée dans du jus de citron.

— Tu déjeunes toujours toute seule ? demanda-t-elle dès qu'elle eut recouvré l'usage de sa mâchoire.

— Parfois je laisse les garçons s'asseoir à ma table, mais je ne suis pas très fan des filles. Les filles, c'est pénible, déclara-t-elle avec un regard éloquent, comme pour ordonner à Sophie de ne pas l'agacer. Tiens, regarde la Miss Maniérée là-bas, par exemple, ajouta-t-elle, en désignant Biana du menton, avant de rouler les yeux. J'aimerais encore mieux traîner avec une horde de gobelins.

Sophie esquissa un sourire. Elle n'arrivait pas à comprendre comment pareille peste pouvait être apparentée à Alden et Della – ou à Fitz.

— Mais j'avoue que son frère est mignon, poursuivit Marella d'un air rêveur. Qu'est-ce que je ne donnerais pas…

Sophie dut se faire violence pour ne pas acquiescer. Elle mordit de nouveau dans sa boulette verte et Marella sourit en voyant sa grimace.

— Trop aigre ?

— Le mot est faible. Ça m'apprendra à copier Dex.

Elle but une gorgée de jus de luxuriante pour chasser le mauvais goût.

— Dex… blond vénitien, bouclé, avec des fossettes, c'est bien lui ? Mignon ! Sa famille est un peu… (Elle agita le doigt à proximité de sa tempe.) Mais lui n'y est pour rien.

— Ses parents m'ont semblé très bien quand je les ai rencontrés, rétorqua Sophie pour défendre son ami.

— Les Dizznee sont gentils, mais un peu spéciaux. Enfin, ils ont quand même eu des triplés !

— Et c'est… mal, d'avoir des triplés ?

— Oui. Enfin, je ne sais pas comment ça se passe dans les Cités interdites, mais ici on n'a qu'un enfant à la fois. Alors, trois d'un coup, c'est trop étrange. Ma mère dit que c'est parce que ses parents sont des mal-assortis.

Sophie se figea en entendant l'insulte.

— Qu'est-ce que c'est exactement, des « mal-assortis » ?

— C'est un couple qui a été marqué comme génétiquement incompatible. Ce qui veut dire qu'ils auront sûrement des enfants inférieurs. Et si tu avais déjà croisé des triplés, tu en serais convaincue. Jamais ils ne pourront être normaux.

Elle haussa les épaules.

— Même son oncle et sa tante sont super louches.

— Grady et Edaline ?

Marella confirma d'un signe de tête.

— Ils étaient célèbres, avant, plus connus que les Vacker.

— Qui ça ?

Marella lui adressa un nouveau regard d'avertissement.

— Fitz et Biana. Leur père est super important. Comme le reste de la famille, d'ailleurs. Mais Grady l'était encore plus, à cause de sa spécialité qui est très rare. Ensuite, leur fille est morte, ils ont pris peur et ils se sont coupés du monde.

Sophie n'était pas sûre d'apprécier le ton de Marella. Pas une once de sympathie dans sa voix.

— Vous ne comprenez vraiment pas combien c'est dur, le deuil…

— Parce que toi, tu sais ?

— Ma grand-mère est morte quand j'avais huit ans. Ma mère a pleuré pendant des semaines.

Elle avait entendu chacune des pensées désespérées de sa mère, incapable de dire quoi que ce soit pour la consoler

178

– ou pour ramener sa grand-mère. Jamais elle ne s'était sentie aussi impuissante.

— Curieux, dit simplement Marella. Enfin bref, Dex a l'air pas mal. Certains disent qu'il finira à Exillium, mais j'en doute.

Sophie sentit son sang se glacer à ces mots.

— Exillium ? Qu'est-ce que c'est ?

— L'école où on envoie les cas désespérés. C'est la garantie ou presque d'atterrir au Sanctuaire pour y ramasser de la crotte de mammouth, et encore, si tu as de la chance.

Sophie ne put réprimer un frisson. Elle avait intérêt à assurer en classe. Hors de question pour elle d'échouer dans un endroit aussi horrible. Elle ferait tout pour l'éviter.

Sa séance de l'après-midi était consacrée à l'Univers, qui s'avéra aussi redoutable qu'elle le craignait. Chaque étoile. Chaque planète. Le moindre corps céleste imaginable – il lui faudrait tous les apprendre.

Mais Sir Astin, un elfe aux cheveux couleur platine et à la voix douce et susurrante, déclara qu'elle possédait un don naturel pour cette matière. Apparemment, il n'avait encore jamais eu pour élève un prodige à la mémoire photographique assez puissante pour mémoriser les cartes astrales complexes qu'il projetait sur les murs du planétarium plongé dans le noir. Sophie n'aurait su dire pourquoi cela lui venait si facilement, mais elle n'allait pas s'en plaindre. Au moins un cours dans lequel elle excellait. Pourvu que Sir Astin en fasse part à Bronte.

Chaque journée se terminait avec une heure d'étude commune à toutes les classes, au rez-de-chaussée de la pyramide. Dex lui fit signe : il lui avait gardé une place.

— Tu as survécu, dit-il lorsqu'elle s'affala à côté de lui.

— Pour l'instant.

Elle sortit son devoir d'Univers, le sourire aux lèvres.

— Te voilà! lança Fitz en s'approchant de leur table.

Son uniforme vert de Niveau 4 lui allait bien mieux qu'aux autres – même sa cape lui donnait fière allure, en particulier avec sa broche en forme de dragon.

— Pourquoi n'es-tu pas venue manger avec nous ce midi?

Elle décida de ne pas mentionner le regard assassin de Biana.

— Jensi m'avait invitée à le rejoindre et je ne voulais pas le vexer.

— Ah. Alors demain, peut-être. Oh! Mon père m'a chargé de te donner ce mot, dit-il en lui tendant un papier plié.

D'une écriture précise, deux phrases y étaient tracées:

> *Les incendies de San Diego sont éteints.*
> *Tu n'as pas à t'inquiéter.*

Sophie esquissa un sourire. Sa famille ne vivait plus là-bas, mais elle n'en était pas moins soulagée d'apprendre la nouvelle. Tout redevenait normal.

Dex s'éclaircit la gorge.

— Oh, pardon! Vous vous connaissez, tous les deux? demanda Sophie en fourrant le papier dans son sac.

Dex répondit oui en même temps que Fitz disait non. Gênant.

— Voici Dex, dit Sophie pour combler le silence.

— Enchanté.

— Ben voyons! ricana Dex.

— Quoi?

180

— Rien, apparemment.

Fitz fronça les sourcils et Dex le fusilla du regard. Sophie les observait : pourquoi une telle animosité ?

— Je ferais mieux de faire mes devoirs, annonça Fitz au bout d'un moment, avant d'adresser un sourire à Sophie dont le cœur eut un de ces soubresauts ridicules. Je venais juste m'assurer que tout allait bien de ton côté. On se voit demain ?

— D'accord.

— Oh ! Et euh… Ravi d'avoir fait ta connaissance, Deck, ajouta-t-il avec un petit salut avant de s'éloigner.

— C'est Dex, grogna le principal intéressé.

— Mais qu'est-ce qui te prend ? chuchota Sophie.

— Moi ? « Ravi d'avoir fait ta connaissance, Deck », répéta-t-il en imitant à la perfection l'accent pointu de Fitz.

Elle se retint de sourire.

— Je suis sûre qu'il ne l'a pas fait exprès.

— Pitié, je le vois tout le temps ! Non que son altesse royale daigne s'en souvenir. Mais toi, il ne t'oublie pas. Tiens, d'ailleurs, tu m'expliques ? Et pourquoi t'a-t-il passé un mot de son père ?

— J'ai dormi chez eux le soir de mon arrivée ici et Alden m'avait promis de me tenir au courant de quelque chose. En lien avec mon ancienne vie. Je ne suis pas censée en parler.

— Comme par hasard.

— Quoi ?

— Rien. Je déteste cette famille, c'est tout. Tout le monde les croit tellement cool et talentueux. Mais ils sont complètement surestimés. « Deck », pesta-t-il.

— Peut-être que Fitz m'aura mal entendue.

181

— Mais bien sûr. Écoute-toi prendre sa défense ! Tu sais quoi ? Tu es comme toutes les autres filles. Je t'ai bien vue quand il t'a souri : ton visage s'est illuminé.

— N'importe quoi !

— Oh, que si ! Tu rayonnais.

Elle rayonnait ? Fitz l'avait-il remarqué, lui aussi ?

— Ce n'est pas vrai, rétorqua-t-elle.

Dex leva les yeux au ciel.

— Ah, les filles !

Chapitre 19

L'ensemble des élèves, de tous les niveaux, avait éducation physique tous les mardis et jeudis matin – le seul cours qui ne soit pas particulier. Sophie se sentait si nerveuse qu'elle ne pouvait même pas penser au petit déjeuner. Ses performances sportives étaient toujours catastrophiques. Son seul but était de se cacher au fond en espérant que son Mentor ne s'en aperçoive pas.

Les vestiaires se situaient à l'extérieur, coincés entre une immense pelouse violette et l'amphithéâtre aux allures de Colisée sous dôme. À peine eut-elle mis le pied dehors que des centaines de filles suspendirent leurs conversations pour la dévisager.

Tête baissée, Sophie se pressa de rejoindre ce qu'elle supposait être son vestiaire de sport. Au lieu de quoi, la porte s'ouvrit sur un salon d'habillage privé équipé d'une douche et d'une coiffeuse. Son uniforme pendait à un crochet près de la porte : tunique bleue, leggings noirs, tennis noires. Enfin une tenue sans cape ! Elle se changea en hâte, attacha ses cheveux en une queue-de-cheval lâche, et émergea dans la salle principale au moment même où Stina et ses acolytes paradaient dans le coin comme si les lieux leur appartenaient.

Stina s'esclaffa en l'apercevant.

— Je donne six mois à la nouvelle avant de se faire expédier à Exillium, dit-elle assez fort pour que tout le monde puisse l'entendre.

Le nom d'Exillium fit l'effet d'une gifle à Sophie, qui ne trouva rien à répondre.

La voix de Marella tonna à l'autre bout de la pièce.

— C'est à peu près le temps qu'a tenu ton père, non?

Elle surgit d'un pas vif et se dressa juste devant Stina.

— En fait, je doute même qu'il ait tenu si longtemps.

— Tu veux comparer, Redek? siffla Stina.

Marella était si minuscule que son adversaire aurait pu l'écrabouiller – mais elle ne flancha pas.

— Ma famille n'est peut-être pas noble, mais nous au moins on n'essaie pas de tromper notre monde. Contrairement à certains dans cette pièce.

— Retire tout de suite ce que tu viens de dire! exigea Stina.

— Je le ferai quand ça cessera d'être vrai.

Sous une pluie de menaces éructées par Stina, Marella entraîna Sophie à l'extérieur, vers l'amphithéâtre.

Tous les prodiges étaient regroupés par niveau, aussi les deux jeunes filles rejoignirent-elles la foule des Niveau 2.

— Désolée de t'avoir entraînée là-dedans, marmonna Sophie.

— Personne ne m'a forcée, je fais ce dont j'ai envie. Elle se pavane comme si elle était spéciale, juste parce que sa mère est Empathe auprès de la noblesse. Pendant ce temps, son père, lui, n'a jamais manifesté le moindre pouvoir, et elle-même n'a qu'une chance sur deux d'y arriver. Vivement que tu la remettes à sa place!

— La remettre à sa place? Moi?

— Oui, toi. C'est toi, la nouvelle au passé mystérieux qui a probablement tout un tas de pouvoirs étonnants. Il n'y a qu'à voir tes yeux.

Sophie traîna des pieds. Le commentaire de Marella avait touché un point un peu trop sensible.

— Je n'ai rien de spécial. Tu peux me croire.

— Si tu le dis. Ce que j'essaie de t'expliquer, c'est que personne n'a encore été capable de lui rabattre son caquet une bonne fois pour toutes, pas même Miss Biana la Maniérée. Toi, tu es l'électron libre, l'élément que personne n'attendait, alors c'est à toi que revient l'honneur de mettre fin à son règne de la terreur. Tout le monde n'attend que ça.

— Tout le monde… qu'est-ce que tu veux dire ?

Elle fut ébahie de voir un certain nombre de prodiges la regarder. Ils ne croyaient quand même pas qu'elle allait changer les choses ?

— Tu es prête ? lui demanda soudain Dex, qui sautait sur place, et ce à une hauteur impressionnante.

Il agrippa Sophie par les épaules, comme pour lui transmettre son enthousiasme.

Avant qu'elle ait pu répondre, douze Mentors avaient fait leur entrée, vêtus de capes gris sombre. Chacun des six niveaux serait supervisé par un duo de Mentors, l'un pour les filles et l'autre pour les garçons. Lady Alexine, la Mentor qui la veille avait envoyé Dex et Stina en retenue, et Sir Caton, à la musculature de Titan, informèrent les Niveau 2 qu'ils allaient travailler leur canalisation.

— Tout est question de concentration, expliqua Dex. Suprématie de l'esprit sur la matière. Ne t'inquiète pas, c'est super fastoche.

Tu parles.

Sophie était censée canaliser la puissance de son esprit vers différentes zones de son corps, afin de sauter à des hauteurs incroyables, courir à une vitesse exceptionnelle, écraser des objets avec une force démesurée. Elle avait beau faire de son mieux – et malgré toute l'aide de Lady Alexine –, elle ne parvenait pas à surpasser ses résultats habituels, qui étaient horriblement minables. Elle voyait d'ici le genre de rapport que recevrait Bronte.

Après plusieurs tentatives infructueuses, elle remarqua quelques prodiges en train de l'observer. Puis quelques autres, et d'autres encore, jusqu'à ce que tous les Niveau 2 la regardent, et même quelques Niveau 3. Pas la peine de lire dans leur tête pour deviner ce qu'ils pensaient.

Et si la jeune fille conservait le moindre doute, il fut pulvérisé dans les vestiaires. Stina la plaqua au mur en déclarant :

— Je retire ce que j'ai dit. Elle ne tiendra pas six semaines.

Cette fois, personne ne vint à sa rescousse.

Trop gênée pour se montrer à la cafétéria après l'éducation physique – et puis de toute façon, elle avait perdu l'appétit –, Sophie profita de sa pause déjeuner pour localiser son cours suivant.

L'entraînement à la télépathie nécessitait une salle spéciale dans l'aile de Niveau 4. Perdu dans les couloirs émeraude, son uniforme bleu clair brillait comme si elle était suivie par un projecteur, si bien qu'elle fut contente de trouver la salle avant la fin du repas.

— Pardon, Sir Tiergan, je suis venue trop tôt, peut-être ? dit-elle en voyant l'elfe bondir sur ses pieds, surpris.

Il tritura la bordure de sa cape noire délavée.

— Bien sûr que non. Appelle-moi Tiergan, tout simplement. Mentor ou pas, je ne fais pas partie de la noblesse.

— Euh… d'accord, acquiesça-t-elle sans trop savoir quoi répondre.

Elle parcourut la pièce ronde des yeux. Hormis deux fauteuils argentés qui n'auraient pas détonné dans un vaisseau spatial, l'endroit était vide et quelconque.

Elle attendit que Tiergan lui donne ses instructions, mais il se contentait de rester debout et de l'étudier avec attention, comme à l'affût de quelque chose.

— Euh… voulez-vous que je m'asseye ? demanda-t-elle finalement.

Il secoua la tête, comme tiré de sa rêverie.

— À vrai dire, je préfère rester debout pour sonder les pensées. Je réfléchis mieux sur mes pieds.

Elle se crispa quand il approcha, le tissu rêche de sa cape crissant sur le plancher. Fitz l'avait prévenue que l'entraînement à la télépathie comporterait des sondages, mais le concept en lui-même l'effrayait toujours.

Il tendit la main vers son front et leurs regards se croisèrent. Il dut lire la peur dans les yeux de la jeune fille, car il eut un mouvement d'hésitation.

— Je sais qu'étant donné ton passif, ce processus est quelque peu déconcertant, Sophie. Mais il est crucial, pour le bien de l'entraînement télépathique, d'établir une connexion entre Mentor et prodige.

Elle acquiesça, s'efforçant de rester immobile pendant qu'il posait les mains sur ses tempes et fermait les yeux. La cloche sonna la fin du déjeuner. Elle compta quatre-vingt-sept secondes supplémentaires avant qu'il ouvre les yeux, le front plissé.

— J'en déduis que vous n'avez rien pu entendre non plus, marmonna Sophie.

— Si tu n'étais si ostensiblement vivante, je croirais sonder un esprit mort.

Eh bien, voilà qui était joyeux! Elle rassembla son courage pour lui poser la question suivante.

— Est-ce que ça veut dire que j'ai un truc qui cloche?

Il fronça les sourcils, comme si son esprit était de nouveau ailleurs.

— Je ne doute pas que tu sois exactement celle que tu es censée être.

Elle avait déjà entendu cette expression, qui d'ordinaire se voulait rassurante. Mais quelque chose dans le ton du Mentor lui donna la chair de poule. Surtout après avoir remarqué combien ses mains tremblaient.

— Peux-tu me dire à quoi je pense en ce moment? lui demanda-t-il à voix basse.

Elle étira sa conscience, tâtonnant à la recherche de ses pensées.

— Vous vous demandez comment m'entraîner si vous ne pouvez pas sonder mon esprit.

Il blêmit et se détourna en prenant appui sur un des fauteuils.

— Dans ce cas, je te suggère de t'asseoir. Nous allons avoir une longue discussion sur l'éthique.

Lorsque Sophie sauta à Havenfield, elle trouva Grady dehors, avec dans la main un épais cordon qui flottait dans le ciel, sans rien au bout – en apparence. Les yeux plissés, elle scruta les nuages avant de se tourner vers Grady.

— Que faites-vous, exactement?

— Je promène la méganeura.

Ne souhaitant pas l'importuner, elle décida de ne pas lui demander de quoi il s'agissait.

Visiblement agité, Grady l'observait du coin de l'œil.

— Alors, cette deuxième journée ? finit-il par demander.

— Pas trop mal.

— C'est tout ?

Il pencha légèrement la tête de côté et la dévisagea comme s'il pouvait voir à travers elle.

— Tu veux en parler ?

En cet instant, il lui rappelait tellement son père humain qu'elle crut sentir son cœur se déchirer.

— En fait…

Un lourd bourdonnement l'interrompit.

— Recule !

Grady planta ses pieds dans le sol, les genoux serrés : une grosse créature verte aux ailes irisées qui volait en cercles au-dessus de leurs têtes piqua droit sur eux. Sophie laissa échapper un cri et sauta sur le côté quelques secondes avant que l'insecte aux allures de vautour n'atterrisse à l'endroit même où elle s'était tenue.

— Ne me dis pas que tu as peur des libellules ! dit Grady en caressant le dos du monstrueux coléoptère.

— Pas quand elles sont de taille normale.

Mais gonflées jusqu'à atteindre une taille gargantuesque, c'était une autre histoire. Elle avait rarement vu quelque chose d'aussi effrayant que les yeux de la bestiole – on aurait dit des boules disco placées de chaque côté de sa tête.

— C'est la taille normale pour une méganeura. Enfin, pour un bébé. Une fois adulte, il fera probablement le double.

Sophie frémit. Grady s'esclaffa et lui fit signe de le suivre. Il se dirigea vers l'enclos du monstre.

— Mais tu allais me dire quelque chose ?

— Rien de spécial. Je suis nulle en éducation physique, et la télépathie, c'était… intense.

— J'imagine que Tiergan a dû te servir son laïus sur l'éthique.

Elle acquiesça.

Le statut de Télépathe comptait de nombreuses restrictions. Elle n'était pas censée bloquer ses pensées, en particulier des autorités elfiques, ce qui posait problème étant donné qu'elle ne savait même pas comment elle le faisait, ni encore moins y mettre fin. Elle n'était pas non plus censée lire les pensées à moins qu'on lui en donne la permission – comme le lui avait expliqué Fitz. Sauf s'il s'agissait d'une urgence, ou si elle était en mission pour le Conseil.

Et c'était là le plus étrange : les Télépathes étaient très demandés. Une fois qu'elle se serait montrée digne de confiance, elle recevrait des missions de la part du Conseil. Mais Tiergan l'avait avertie qu'avec son esprit impénétrable, on aurait du mal à lui faire confiance – il lui était trop facile de dissimuler des informations. Ce qui la poussait à s'interroger sur la « plaisanterie » de Quinlin selon laquelle elle serait une Gardienne. Le Conseil ne pensait tout de même pas qu'elle leur faisait des cachotteries ?

— Attendez, dit-elle. Seriez-vous Télépathe ?

— Non. Qu'est-ce qui te le fait croire ?

— Comment pouvez-vous être au courant pour la leçon d'éthique ?

— On y a tous droit, chacun dans sa spécialité. Manifester un talent particulier implique de grandes responsabilités. Ce n'est pas le cas de tout le monde, tu sais.

En effet. Elle avait déjà appris que disposer d'un pouvoir spécial était une affaire sérieuse. En fait, pendant ses séances de télépathie, Dex – comme tous les autres prodiges qui n'avaient pas encore manifesté de pouvoir – passait des tests de détection, avec l'espoir de se découvrir un talent. Si, arrivé au Niveau 4, un prodige n'avait pas manifesté le moindre pouvoir, il risquait le renvoi. Et même s'il restait à Foxfire, il ne serait pas autorisé à poursuivre dans les niveaux d'élite, autrement dit il ne ferait jamais partie de la noblesse. Et il échouerait certainement dans la classe ouvrière.

Cette fois encore, elle ne manqua pas de remarquer que Grady se gardait bien de lui dévoiler la nature de son talent. Il ne pouvait pas être si terrible.

Si ?

Chapitre 20

— Il est Hypnotiseur, lui dit Marella à table le lendemain. Pourquoi?

— Je ne sais pas. Tu ne trouves pas étonnant qu'il refuse de me le dire? demanda Sophie.

— C'est de Grady et d'Edaline qu'on parle – tout est étonnant chez eux. Je n'arrive pas à croire que tu vis avec eux. Ils vont t'adopter?

— Je… je ne sais pas. C'est quoi, exactement, un Hypnotiseur? demanda-t-elle pour réorienter la conversation sur un sujet qui ne lui donnait pas la nausée.

— Eh bien! Tu ne connais vraiment rien à rien, toi, pas vrai?

— Laisse tomber.

— Oh, ça va, je plaisante! Un Hypnotiseur peut te mettre en transe et te pousser à faire n'importe quoi pendant ce temps-là. C'est rare. Pas aussi rare que l'instillation, mais presque.

Elle n'avait guère envie de poser une énième question idiote, mais la curiosité l'emporta.

— Et l'instillation, c'est…

— Quand quelqu'un te pousse à ressentir des choses. Il te fait rire ou pleurer, provoque en toi une douleur insupportable… tout ce qu'il veut. C'est extrêmement rare. Je n'en connais qu'un, et il est membre du Conseil. Mais il se peut qu'il y en ait un autre. Ton Mentor d'histoire doit être au courant.

Sophie grimaça en entendant le mot « histoire ». Elle venait d'avoir sa première leçon avec Lady Dara le matin même, et c'était… déroutant.

Des images surréalistes s'étaient affichées sur les murs tout le long du cours : des elfes qui utilisaient la télékinésie pour aider les humains à construire les pyramides, un raz-de-marée qui engloutissait l'Atlantide, une armée de nains basanés et velus qui vidaient l'Himalaya pour bâtir le Sanctuaire. Mais le plus étrange demeurait Lady Dara elle-même. Elle ne cessait de perdre le fil de sa pensée chaque fois que son regard croisait celui de Sophie. Avant de marmonner quelque chose sur « l'histoire en mouvement » puis de reprendre son laïus. Ce qui avait achevé de paniquer Sophie.

— Au fait, tu es au courant ? s'exclama tout à coup Marella. Sir Tiergan est de retour.

— Qui est-ce ? demanda Sophie, soulagée d'avoir eu le bon réflexe.

— Simplement le plus célèbre des Mentors en télépathie. Il a pris sa retraite après l'exil de son ami Prentice. En signe de protestation, je crois.

— Prentice ?

Elle s'efforça de ne pas paraître trop intéressée, mais elle mourait d'envie d'en savoir plus depuis qu'Alden lui avait dit que l'information était classée top secret.

— Un Télépathe super doué, mais qui a été exilé il y a une douzaine d'années.

— Comment est-ce qu'on finit exilé ?

— Il faut violer une des lois fondamentales. Le Conseil se réunit en tribunal, et si tu es reconnue coupable, on t'enferme loin dans les profondeurs pour le reste de l'éternité. Je ne sais pas ce qu'il a fait, mais j'imagine que c'est en lien avec son statut de Gardien. Sa faute devait être grave pour que le Conseil lui pourrisse autant la vie. D'autant que sa famille en a subi les conséquences. Sa femme est morte dans un accident de saut peu de temps après, et son fils, Wylie, a été adopté par Tiergan.

Le déjeuner de Sophie fit un bond dans son estomac quand elle se rappela les paroles de Quinlin.

« *Voilà donc la raison des sacrifices de Prentice.* »

Quinlin avait également laissé entendre qu'elle était Gardienne. Alors, si Prentice lui-même en était un, se pouvait-il qu'ils soient… apparentés ?

Pouvait-il être son père ?

Tout concordait. Abandonner un enfant était illégal chez les humains – elle doutait qu'il en fût autrement ici. Et si Prentice était un Télépathe doué, peut-être était-il Effaceur. Peut-être pouvait-il modifier les souvenirs de deux humains pour leur faire croire que l'enfant était le leur.

Mais pourquoi ? Il ne s'était pas débarrassé de Wylie – alors pourquoi l'abandonner, elle ? Avait-elle vraiment un truc qui clochait ?

À moins qu'il y eût un rapport avec la couleur de ses yeux. Ou le fonctionnement de son cerveau…

— Tu connais Wylie ? demanda Sophie à voix basse.

Même si elle ne se pensait pas assez courageuse pour rencontrer celui qui pourrait être son frère, sa curiosité restait intacte.

Marella secoua la tête.

— Comme il fait partie des niveaux d'élite, il est reclus du reste de l'académie dans les tours spéciales. On n'a pas le droit d'aller là-bas et d'interrompre leurs études.

Sophie ne parvenait pas à décider si elle était déçue ou soulagée. Sans doute n'était-il au courant de rien. Personne ne semblait l'être. À part Alden – lequel refusait de parler. À elle de reconstituer le puzzle.

Elle tria les fragments d'information dont elle disposait dans sa tête. En quête de l'indice qui assemblerait enfin les morceaux.

— Tout va bien ? demanda Marella, lui rappelant qu'elle n'était pas seule.

— Oui. Désolée.

Elle s'efforça d'adopter un ton détaché pour sa question suivante.

— Tu as déjà entendu parler d'un Projet Colibri ?

— Une initiative du Sanctuaire pour sauvegarder les colibris ? répondit Marella, les sourcils froncés.

— Aucune idée. J'ai entendu ce nom quelque part, sans savoir de quoi il s'agit. Je me suis dit que tu saurais peut-être.

Elle avait tenté d'en apprendre plus, mais Grady s'était bien gardé de laisser traîner ses parchemins – et elle avait trop peur pour fouiller la maison. Si jamais ils la prenaient sur le fait et la mettaient à la porte…

— Non, jamais entendu parler. Mais à mon avis c'est sans le moindre intérêt, car je suis au courant de tous les trucs cool qui se produisent ici.

Marella ouvrit une canette d'air parfumé à la fraise et inhala profondément les vapeurs roses qui s'échappaient autour d'elle. Elle se lécha les babines.

— Tu en veux ?

195

Sophie secoua la tête et décida de repousser ces troublantes interrogations dans le recoin le plus sombre de son esprit, là où elle remisait tout ce qui lui était trop douloureux. Elle avait déjà bien assez de soucis comme ça.

— On s'inquiète pour son prochain cours ? demanda Marella.

Sophie acquiesça. Les avertissements de Dex à propos des prodiges malchanceux de Lady Galvin la tétanisaient. Et le ricanement de Marella n'arrangeait rien.

— Bonne chance !

— C'est si terrible ?

— Tu n'as pas idée ! Lady Galvin ne fait ce travail que pour le titre. Être bon en alchimie, ce n'est pas comme avoir un pouvoir spécial, alors le mentorat était sa seule option si elle ne voulait pas finir dans une échoppe d'apothicaire louche comme les Dizznee. Elle déteste enseigner, et elle se venge sur ses prodiges. Mais qui sait ? Tu seras peut-être sa nouvelle chouchoute.

Voilà qui aurait été encourageant… si Marella s'était abstenue d'éclater d'un grand rire hystérique juste après. Elle ricanait toujours lorsque le carillon fit retentir sa complexe mélodie.

Peut-être était-ce le fruit de son imagination, mais le timbre sembla de mauvais augure à Sophie.

La salle d'alchimie, vaste et ronde, sentait les cheveux brûlés, et ses murs étaient recouverts d'étagères incurvées. La moitié comportait de minuscules pots d'ingrédients, l'autre, ce que Sophie prit tout d'abord pour des trophées, avant de se rendre compte qu'il s'agissait seulement d'articles dorés divers. Des chapeaux. Des livres. Des fruits. Une paire de chaussures recourbées et pointues qui ressemblaient

196

étrangement à celles qu'elle avait toujours imaginées aux pieds des elfes, enfant. Un peu comme si le roi Midas, de passage dans le coin, avait tout changé en or.

Au centre de la pièce se dressaient deux tables de laboratoire – l'une en argent luisant, l'autre noire et lisse – ainsi que l'expérience la plus étrange que Sophie eût jamais vue. Lady Galvin n'était pas arrivée, aussi déposa-t-elle ses affaires sur une table pour examiner de plus près la bulle géante qui flottait au-dessus d'un cercle de feu tracé au sol. Un liquide laiteux emplissait la sphère, dansant au rythme des flammes.

— Recule! s'écria Lady Galvin, se précipitant sur Sophie dans un froissement de tissu pour l'éloigner de la bulle. As-tu seulement idée de ce que c'est?

Elle détailla la jeune fille de la tête aux pieds avant de lever les yeux au ciel.

— J'imagine que non, bien sûr.

Lady Galvin possédait une silhouette élancée et portait ses cheveux brun-roux en une coiffure si serrée et torsadée que Sophie eut la migraine rien qu'à la regarder. Sa cape d'un vert profond, taillée dans une étoffe soyeuse, était décorée d'émeraudes elles-mêmes cousues dans des motifs élaborés. Elle bruissait au moindre mouvement.

— C'est de l'alkahest, annonça-t-elle. Le solvant universel. On ne peut le conserver que dans une bulle de la même matière, autrement il dissout tout: bois, métal, chair…

Sophie recula d'un pas supplémentaire.

— C'est ce qu'on va préparer aujourd'hui?

Lady Galvin soupira comme le faisait le père de Sophie lorsqu'il calculait ses impôts.

— C'est la deuxième substance la plus difficile à produire pour un alchimiste. Tu ne connais donc vraiment rien à cette discipline?

— Faut croire que non, admit la jeune fille.

Il n'aurait sans doute pas été très sage de demander quelle était la première substance – en dépit de sa curiosité.

— Tout ce que je demande, c'est un prodige décent, et qu'est-ce qu'on m'envoie? dit Lady Galvin, qui traversa la pièce à grandes enjambées vers les étagères. Je devrais être en train d'enseigner à des maîtres comment transformer la matière vivante en or, et non faire cours à une fillette qui ne connaît même pas la différence entre une teinture et un cataplasme. Dame Alina doit trouver ça drôle, de m'obliger à enseigner les sérums de base. Eh bien, je ne me laisserai pas faire!

Elle sortit une carte jaunie d'une petite boîte, saisit un flacon vide, quelques bocaux d'ingrédients ainsi qu'une longue cuiller en argent torsadée sur l'étagère et revint vers son élève.

— Ce sérum marque le premier pas pour transformer le verre en fer. Je te ferai transmuter le métal, même si je dois tout t'apprendre. Étape. Après. Étape.

Sophie jeta un œil à la recette. La formule chimique ne semblait pas trop compliquée. Les ingrédients lui étaient inconnus, mais les bocaux portaient des étiquettes, et il n'y avait que deux instructions.

Lady Galvin triturait sa cape et levait régulièrement les yeux au ciel pendant que Sophie vérifiait encore et encore chaque quantité afin de s'assurer qu'elle ne faisait pas d'erreur. Lorsqu'elle fut convaincue d'avoir tout bon, elle versa le mélange dans le flacon. Avant d'y plonger la cuiller pour touiller le liquide comme elle avait appris à fouetter la crème.

— Non! s'écria sa Mentor en s'élançant pour arrêter son geste, une seconde trop tard.

Le liquide pétilla avec un grondement.

Sophie s'écarta d'un bond alors même qu'une gelée grise poisseuse explosait sur la ravissante cape de Lady Galvin. La jeune fille contempla avec horreur la vase dissoudre le luxueux tissu.

— Je suis vraiment désolée, balbutia-t-elle.

Elle tenta de saisir la cape endommagée pour voir si elle pouvait faire quoi que ce soit pour la sauver, mais Lady Galvin lui attrapa la main pour l'en empêcher. C'est alors qu'elle remarqua une marque rouge sur le poignet de Sophie, à l'endroit où un peu de la mixture l'avait touchée.

— Tu ferais bien de passer au Centre de soins, soupira-t-elle.

— Oui, madame.

Sophie n'était guère pressée de voir un autre docteur, mais son instructrice semblait prête à commettre un meurtre. Elle s'empressa de prendre son sac.

— Voulez-vous que je revienne après ?

— Non !

Sophie se dirigea vers la porte.

— Entendu. À la semaine prochaine ?

Lady Galvin se rembrunit avant de se détourner en marmonnant quelque chose sur l'incompétence.

Sophie tituba à travers les couloirs, les pensées brouillées par la panique. Lady Galvin allait-elle la recaler ? Devait-elle utiliser le transmetteur pour appeler Alden et voir s'il pouvait l'aider ?

— Tu as l'air perdue.

La voix profonde du garçon la tira de sa rêverie. Il arborait l'uniforme vert des Niveau 4 et était affalé sur un banc, d'où il l'observait de ses yeux bleu glacier pleins de curiosité.

Elle battit des paupières et remarqua que les murs étaient blancs.

— Comment as-tu deviné ?

Il sourit d'un air suffisant.

— On est en plein milieu des cours. Soit tu es perdue, soit tu sèches, ce qui n'est clairement pas le cas.

— Et pourquoi donc ? répliqua-t-elle du tac au tac, mais sans véritable raison.

— C'est le cas ?

— Non, admit-elle.

Il eut un petit sourire en coin.

— Tu es la nouvelle, n'est-ce pas ?

Lassée, elle confirma d'un hochement de tête.

— Moi, c'est Keefe.

— Sophie, mais je parie que tu le sais déjà.

Il s'esclaffa.

— Tu es probablement le plus gros scoop de l'académie depuis l'incident du Grand Gulon il y a trois ans. Avec lequel je n'ai rien à voir, au passage. (Il prit un air malicieux.) Mais ce n'est pas un mal. Personnellement, j'ai toujours adoré être au centre de l'attention.

Elle n'en doutait pas. Depuis sa tignasse en bataille jusqu'à sa façon de rouler ses manches en laissant traîner les pans de sa chemise, elle le voyait bien – il était cool. Populaire aussi, sans doute. Alors pourquoi lui adressait-il la parole ? Elle manqua de le lui demander, mais se ravisa à la dernière seconde.

— Où es-tu censé être ? demanda-t-elle à la place.

— L'Univers. Je sèche dès que je peux. Lady Belva a un gros faible pour moi. Enfin, difficile de lui en vouloir… (Keefe désigna son corps.) Mais quand même, c'est gênant, tu comprends ?

Elle avait beau être sûre à quatre-vingt-dix pour cent qu'il plaisantait, force était de constater qu'il était beau garçon. La moitié des filles de l'école, au moins, devait en pincer pour lui.

— Et voilà que je rencontre la mystérieuse petite nouvelle, ajouta-t-il. Autant dire que j'ai bien fait de tirer au flanc.

Elle se sentit rougir et pria pour qu'il ne le remarque pas.

— Je n'ai rien de très mystérieux.

— Je ne suis pas d'accord. Tu ne m'as toujours pas expliqué pourquoi tu n'étais pas en classe. Ne vas pas croire que j'ai oublié.

Elle fixa ses pieds.

— C'est parce que c'est trop gênant.

— J'adore les histoires gênantes !

Il s'esclaffa devant son mutisme.

— Tu veux bien me dire au moins quel cours tu sautes ?

— Alchimie, avec Lady Galvin, soupira-t-elle.

— Ah, quelle horreur ! Je l'ai eue en Niveau 3. Elle me détestait, sans doute parce que j'ai transformé la table en argent. Mais elle disait vouloir être impressionnée. (Clin d'œil.) Enfin, à ta place, j'éviterais de lui dire qu'on est amis.

Amis ? Depuis quand les beaux gosses voulaient-ils d'elle comme amie ? Même si elle n'allait pas s'en plaindre…

— Alors, quoi, elle t'a mise à la porte ? demanda-t-il.

— Si on veut.

— Mais encore ?

— Tu vas te moquer de moi.

— Sans doute, confirma-t-il.

De toute évidence il ne lâcherait pas le morceau, aussi garda-t-elle les yeux rivés au sol.

— J'ai accidentellement fait sauter le sérum que j'étais en train de préparer.

Il éclata de rire, comme elle s'y attendait.

— Tu as causé des dégâts?

— Seule sa cape a été touchée…

— Ouh là là! Tu te rends compte combien c'est mythique, ce que tu viens de faire? Sa cape, c'est sa fierté, sa joie! Elle t'a envoyée au bureau de Dame Alina?

— Non, au Centre de soins. J'en ai reçu un peu sur la main, expliqua-t-elle en regardant l'affreuse marque rouge.

Il l'étudia une seconde avant de secouer la tête.

— Dis donc, la plupart des filles seraient en pleurs avec une telle blessure! Les garçons aussi, d'ailleurs. Même moi, je ferais un peu de cinéma pour apitoyer le monde.

— Ce n'est pas aussi grave que ça en a l'air.

— Quand même, tu ne crois pas que tu devrais te faire soigner?

— Sans doute.

Il s'esclaffa de plus belle.

— Tu es plus pâle que les murs. Tu es sûre que tu te sens bien?

— Oui.

Plutôt mourir que d'avouer sa phobie des docteurs – il ne la laisserait jamais en paix.

— Allez, suis-moi. Je vais t'emmener au Centre de soins pour éviter que tu te perdes encore.

Il lui prit le bras et l'entraîna avant qu'elle ait pu lui opposer la moindre résistance.

Le Centre de soins se composait de trois pièces: une zone de traitement avec quatre lits vides, un immense laboratoire où mijotaient d'étranges expériences alchimiques, et le bureau personnel du médecin, où l'attendait un visage familier, installé derrière une immense table recouverte de paperasse.

202

— Sophie? s'étonna Elwin. Moi qui croyais devoir t'amener ici *manu militari* pour t'ausculter.

— Je sais, dit-elle, gênée de ce que Keefe penchait la tête vers elle. Je me suis fait une minuscule brûlure que j'aurais besoin de soigner… rien de bien méchant.

— Laisse-moi regarder.

Une créature d'un gris discret détala au sol avec un sifflement.

— Ne fais pas attention à Bullhorn, dit Elwin à la jeune fille qui reculait contre la porte. Il est inoffensif.

Avec ses yeux mauves globuleux, Bullhorn ressemblait à un furet dément.

— Qu'est-ce que c'est?

— Une banshee. Adorable, non?

— Euh… oui.

Bullhorn tenta de lui mordre les chevilles, ce qui fit rire Keefe.

— Et qu'est-ce qui t'amène aujourd'hui, Keefe? demanda Elwin.

— Je ne faisais qu'aider une de mes camarades, monsieur.

Le docteur sourit.

— Je remarque que tu as dû manquer un cours dans ce but.

— Je sais. Quel dommage, soupira-t-il avec exagération. Mais Sophie avait besoin d'aide, alors que pouvais-je faire d'autre?

— Oh, vraiment? J'imagine que tu auras besoin d'un mot d'excuse.

— Quelle bonne idée.

— Tu as toujours su saisir ta chance, dit Elwin en tendant un papier au jeune homme. Les cours finissent dans une demi-heure, alors à ta place je prendrais tout mon temps.

— Oh, je ne peux pas partir comme ça ! Pas avant d'être sûr que Sophie va bien.

— Mm-hmm. Alors, cette brûlure ? demanda Elwin à Sophie.

Elle aurait voulu se montrer courageuse devant Keefe, mais son bras tremblait toujours lorsque le médecin chaussa ses drôles de lunettes et braqua une sphère bleue sur sa main.

Il fronça les sourcils.

— On dirait une brûlure à l'acide. Comment as-tu fait ton compte ?

— Euh… un léger accident en cours d'alchimie.

Keefe mima une énorme explosion, effets sonores compris.

— Elle a détruit la cape de Galvin.

Elwin lui lâcha la main, pris d'un violent fou rire.

— Si seulement j'avais pu voir ça ! Désolé, ajouta-t-il devant sa grimace. Assieds-toi, que je te soigne.

Il la fit installer sur un des lits et attrapa un petit bocal sur l'une des étagères. Elle tenta de garder son calme lorsqu'il mit une pommade violette sur sa blessure, mais Keefe la vit sursauter.

— Simple curiosité, poursuivit Elwin. Comment t'y es-tu prise pour faire sauter le sérum ?

— Je ne sais pas trop. J'ai tout mesuré deux fois et ajouté les ingrédients dans le bon ordre, mais quand j'ai touillé, le mélange a explosé.

— Touillé ? fit Keefe.

— Oui. Au début j'ai cru que ça disait « mouillez », mais je me suis dit que j'avais dû mal lire, alors j'ai touillé.

Elwin et Keefe rirent à gorge déployée.

— Il fallait te mouiller les mains, autrement dit les laver, parvint à expliquer Keefe entre deux hoquets.

Oh...

Elle était officiellement idiote. Pourquoi n'avait-elle pas demandé d'explication ?

Elwin s'éclaircit la gorge.

— Simple maladresse. Ça aurait pu arriver à n'importe qui.

Sauf que non. L'incident lui était arrivé, à elle. Sophie savait que l'anecdote la poursuivrait un bon bout de temps.

— Tout simplement mythique ! dit Keefe, confirmant ses craintes. J'ai trop hâte d'être à demain !

Elle soupira. Il était bien le seul.

Chapitre 21

Lorsqu'une version hautement romancée de la Destruction de la Grande Cape se propagea à travers l'école plus vite que les feux blancs dans son ancienne ville, Sophie sut que Keefe en était le principal responsable. Même ses Mentors étaient au courant.

Sir Conley s'amusait à dire qu'il leur faudrait travailler pour maîtriser la mise en bouteille du feu en élémentalisme, de façon à ce qu'elle n'incendie pas l'établissement. Lady Anwen l'informa en cours d'études multiespèces qu'elle n'avait pas ri si fort depuis 324 ans. Quant à Sir Faxon, il avait dû annuler son séminaire de métaphysique après avoir recraché du jus de luxuriante partout sur ses habits.

Une fois de plus, Sophie sentait les regards la suivre quand elle errait dans les couloirs – sauf qu'à présent, tout le monde voulait faire sa connaissance. Des élèves l'invitaient à les rejoindre au déjeuner. Ils se présentaient pendant l'orientation, à l'intercours. Complimentaient ses yeux. La semaine suivante, Dex lui annonça que *Slurp & Burp* avait commencé à recevoir des commandes de collyre brun pour les yeux. Il travaillait à sa création.

Sophie n'en revenait pas. En une nuit, elle était devenue… populaire.

Grady fut soulagé de l'apprendre. Mieux elle s'intégrerait à Foxfire, plus les chances de Bronte de la faire renvoyer se réduiraient.

Elle refusait pourtant de prendre les choses pour acquises. Elle déjeunait toujours avec Marella. Dex se joignit à elles une fois sa punition finie, et Jensi l'imita quelques jours plus tard – il avait été le premier à lui tendre la main, aussi avait-il sa place parmi eux.

Et puis, ses cours étaient incroyablement difficiles. Lady Galvin ne l'avait peut-être pas recalée, mais elle la faisait travailler à l'autre bout de la pièce, ce qui s'avéra être une sage décision. Feux et explosions survenaient régulièrement. Le problème venait de ce que Sophie ne devait pas seulement apprendre, il lui fallait aussi désapprendre toute une vie de connaissances humaines où l'alkahest, par exemple, n'existait pas. Toutes les lois qu'elle avait mémorisées en chimie étaient caduques et l'induisaient en erreur.

Le même problème se présentait dans d'autres matières. La lévitation n'était pas censée exister. Pas plus que la capture du vent dans des bocaux, ou la mise en bouteille des arcs-en-ciel. Elle devait constamment se souvenir de ne pas suivre son instinct, car il se trompait systématiquement. En dépit de ses efforts, les ratés étaient nombreux.

Voilà pourquoi ses séances de télépathie constituaient le temps fort de sa semaine. Chaque compétence lui venait naturellement et elle était stupéfaite de voir ce qu'elle pouvait accomplir avec son esprit. Tiergan lui montra comment préserver son cerveau des pensées humaines intempestives – au cas où elle devrait de nouveau les côtoyer – et comment transmettre ses pensées à quelqu'un d'autre. Elle apprit même à projeter des images mentales sur un papier spécial, comme une photographie psychique.

Pour la première fois de sa vie, elle ne détestait pas être Télépathe. C'était même plutôt génial, en fait, et personne ne pouvait contester son talent. Pas même Bronte.

Dommage qu'il faille garder le secret. Sophie aurait bien aimé clouer le bec à Stina chaque fois qu'elle la taquinait à propos de ses cours de soutien. Stina n'avait toujours pas manifesté d'aptitude spéciale, aussi serait-elle verte d'apprendre que Sophie était Télépathe – et formée par le plus grand Mentor vivant, qui plus est. Mais elle devait se montrer patiente. Stina finirait bien par apprendre la vérité.

Et puis, elle avait d'autres chats à fouetter. Biana la fuyait comme la peste et Sophie soupçonnait Miss Maniérée de garder Fitz pour elle. Deux mois s'étaient écoulés depuis son arrivée à Havenfield, et hormis quelques signes de mains échangés dans le hall, ils ne s'étaient plus revus ni parlé. Il lui manquait. Plus qu'elle ne voulait l'admettre.

La semaine suivante, Sophie tomba enfin sur Biana, seule : elle attendait d'emprunter le luminateur sans cette pimbêche de Maruca, un autre membre du Club des Ennemies de Sophie Foster. Elle décida de l'aborder.

Mais en l'apercevant, Biana coupa la file des élèves et sauta avant qu'elle ait pu l'atteindre.

Le soupir qui s'échappa des lèvres de la jeune fille tenait plus du grognement.

— Quelque chose ne va pas ? demanda Dex en la rattrapant.

— Biana. Je ne sais pas ce qu'elle a contre moi, mais ça commence à me taper sur les nerfs.

— Elle est jalouse, c'est tout. Avant, il n'y avait pas plus jolie qu'elle à l'école.

À peine la remarque lui avait-elle échappé qu'il vira écarlate. Sophie savait que son visage devait être tout aussi cramoisi. Ni l'un ni l'autre ne trouva ensuite quoi dire, aussi lui fit-elle un signe de main avant de sauter sans un mot vers Havenfield.

Lorsqu'elle arriva, la pagaille régnait. Grady et Edaline avaient le plus grand mal à maîtriser un mammouth laineux en colère et les gnomes pourchassaient une petite meute de lapins à ramure.

— Tu arrives à point nommé, l'interpella Grady en esquivant un coup de trompe.

Il désigna une boule de poils violette toute tremblante.

— Tu veux bien mettre le verminion dans un enclos?

— Euh… OK

Grady hissa Edaline sur le dos du mammouth. L'énorme éléphant velu barrit en signe de protestation – une clameur stridente qui vrilla les tympans de Sophie.

La jeune fille rampa vers l'amas de fourrure violette en espérant que le verminion soit aussi timide qu'il en avait l'air. Une branche craqua sous son pied.

« Sssssssss ! »

La créature se déploya, révélant une tête de rongeur géant aux yeux noirs vitreux, aux crocs pointus et aux joues rebondies. Elle avait toujours trouvé les hamsters plutôt mignons, mais ce Hamsterzilla aux dimensions de rottweiler semblait prêt à la piétiner comme la ville de Tokyo.

— Gentil hamster… verminion… je-ne-sais-pas-quoi, roucoula-t-elle en reculant d'un pas.

« Grrrrrrrrrr ! »

Hamsterzilla ne paraissait guère impressionné.

— Il faut que tu le pousses à te courir après jusqu'à l'intérieur de l'enclos, Sophie, cria Edaline, qui pendant ce temps-là essayait de diriger le mammouth en lui tenant les oreilles.

— Comment je fais ?

Grady s'élança après sa femme.

— Il faut l'énerver.

— Mais… et s'il m'attrape ?

— Aucun risque, promit Edaline.

— Mieux vaut courir vite, à tout hasard, ajouta Grady.

Sophie savait que cela finirait sans doute dans le top cinquante de ses idées les plus idiotes, mais elle saisit une énorme motte de boue dont elle bombarda le ventre du verminion.

« GRRRRRRRRRR ! »

Dûment avertie, elle prit ses jambes à son cou, direction l'enclos le plus proche, avant de se rendre compte que la stratégie de Grady avait un défaut majeur. Le verminion obstruait l'unique issue, et il le savait. Elle aurait pu jurer qu'il la raillait de ses yeux perçants.

— Un coup de main, s'il vous plaît ? lança-t-elle à la cantonade, la bestiole à fourrure marchant droit sur elle.

— Tout de suite !

Les gnomes prirent le relais pour assister Edaline, et Grady traversa la pelouse au pas de course, bondit sur le verminion et le plaqua au sol. La bête cherchait à s'échapper et des poils violets voletèrent.

Grady grogna.

— OK, Sophie. Maintenant tu vas poser une main sur chacune de ses joues et appuyer de toutes tes forces.

Après quelques tentatives – et quantité de grommelle-ments – elle parvint à mettre ses mains en position pour presser. La mâchoire du verminion se débloqua et un assor-timent de bestioles velues mortes déferla au sol.

— Beurk! gémit-elle.

— Je sais, acquiesça Grady. Tu trouveras des sacs et des gants dans la cabane pour nettoyer cette horreur.

Elle fixa le monceau de chair et de poils.

— On peut échanger nos places, si tu préfères, proposa Grady.

Le verminion grogna de plus belle.

Sophie se traîna à contrecœur vers la cabane, enfila des gants trop grands pour elle et revint vers la pile.

— Je vais avoir besoin d'une bonne douche, après ça.

Elle jeta des écureuils, rats et autres créatures mortes non identifiées dans un lourd sac en toile de jute. L'une d'elles gesticula dans sa main et Sophie bondit avec un grand cri.

— Quoi?

— Ce truc n'est pas mort!

— Tu ferais mieux de l'apporter à Edaline, alors, pour voir ce qu'elle peut en faire.

La jeune fille regarda la boule de poils gris tremblante : elle craignait de la toucher de nouveau.

— Mes bras commencent à fatiguer, Sophie.

« Grrrrrr! » ajouta le verminion.

Les dents serrées, elle jeta le reste des cadavres dans le sac. Puis elle saisit le survivant, qui tremblait dans ses mains, en s'efforçant de ne pas hurler.

De la taille de sa paume, il possédait des yeux verts, des oreilles velues et des ailes de chauve-souris. Sa minuscule poitrine se soulevait au rythme de sa respiration difficile.

La jeune fille traversa la prairie en courant vers l'abri.

— Edaline! J'ai besoin de ton aide.

L'elfe se précipita à ses côtés en chassant la laine de mammouth accrochée à sa tunique.

Sophie lui tendit la créature blessée.

— Tu crois que tu vas pouvoir le sauver ?

Edaline tâta l'animal de ses doigts délicats.

— Ses plaies sont profondes et sa patte semble cassée, mais on peut essayer.

Sophie entra à sa suite dans une des dépendances de pierre. Derrière les étagères de fournitures soigneusement classées s'ouvrait un espace ressemblant à un cabinet vétérinaire. Edaline étendit la créature sur une table stérile, écartant ses membres. Elle appliqua un baume jaunâtre sur ses blessures, remit sa patte en place et invoqua un collyre et un flacon de jouvence. Elle laissa tomber une goutte de liquide sur les lèvres velues du petit être. Sophie pressa le bras d'Edaline lorsqu'une minuscule langue violette surgit pour lécher l'élixir.

L'elfe fixa la main de Sophie sur son bras. Ses yeux devinrent vitreux.

La jeune fille s'écarta.

— Pardon.

— Non, c'est… (Elle s'éclaircit la gorge.) Tu veux bien le surveiller pendant que j'aide Grady à régler le reste ?

— D'accord.

Elle attendit qu'Edaline soit sortie avant de déposer une nouvelle goutte de jouvence sur les lèvres de la créature.

— Ne meurs pas, petit bonhomme, chuchota-t-elle en regardant la langue de l'animal attirer le liquide dans sa gueule.

Douze gouttes plus tard, sa respiration s'était stabilisée. Il se roula en boule.

— C'est bien, roucoula Sophie en lui caressant le dos.

Il la gratifia d'un grondement aigu et elle sourit au souvenir du ronronnement plein de crépitations de Marty.

— Comment se porte notre patient? demanda Grady depuis la porte.

À ses côtés se tenait Edaline, et tous deux observaient Sophie avec des sourires timides.

— Je crois qu'il va mieux. Il a bu un peu d'eau, et maintenant il dort.

Edaline hocha la tête.

— C'est bon signe. Veux-tu te laver avant d'aller manger?

— Je peux le prendre avec moi? Je ne voudrais pas le laisser seul.

Grady attrapa une petite cage sur une étagère et la remplit de duvet de dinosaure, qu'il prit dans un tonneau à proximité, avant de la lui tendre.

— Beau travail, Sophie! Tu lui as sauvé la vie.

Elle emporta la cage à l'intérieur et – après une douche bien savonneuse et brûlante – rejoignit Grady et Edaline au rez-de-chaussée pour dîner. Elle posa l'abri près d'elle sur la table afin de surveiller son protégé. Il avait roulé sur le dos, gueule béante et langue pendante. Sans ses ronflements de tronçonneuse qui ébranlaient les barreaux, elle l'aurait cru mort.

— Qu'est-ce que c'est? demanda-t-elle, la bouche pleine de queue-de-peste, un tubercule au goût de saucisse.

— Un lutin, grommela Grady. Ils sont casse-pieds. Un jour, quand j'étais petit, l'un d'entre eux s'est introduit dans ma cabane. Je n'ai jamais vu pareil désastre!

— Tu veux le garder, je suppose? hasarda Edaline.

— Peut-être, répondit Sophie avec un haussement d'épaule.

Edaline sourit.

— Tu n'es pas sérieuse, Eda? Tu as déjà eu affaire à un lutin?

— Ne me dis pas que tu as peur d'une boule de poils de quinze centimètres ? le taquina sa femme.

— Tu aurais dû voir l'état de ma cabane. Et puis, ils mordent. Tu le savais ? Ils ont les crocs venimeux. Pas mortel, mais ça pique. Une horreur !

Sophie contempla le petit corps ronflant à l'affût du monstre vicieux que décrivait Grady. Elle ne trouva qu'une adorable petite peluche, dont elle avait sauvé la vie.

— On apprivoise des dinosaures et des yétis, Grady. On devrait pouvoir s'en sortir avec un lutin, plaida Edaline.

Son mari s'esclaffa.

— Deux contre un, je me rends. Mais je vous aurai prévenues.

Sophie et Edaline échangèrent un sourire. Sa tutrice aida ensuite la jeune fille à porter la cage dans sa chambre. Sophie choisit une table près de la fenêtre afin que le bonhomme puisse profiter du soleil en journée, et s'accroupit pour vérifier son état. Toujours K.-O., il ronflait comme un sonneur.

— Comment veux-tu l'appeler ? demanda Edaline.

Sophie rougit.

— C'est un peu ridicule, je sais, mais j'aime bien Iggy.

— Iggy le lutin. Ça me plaît.

Elle posa une main sur l'épaule de Sophie, qui se redressa.

— Pardon, mon geste te gêne ?

— Non… c'est agréable, murmura la jeune fille.

C'était la première fois qu'Edaline la touchait. L'elfe retint son souffle tout en dégageant une mèche de cheveux de la joue de Sophie.

L'adolescente ferma les yeux et se laissa aller contre la main de sa tutrice. Son cœur sembla enfler dans sa poitrine, emplissant un vide dont elle avait presque oublié l'existence. Ses parents humains n'étaient pas avares de câlins et de caresses et elle ne s'était pas rendu compte à quel point ces gestes lui manquaient. Elle demeura immobile, craignant de rompre le charme de l'instant.

Edaline passa une nouvelle fois la main sur le front de Sophie avec un soupir.

— Tu devrais te coucher.

Ses doigts effleurèrent la joue de la jeune fille au moment où elle s'écartait.

Sophie acquiesça en clignant des yeux.

— Je vais me préparer.

— Très bien.

Edaline sourit, les yeux miroitants de larmes.

— J'espère que tu dormiras bien, ajouta-t-elle avec un regard sceptique vers la cage du ronfleur.

— Moi aussi.

La joue de la jeune fille fourmillait encore sous l'effet du contact chaleureux.

— Edaline? appela-t-elle à l'instant où sa tutrice s'apprêtait à sortir.

Leurs regards se croisèrent.

— Merci…

Edaline mit une seconde avant de répondre.

— Je t'en prie. Bonne nuit, Sophie.

— Bonne nuit.

L'adolescente grimpa dans son lit quelques minutes plus tard : elle se sentait enfin chez elle.

Chapitre 22

Partager une chambre avec Iggy revenait plus ou moins à cohabiter avec un phacochère congestionné, mais Sophie ne s'en plaignait pas. Elle se sentait aimée et choyée dans son foyer, et même une nuit blanche n'aurait pu entamer son moral.

Grady et Edaline lui promirent de s'assurer régulièrement dans la journée qu'Iggy allait bien, et la jeune fille partit pour Foxfire sans même se soucier qu'on était jeudi, ce qui signifiait qu'une nouvelle séance humiliante d'éducation physique l'attendait.

— Prêts pour le Grand championnat d'éclaboussures ? lança Sir Caton au moment où les Mentors pénétraient dans l'amphithéâtre, les bras chargés d'énormes sacs remplis de minuscules balles aux couleurs vives.

Allégresse générale.

— Qu'est-ce que c'est, ce Grand championnat d'écla-boussures ? demanda Sophie à Dex.

— Télékinésie, marmonna le garçon. Je suis nul en télé-kinésie.

Elle essaya de faire preuve de sympathie, mais intérieurement elle exultait. Enfin quelque chose qu'elle savait faire ! Du moins, elle se débrouillait – mais c'était mieux que rien.

— Qu'est-ce qu'on doit faire ? demanda-t-elle pendant que les duos se formaient.

Elle fit naturellement équipe avec Dex.

— Il faut pousser l'éclabousseur vers son ennemi par la pensée, expliqua-t-il, et le premier qui se fait asperger a perdu. Les gagnants s'affrontent jusqu'à ce qu'il n'en reste plus qu'un, qui devient le champion.

— À vos marques, ordonna Sir Caton à l'instant où Lady Alexine tendait à Dex un éclabousseur rose pimpant. Prêts ?

Dex lança la balle à Sophie.

— Attrape !

L'objet faillit s'écraser au sol, mais elle parvint à le rattraper mentalement à la dernière seconde.

— Désolé, j'avais oublié que tu étais pire que moi, dit Dex avec suffisance. Je vais au moins gagner un match.

Elle leva les yeux au ciel. Il ferait mieux de ne pas la sous-estimer.

Elle prit une profonde inspiration et se focalisa sur le pouvoir qu'elle savait posséder en son for intérieur. Elle le sentait presque qui tournoyait, comme un bourdonnement tiède dans son estomac.

— Éclaboussez !

Sophie expulsa la chaleur de ses doigts pour l'envoyer vers l'éclabousseur.

Splatch !

Médusé, Dex dévisagea Sophie, le menton dégoulinant de substance rose bonbon. Elle l'avait atteint pile sur son rictus suffisant.

— Désolée, dit-elle, incapable de cacher son amusement.

— Ça ne fait rien, répondit-il avec un soupir. Je l'ai mérité, je suppose.

— Bien joué, Sophie! lança Sir Caton, d'un ton un peu trop surpris au goût de l'intéressée. Tu peux aller rejoindre les vainqueurs. Dex, quant à lui, peut retrouver ses camarades hauts en couleurs là-bas, ajouta-t-il en désignant un groupe qui s'était formé sur leur gauche.

Dex grimaça.

— Qu'est-ce qu'on gagne, au fait? demanda Sophie avant qu'il s'éloigne.

— Généralement, la grâce pour une punition. Mais à ta place je ne rêverais pas trop. C'est toujours Fitz qui gagne… comme si le petit génie avait besoin de cette faveur! (Il mima un haut-le-cœur.) Enfin, j'espère que tu vas continuer sur ta lancée.

— Merci!

Marella rejoignit elle aussi les gagnants, bientôt suivie de Biana, Maruca, et même Jensi. Ainsi, hélas, que Stina.

— Même un muscrapaud pourrait battre Dex! ricana la peste. Voyons voir comment tu t'en sors face à un adversaire digne de ce nom.

Elle lança une balle de couleur bleue à la tête de Sophie, qui rattrapa aussitôt l'éclabousseur : il flottait à présent entre les deux jeunes filles. Sophie ignora les nœuds dans son estomac – hors de question de céder devant Stina.

— Je sens que je vais bien m'amuser! déclara la peste. Je vais viser tes yeux : ils seront enfin bleus.

Sophie serra la mâchoire. Elle ferait tomber Stina, quel qu'en soit le prix.

— Prêts! lança Sir Caton. Éclaboussez!

Sophie tendit les mains, tirant un regain d'énergie de ses tripes pour pousser l'éclabousseur.

Splatch!

— Aaah! hurla Stina, qui frotta ensuite sa joue bleue et poisseuse.

— Désolée, dit Sophie, les yeux écarquillés.

Peut-être y était-elle allée un peu fort?

— Inutile de t'excuser, objecta Lady Alexine. Bien joué, Sophie. Il y avait des lustres que je n'avais pas vu un tel pouvoir télékinétique brut.

La jeune fille rougit. C'était le premier compliment que lui adressait Lady Alexine.

— Mais elle m'a fait mal! rétorqua Stina. Elle devrait être disqualifiée, non?

— Je ne voulais pas…

— Tu n'as rien fait de mal, la coupa aussitôt Lady Alexine. Si vous êtes blessée, mademoiselle Heks, allez au Centre de soins. Dans un cas comme dans l'autre, Sophie a gagné honnêtement.

Marella croisa son regard et serra les poings en signe de victoire. Sophie sentit son visage s'enflammer. En particulier lorsqu'elle remarqua que les autres prodiges l'encourageaient. Pensaient-ils vraiment qu'elle avait terrassé Stina?

— Quant à vous, mademoiselle Foster, ajouta Lady Alexine, je pense qu'il serait bon de vous mettre avec les Niveau 3 afin de vous trouver des adversaires à la hauteur de votre force mentale.

Depuis quand avait-elle la puissance nécessaire pour affronter des élèves plus âgés, autrement plus entraînés et expérimentés? Parmi les humains, bien sûr, elle était précoce, mais ici, elle se sentait tellement à la traîne que c'en était déprimant. Était-elle en train de combler son retard?

Apparemment, oui. Elle battit les Niveau 3 les uns après les autres, et avant qu'elle ait compris ce qui se passait, il ne restait plus que neuf autres prodiges.

— Une Niveau 2 dans les dix premiers, dit Keefe derrière elle avant de lui adresser un sourire en coin. Toi qui disais ne rien avoir de mystérieux…

Elle contempla ses pieds pour dissimuler son rougissement.

— La chance du débutant.

Keefe ricana.

— À moins que tu ne disposes de toutes sortes de talents dont nous ne savons rien.

Il ne pouvait quand même pas être au courant pour sa télépathie ?

— Et elle pâlit de nouveau. Intéressant… murmura-t-il.

La jeune fille ouvrit la bouche pour s'expliquer, mais il l'interrompit.

— J'ai le sentiment que tu auras l'honneur de battre le grand Fitz.

Sophie se figea. Elle n'était pas étonnée d'apprendre que Fitz était toujours en lice – surtout après les bougonnements de Dex un peu plus tôt –, mais il ne lui était pas venu à l'esprit qu'elle aurait à l'affronter. Ses paumes devinrent moites, cependant elle chassa cette pensée de sa tête. Quelles étaient ses chances de battre tout un groupe de prodiges plus âgés et bien plus rompus à l'exercice qu'elle ?

À l'évidence, elles étaient plutôt bonnes.

L'adolescente se retrouva bientôt parmi les demi-finalistes : elle, Fitz, et deux Niveau 6 prénommés Trella et Dempsey. Tout le monde semblait partager sa surprise – y compris les Mentors.

Sir Caton opposa Fitz à Trella, et Sophie joua avec l'idée de se laisser faire par Dempsey, afin de ne pas avoir à affronter Fitz. Avant de surprendre une lueur d'espoir dans les yeux de Stina, qui suffit à raviver sa rage de vaincre.

— Éclaboussez !

Dempsey fut rapide à la détente et l'éclabousseur fondit sur elle avant qu'elle l'arrête. La mâchoire serrée et les mains tendues, elle poussa avec toute la force dont elle était capable. Son estomac se contracta et la balle de couleur s'écrasa si violemment que le garçon dut reculer d'un pas.

— Ça fait mal! s'écria-t-il en se frottant la joue, qu'il macula de substance orange.

Elle se précipita à sa rencontre.

— Je suis désolée. Ça va aller?

Il sursauta, visiblement mécontent de voir la jeune fille qui venait de le battre voler à son secours. Sophie recula.

— Gagnant! proclama Lady Alexine.

Sophie fit volte-face. Fitz salua la foule en liesse avant de se retourner et de croiser son regard. Son cœur fit un bond.

— Il semblerait que nous tenions notre finale, annonça Sir Caton. Je pense qu'on peut dire sans hésiter qu'il s'agit là du match le plus inhabituel dans l'histoire de Foxfire. Les compétiteurs sont-ils prêts?

Fitz avança vers Sophie avec un sourire suffisant.

— Moi, oui.

— Euh… moi aussi.

Sa voix tremblante trahissait sa nervosité.

— Allez, Fitz! beugla Biana.

Son ton presque agressif laissa penser à Sophie que Miss Maniérée souhaitait encore plus la voir perdre qu'assister à la victoire de son frère. Ce qui ne l'aurait guère surprise de sa part.

— Botte-lui les fesses, Sophie! lança Keefe. Il est temps qu'on lui mette la raclée.

— Tu parles d'un meilleur ami! cria Fitz.

Pourtant il souriait.

— Une préférence quant à la couleur ? demanda Sir Caton.

— Rose ! Rose ! Rose ! Que Fitz soit joli en rose !

Tout le monde se mit à scander les mots de Keefe.

Sophie jeta un regard à Fitz, tentant de déchiffrer son expression.

— Honneur aux dames, dit-il, un sourire en coin.

— Rose, décida-t-elle pour faire plaisir à Keefe.

Et puis, barbouiller Fitz de rose serait drôle – même si elle ne s'attendait pas à gagner. Selon Dex, Fitz l'emportait toujours.

— Rose, alors.

Sir Caton lança l'éclabousseur, que Sophie et Fitz firent flotter dans l'espace qui les séparait.

— À vos marques !

Sophie serra les poings. Si elle voulait battre Fitz, il lui fallait donner son maximum, voire plus.

L'adrénaline afflua dans ses veines. Le vacarme de l'assistance s'estompa et elle prit conscience d'un autre bourdonnement à l'arrière de son esprit, comme un bassin d'énergie d'appoint dont elle n'avait encore jamais remarqué l'existence. Ce flux semblait plus puissant que l'autre. Pouvait-elle puiser dedans ?

— Prêts… Éclaboussez !

Sophie tendit les mains, poussant vers l'éclabousseur par la pensée. Son cerveau semblait se distendre, comme un élastique sur lequel on tirait, et ses oreilles se mirent à siffler, mais elle resta concentrée.

L'engin explosa, la force de Sophie percuta celle de Fitz. Elle sentit l'énergie rebondir. L'instant d'après, elle faisait un vol plané en arrière. Elle perçut un éclair de surprise dans les yeux de son adversaire, projeté de la même façon dans la direction opposée.

Pendant une seconde qui lui sembla durer une éternité, elle resta en apesanteur, puis son dos entra en collision avec le mur, lui coupant le souffle. Le bruit d'un autre impact, presque instantané, l'informa que Fitz avait connu le même sort.

La douleur s'empara de son corps et elle s'écroula. La dernière chose qu'elle vit fut la silhouette de Fitz affalée au sol. Puis tout devint noir.

Chapitre 23

— Bienvenue parmi les vivants, dit Elwin en déposant une compresse fraîche sur son front. Tu sais, pour une fille qui déteste les médecins, tu as bien du mal à te tenir à distance du Centre de soins.

Elle se redressa en position assise, le visage grimaçant : la douleur transperçait chacun de ses muscles.

— Oh là, doucement ! Tu es restée évanouie près de dix minutes.

Elwin projeta une sphère de lumière jaune autour d'elle et chaussa ses lunettes.

— Dix minutes ? Que s'est-il passé ?

— Aucune idée. C'est la première fois que j'entends parler de blessures sérieuses pendant un duel d'éclaboussures. Il fallait que ce soit toi, rit-il.

La mémoire lui revint. L'éclaboussure. Son vol plané à travers la pièce. Le corps affalé de Fitz.

— Où est Fitz ? Comment va-t-il ?

— Il va bien.

Elwin désigna un lit sur la gauche de Sophie, où le garçon gisait, les yeux clos.

— Il est inconscient !

— Il va revenir à lui d'une minute à l'autre.

Elwin déposa une compresse froide sur le front de Fitz, dont les yeux vifs s'ouvrirent en sursaut.

— Oùjsuikeskisépassé? marmonna-t-il en refermant les paupières.

Elwin gloussa.

— Ça a dû être un sacré match!

— Il va se remettre?

— Bien sûr. Si ce n'était pas le cas, Bullhorn serait complètement paniqué. Ou pire encore: allongé à ses côtés.

Il pointa du doigt la créature grise roulée en boule dans un coin.

— Les banshees sentent lorsqu'un être est en danger de mort. Fitz s'est cogné la tête un peu plus fort que toi, il lui faudra donc encore une minute avant que le médicament agisse.

— Tout est ma faute, grogna Sophie.

Même si elle n'en était pas totalement sûre, c'est ce qui lui semblait le plus probable.

— Qu'avez-vous fait pendant ce match? demanda Elwin.

— Je ne sais pas.

Fitz remua, et lorsqu'il ouvrit de nouveau les yeux, il paraissait plus lucide.

— Comment te sens-tu? lui demanda Elwin.

— Pas au meilleur de ma forme, mais je survivrai. (Il se redressa avec une grimace.) Tout va bien? demanda-t-il à Sophie en se frottant l'arrière du crâne.

Elle acquiesça, intimidée. Elle ne lui avait pas vraiment parlé depuis son premier jour au à Foxfire.

Elwin leur tendit à chacun un flacon bleu.

— Voilà qui devrait soulager la douleur. Vous vous sentirez encore un peu ankylosés demain, mais je n'y peux rien.

225

Sophie avala l'élixir aigre et sa langue fourmilla. Son mal de dos avait disparu.

— Est-ce que l'un de vous se rappelle ce qui s'est passé ? demanda Elwin en récupérant les fioles vides.

— Pas vraiment, concéda Fitz. Je me souviens d'avoir poussé vers l'éclabousseur, mais il m'a semblé rebondir, quelque chose dans ce goût-là.

— Rebondir ?

— Oui… J'ai senti mon pouvoir frapper le sien et revenir vers moi.

— J'ai eu la même impression, confirma Sophie.

Elwin écarquilla les yeux. Avant de secouer la tête.

— Non. Ce n'est pas possible.

— Qu'est-ce qui n'est pas possible ? demanda Sophie avec l'horrible sentiment qu'il allait lui annoncer que c'était bien sa faute.

— Une réaction quasi similaire se produit quand on effectue une poussée cérébrale, c'est-à-dire lorsqu'on pratique la télékinésie en utilisant l'énergie mentale, plutôt que l'énergie centrale. Mais il s'agit d'une compétence hautement spécialisée, que seuls les Anciens maîtrisent.

La jeune fille sentit son pouls marteler ses tympans. Elle avait puisé de l'énergie dans son esprit pendant le match – s'agissait-il d'une poussée cérébrale ?

— La télékinésie n'emploie-t-elle pas toujours la force mentale ?

— Elle repose sur le contrôle mental, expliqua Elwin. Ta concentration gère ta consommation d'énergie : où tu l'envoies et en quelle quantité. Mais le flux à proprement parler ainsi que son intensité proviennent de ton noyau central. Tu ne sens pas la traction dans tes tripes quand tu puises dedans ?

Si, en effet.

— Mais pourquoi une poussée cérébrale nous enverrait-elle voler à travers la pièce ?

— L'énergie mentale ne se mélange pas à son équivalent central, ils rebondissent l'une contre l'autre.

Ce qui confirmait son impression. Mais comment était-ce possible ?

— Est-ce qu'on peut le faire sans le vouloir ?

— Non, en aucun cas. C'est un moyen moins fatigant de déplacer les objets, mais il faut des années d'entraînement spirituel pour accumuler une telle énergie. Et une vie entière de pratique pour utiliser ce pouvoir. Je dirais plutôt que Fitz et toi luttiez à armes égales. Ce qui n'en est pas moins étrange, sans vouloir te vexer. Tu es terriblement jeune pour disposer d'une telle puissance. Mais à ta place, je ne m'inquiéterais pas trop, Sophie. Fitz, en revanche, ferait bien de s'alarmer : il pourrait se faire battre par une Niveau 2.

Elwin s'esclaffa et Sophie s'empourpra. Elle avait trop peur de croiser le regard de Fitz pour vérifier si les taquineries du médecin l'atteignaient. Et puis, elle ne pouvait s'empêcher de se demander si Elwin avait tort, si elle avait pratiqué une poussée cérébrale. Pourtant… elle l'avait fait presque facilement. Un tel exploit aurait requis bien plus d'efforts, non ?

— Vous êtes libres de retourner en classe, annonça Elwin, coupant court à sa réflexion. Mais vous restez sur le banc de touche. Et allez-y doucement pour aujourd'hui.

— D'accord. Merci, Elwin !

Fitz se releva, les jambes en coton, et s'appuya sur le lit un instant.

Sophie sauta sur ses pieds et chancela lorsque le sang lui afflua à la tête.

— Doucement, répéta Elwin en les voyant gagner la porte. Oh, et Sophie ?

Il croisa son regard, un sourire aux lèvres.

— On se reverra très vite, j'en suis sûr.

Fitz resta silencieux tout le long de leur trajet de retour vers l'auditorium.

Sophie se mordit la lèvre. Lui en voulait-il ? Elle venait tout juste de rassembler son courage pour le lui demander lorsqu'ils arrivèrent à destination, et une salve d'applaudissements noya sa question.

— Oui, oui, bienvenue, Fitz et Sophie. Ravi de voir que vous vous sentez mieux, déclara Sir Caton, l'air quelque peu agacé par l'interruption.

Il tenta de rappeler tout le monde à l'ordre, mais Dex, Marella, Biana et Keefe rompirent les rangs pour se précipiter vers les nouveaux arrivants.

Biana fut la première à les rejoindre et se jeta au cou de son frère, le serrant si fort qu'il esquissa une grimace. L'instant aurait été touchant si Keefe ne l'avait imitée et attrapé Fitz en faisant mine de pleurer. L'intéressé les repoussa tous les deux, le visage en feu.

— Battu par une Niveau 2, dit Keefe en donnant un coup de coude à Fitz.

— Match nul, contesta Sophie.

Keefe pouffa de rire.

— Pitié. Tu lui as mis une raclée, oui.

— Totalement, confirma Dex. Il a percuté le mur bien plus fort que toi. D'ailleurs, tu ne pouvais pas me faire de plus beau cadeau, chuchota-t-il.

Sophie secoua la tête. Quel incorrigible, celui-là !

— Même les Mentors t'ont déclarée vainqueur, ajouta Keefe en passant un bras autour de ses épaules. Mais si tu ne penses pas avoir besoin de ta grâce, je serai ravi de t'en débarrasser…

— Keefe! Dex! Marella! Biana! Dois-je vous rappeler que vous n'êtes pas exemptés d'assister au cours? hurla Sir Caton.

— Réfléchis à ma proposition, lança Keefe avant de courir rejoindre ses camarades.

Fitz s'assit près de Sophie sur le banc de touche pour regarder les autres pratiquer la télékinésie avec les éclabousseurs restants. Elle essaya de refréner ses angoisses, mais elle ne pouvait s'empêcher de lui jeter des regards en coin en se demandant pourquoi il ne lui avait pas encore adressé un traître mot.

— Pourquoi est-ce que vous n'êtes pas amies, Biana et toi? dit-il au bout d'une minute. Je pense que vous devriez vous entendre. Vous avez beaucoup en commun.

Elle n'était pas sûre de vouloir partager grand-chose avec une jeune fille aussi pourrie gâtée.

— Je crois qu'elle n'a pas de temps à consacrer à une nouvelle amie. Elle est toujours occupée avec Maruca.

Il parut sceptique.

Avant qu'elle ait pu ajouter quoi que ce soit, Lady Alexine lui remit son prix: un petit carré doré dont le sommet était gravé d'un P finement ouvragé.

— Tout Niveau 2 capable de tenir tête à Fitz est clairement le vainqueur, expliqua-t-elle. Félicitations, Sophie.

— Merci! répondit-elle en jetant coup d'œil au garçon pour voir sa réaction.

Il sourit.

— Je n'aurais pas dit mieux.

Mais son air réjoui disparut dès que Lady Alexine se fut éloignée.

— Tu es sûre de ne pas savoir ce qui s'est passé pendant le match ?

— Je… je n'en sais rien. Je me rappelle avoir poussé de l'énergie depuis mon esprit, murmura-t-elle sans oser le regarder. Mais ce n'était quand même pas une poussée cérébrale, si ?

Fitz ne pouvait imaginer combien elle avait besoin de l'entendre dissiper ses doutes. Au lieu de quoi il dit :

— Il faut que je demande à mon père.

Elle tenta de sourire, mais elle ne pouvait chasser l'impression qu'elle avait fait quelque chose de mal. L'inquiétude qui transparaissait dans les yeux de Fitz semblait confirmer ses craintes.

Aussi trouva-t-elle le courage, plus tard dans l'après-midi, d'interroger Grady sur les poussées cérébrales pendant qu'elle l'aidait à donner un bain à Verdi.

— Pourquoi ? voulut-il savoir.

Concentrée sur les plumes du tyrannosaure qu'elle savonnait, Sophie relata à son tuteur les événements de la journée. Grady et Edaline avaient beau être au courant de sa télépathie et de son esprit mutique, elle détestait leur rappeler à quel point elle sortait de l'ordinaire. Qui voudrait d'un tel monstre comme fille adoptive ?

Elle arracha trois cils en attendant sa réponse.

— Ça m'a tout l'air d'une poussée cérébrale.

Sa voix s'était faite murmure.

— Est-ce qu'on t'a appris à utiliser tes pouvoirs quand tu fréquentais les humains ?

— Personne ne connaissait mes pouvoirs, pas même mes parents. Pourquoi ?

Verdi s'agita, agacée de l'attention trop distraite qu'on lui portait. Grady attendit que le dinosaure trempé se soit calmé avant de répondre.

— Cette façon que tu as d'utiliser ton esprit, Sophie… tu as forcément été formée. Il est impossible de connaître toutes ces compétences d'instinct.

— Pourtant… personne ne m'a rien appris. Je m'en souviendrais, quand même.

— Tu crois ?

Comment le contraire serait-il possible ?

— Et puis, comment un humain pourrait-il m'enseigner la manière d'utiliser mes pouvoirs ? Ils n'ont aucun de nos talents.

Le regard de Grady se perdit au loin.

— Non, tu as raison. Seul un elfe a pu te l'apprendre.

— Et je n'en avais jamais rencontré avant Fitz, ajouta-t-elle autant pour elle que pour lui.

Elle n'aimait pas les rides inquiètes qui lui sillonnaient le front.

Elle ne pouvait tout de même pas avoir rencontré un elfe sans le savoir ?

Non. Jamais elle n'avait rencontré d'esprit mutique. À l'exception de ce coureur, ce fameux matin. Mais elle lui avait parlé cinq minutes à peine. Il n'avait pas eu le temps de lui faire quoi que ce soit, si ?

Elle aurait forcément senti quelque chose…

Et pourquoi aurait-il agi ainsi ?

De plus, Fitz avait dit qu'ils étaient à sa recherche depuis douze ans. Même le Conseil ignorait où elle se trouvait. Jamais elle n'aurait pu rencontrer d'autres elfes.

Mais si les humains ne le lui avaient pas appris, et les elfes non plus… alors qui ?

Elle passa le reste de la soirée à fouiller dans ses souvenirs, mais elle se coucha sans avoir progressé d'un iota sur la question. Son passé lui apportait bien plus d'interrogations que de réponses – ce qui suffisait à la rendre chèvre.

Mieux valait lâcher l'affaire. Elle avait déjà bien assez de soucis, entre son adoption, Bronte et le Conseil qu'il fallait convaincre de l'autoriser à rester à Foxfire. Une fois son avenir assuré, elle pourrait enquêter sur son passé. D'ici là, elle essaierait de ne pas trop y penser.

Chapitre 24

— Bonjour, chers prodiges, roucoula Dame Alina pendant l'orientation du lendemain matin. Prêts pour une autre journée riche en émotions ?

— Regarde, murmura Dex à Sophie en désignant le compteur sur son nexus bleu. J'ai enfin dépassé le milieu.

— Vraiment ?

Elle tenta de partager son enthousiasme, mais elle-même n'avait pas encore atteint le tiers.

— Oui. Bientôt, j'aurai mon propre éclaireur ! Peut-être même que je serai débarrassé de mon nexus plus jeune que Fitz… ce serait énorme ! J'aimerais tellement voir la tête du petit génie si un Dizznee battait son précieux record.

Elle s'apprêtait à prendre la défense de Fitz lorsque les propos de Dame Alina retinrent son attention.

— Nous ne sommes plus qu'à quatre semaines des examens. Pour ceux d'entre vous qui s'inquiètent de ne pouvoir atteindre les soixante-quinze pour cent nécessaires à la validation, je vous recommande d'aller voir Lady Nissa au Centre de soutien.

— Tu devrais peut-être t'inscrire pour l'alchimie, chuchota Marella. Pas sûr que tu valideras, sinon.

Elle avait employé le ton de la plaisanterie, mais sa remarque fit mouche. Sophie peinait à garder la tête hors de l'eau en alchimie, et ce alors même que Lady Galvin lui hurlait ses instructions depuis l'autre bout de la pièce. Elle n'osait pas imaginer le mal qu'elle aurait toute seule. Il fallait également tenir compte de Bronte. Lui s'attendait sans doute à ce qu'elle échoue aux examens.

Son être tout entier se crispa à l'idée de devoir prendre des cours de soutien : elle n'avait pas l'habitude des mauvaises notes. Quelle humiliation…

Mais le renvoi serait bien pire.

— C'est tout pour aujourd'hui. Travaillez bien, termina Dame Alina avec un mouvement de tête qui fit voltiger sa chevelure.

Puis elle disparut de l'écran.

— Beurk ! Qu'est-ce que c'est que ça ?

Sophie eut un haut-le-cœur et fusilla du regard la languette argentée sur son casier.

Dex avait mauvaise mine.

— Je crois que c'est de la puantine. Sans doute un choix d'Elwin.

— Rappelle-moi de lui passer un savon la prochaine fois que je le croise.

— Tu as prévu de refaire un tour au Centre de soins ? demanda Marella. On prend ses quartiers là-bas ?

— Très drôle.

Marella donna un léger coup de langue à son casier avant de hausser les épaules.

— Il a fait pire.

— Peut-être, mais je prends quand même tous mes livres avec moi, déclara Sophie.

— Oh, bonne idée! acquiesça Dex en attrapant le reste de ses manuels.

Il saisit une petite boîte argentée qu'il ouvrit d'un coup sec.

— Tiens. Prends un papotin pour faire passer le goût.

Pour une fois, Dex faisait preuve de bon sens en matière de bonbon. La friandise était sucrée et fondante – comme un mélange de caramel et de beurre de cacahuètes fourré à la crème.

— Qu'est-ce que tu as eu comme épingle? demanda Marella en le voyant sortir de la boîte une petite pochette en velours, comme une récompense de boîte de céréales.

Il en tira un minuscule cheval d'argent à la crinière noire luisante.

Marella sursauta.

— Une licorne? Pitié, dis-moi que tu échanges!

— Peut-être. (Il lança un regard à Sophie.) À moins que tu ne la veuilles?

— Je n'ai rien à échanger.

Marella écarquilla les yeux plus que de raison.

— Tu n'as pas d'épingle de papotin?

Sophie baissa le regard, excédée d'être toujours autant à côté de la plaque.

— Je pense que Sophie devrait la garder, dit Dex en déposant l'épingle dans sa main avant qu'elle ait pu protester.

Marella ricana.

— Évidemment.

— Quoi? Il faut bien commencer sa collection.

— Mais oui, tu as raison.

Sophie fit mine de ne pas remarquer les joues rouges de Dex. Elle examina le petit cheval, impressionnée par la finesse du détail. Sur le dos, un minuscule écran numérique affichait: « n° 122 de 185 ».

235

— À quoi correspond le numéro ?

— Il existe une épingle pour chaque créature vivant sur cette planète, à notre connaissance. À l'heure actuelle, il ne reste plus que cent quatre-vingt-cinq licornes : autrement dit, cette épingle est super rare.

Une amertume évidente transparaissait dans la voix de Marella.

— Sophie ? l'interpella une voix vaguement familière dans son dos. Je peux te parler une minute ?

L'intéressée fit volte-face et se figea en reconnaissant Biana.

— Euh… d'accord, dit-elle, un peu prise de court par ce développement inattendu.

Biana jeta un regard en coin à Dex et Marella.

— On peut aller dans un endroit plus calme ?

Sophie hésita une demi-seconde et adressa un haussement d'épaules perplexe à ses amis avant de suivre Biana vers un coin désert de l'atrium.

— Qu'est-ce qui se passe ?

— Je me demandais si tu voudrais bien passer aujourd'hui après les cours.

Sophie attendit la chute de la plaisanterie, mais son interlocutrice paraissait sérieuse.

— Pourquoi ?

Biana fixait ses mains, dont elle tordait les doigts.

— Je ne sais pas. Je me suis dit qu'on pourrait… essayer d'être amies.

Ses derniers mots étaient à peine plus audibles qu'un murmure.

— Amies ?

Voilà qui sonnait de façon étrange dans la bouche de Biana. Sophie plissa les yeux.

— C'est Fitz qui t'a dit de le faire ?

236

— Non! Pourquoi Fitz se soucierait-il... (Elle inspira profondément.) Il ne m'a rien demandé du tout.

— Mais... je croyais que tu ne m'aimais pas.

— Je n'ai jamais dit ça.

— Inutile. Ton attitude suffisait.

— Écoute, je suis désolée si c'est ce que tu croyais. Je ne suis sans doute pas très douée pour aller vers les autres.

Tu parles d'un euphémisme. Sophie fut tentée de lui rétorquer qu'elle n'avait que faire de son rameau d'olivier rabougri et à moitié fané. Mais... c'était la sœur de Fitz. Sympathiser avec elle lui faciliterait la vie.

— D'accord.

— Vraiment?

— Bien sûr. On ne perd rien à essayer.

Elles restèrent plantées là toutes les deux, sans oser se regarder dans les yeux.

— Alors... vers quelle heure veux-tu que je vienne? demanda finalement Sophie.

— Tu n'as qu'à passer d'abord chez toi pour te changer. Tu connais le chemin, non?

— Oui. Je suis déjà venue.

Un vestige d'hostilité flamboya sur le visage de Biana, vite remplacé par un sourire gêné.

— Très bien. À tout à l'heure.

Sophie regarda Biana s'éloigner. Elle repassait la conversation dans sa tête, s'efforçant d'en tirer un sens.

— Tu veux bien nous expliquer ce que c'était que ce cirque? lança Dex, déjà à ses côtés.

Lui et Marella avaient dû foncer sur elle dès que Biana avait tourné les talons.

— Elle m'a invitée chez elle après les cours.

— Quoi? s'exclamèrent-ils à l'unisson.

— Elle aimerait qu'on devienne amies.

— Pourquoi ? dirent-ils en chœur.

— Elle ne l'a pas précisé.

— Je t'en supplie, dis-moi que tu lui as répondu d'aller renifler un gulon, implora Dex.

Sophie baissa les yeux, incapable de lui faire face.

— C'est pas vrai, je rêve !

— Qu'est-ce que j'aurais pu dire d'autre ?

— Qu'elle n'est qu'une sale snob et que tu n'as pas envie d'être son amie, par exemple, proposa Marella.

— Écoutez, je sais que ça ne va pas vous plaire, mais si Biana et moi on s'entendait mieux, ma vie en serait grandement facilitée. Si on n'y arrive pas, j'aurai perdu quelques heures de mon temps. Et après ?

— Comment sais-tu que ce n'est pas un traquenard ? demanda Marella. Une invitation pour t'humilier. Tu marches peut-être droit dans la gueule du loup.

— Ce n'est pas ce que tu penses.

— Quoi ? Tu ne l'en crois pas capable ? siffla Dex.

— Si, mais elle ne le ferait jamais chez elle. Pas en présence de Fitz.

— Ah oui, bien sûr, j'oubliais. Tu es amie avec le petit génie.

Sophie soupira.

— Vous n'êtes même pas curieux de savoir ce qu'elle mijote ?

Dans le mille.

— Je veux tout savoir après, confirma Marella.

— Et n'oublie aucun détail, surtout, ajouta Dex.

Chapitre 25

— Salut, dit Biana en ouvrant le portail d'Everglen pour laisser entrer Sophie. Tu as pu venir.

— Oui, répondit simplement Sophie, qui parvint à esquisser un demi-sourire.

En dépit de son enthousiasme initial, elle commençait à douter d'avoir pris la bonne décision.

Le portail se referma dans un grand fracas. Quelque part au loin, un criquet stridula.

Sophie tira sur les manches de sa tunique jaune pâle, heureuse que Biana ait également opté pour une tenue décontractée – même si sa tunique turquoise était bordée de fleurs de perles roses et agrémentée d'une ceinture en satin de la même couleur.

— Alors, quel est le programme ?

Biana haussa les épaules, les yeux rivés au sol.

D'accord…

— Ta famille est là ?

Biana plissa les yeux.

— Je savais que tu allais me poser cette question.

— Quoi ?

— Je sais que tu aimes mon frère.

— Quoi?

— Oh, pitié! Ça crève les yeux.

— On est amis. (Bien sûr qu'elle l'aimait bien. Mais pas de cette manière.) Ce n'était pas une bonne idée.

Biana lui saisit le bras pour l'empêcher de repartir.

— Attends. Je suis désolée. C'est juste que… d'habitude les filles ne m'approchent que pour mon frère. Je m'attendais à ce que tu en fasses de même.

Sophie se doutait que la situation devait être agaçante pour Biana – mais quand même.

— Ce n'est pas mon genre. Et puis, c'est toi qui m'as invitée, non?

— Je sais.

Les yeux baissés, Biana se tordit les mains si fort que c'était douloureux à voir.

— Et si on recommençait à zéro?

Sophie se mordit la lèvre.

— OK.

Son interlocutrice poussa un soupir, soulagée.

— Bien. (Ses yeux s'illuminèrent.) Je sais. On peut se relooker mutuellement. J'ai toutes sortes de sérums pour changer de couleur de cheveux, et on pourrait essayer les robes de ma mère!

Batailler avec le verminion semblait plus amusant à Sophie, mais elle ne savait pas comment l'annoncer à Biana sans la froisser. Heureusement, elle n'en eut pas besoin.

— Vous relooker? pouffa Keefe dans leur dos. Vous les filles, vous savez vous amuser! Pourquoi pas vous tresser les cheveux et parler garçons tant que vous y êtes?

Sophie fit volte-face et sentit son cœur s'emballer en remarquant que Fitz se tenait là lui aussi.

Keefe sourit jusqu'aux oreilles.

— À vrai dire, ce n'est peut-être pas une mauvaise idée. Tu pourrais lui tirer les vers du nez, à la petite Foster, savoir qui lui donne des palpitations.

— Hmm… personne à ma connaissance, déclara Sophie en priant pour que son visage ne soit pas aussi rouge qu'elle en avait l'impression.

— C'est ce qu'elles disent toujours. Mais dans le fond, toutes les filles ont un garçon dans leur ligne de mire, pas vrai, Fitz ?

— Et pourquoi on parle de ça, déjà ? maugréa le jeune homme.

— Ce n'était qu'une remarque, dit Keefe sur un ton désinvolte.

— Qu'est-ce que vous faites là, tous les deux ? demanda Biana, en lançant un regard appuyé à son frère.

— On est venus voir si vous vouliez jouer à la conquête, répondit Keefe à la place de son ami.

— Qu'est-ce que c'est ? demanda Sophie, soulagée qu'il change de sujet.

— Oh, juste le meilleur jeu jamais inventé ! Je prends Foster dans mon équipe, annonça Keefe.

Keefe passa un bras autour des épaules de sa proie et la jalousie enflamma les yeux de Biana. Sophie se dégagea.

— Et si on faisait filles contre garçons ?

Fitz expliqua les règles du jeu. Une équipe protégeait sa base pendant que l'autre lançait une attaque. Si les attaquants atteignaient la base sans se faire marquer, ils avaient gagné.

— Les sauts lumineux sont interdits, mais on peut utiliser les pouvoirs spéciaux, précisa Fitz en regardant Sophie comme si ce commentaire s'adressait à elle en particulier.

— Ce n'est pas juste. Sophie et moi on n'a pas…

Biana suspendit sa phrase sous le regard sévère de son frère.

— D'accord. Mais c'est vous qui attaquez en premier.

Sophie choisit de jouer les sentinelles au pied de l'arbre rouge vif qu'elles avaient choisi pour base. Elle n'aimait pas être en dernière ligne – d'autant plus qu'elle savait à quel point Fitz et Keefe étaient rapides –, mais comme elle ne connaissait pas le terrain, il était plus logique de laisser Biana traquer les attaquants. Et puis, si les pouvoirs étaient autorisés, elle savait comment garder les garçons à l'œil.

Tiergan lui avait appris à remonter la piste des pensées. La plupart des Télépathes pouvaient isoler une zone globale, mais Sophie, elle, trouvait le point précis d'où elles émanaient. Elle n'avait pas encore essayé sur des cibles mouvantes, mais cela valait le coup d'essayer. À peine Biana eut-elle détalé qu'elle ouvrit son esprit pour écouter.

Les pensées de Fitz se faisaient plus discrètes que jamais – sans doute s'efforçait-il de la bloquer – mais celles de Keefe, en revanche, étaient parfaitement audibles. Il pensait au lac : elle se concentra sur cette direction et détecta aussitôt leur présence. Elle n'aurait pu mieux l'expliquer. Tiergan lui-même ne saisissait pas. Son esprit les effleurait *via* l'air pour lui donner leur position exacte.

Il lui fallut un énorme effort de concentration pour rester connectée pendant qu'ils se faufilaient à travers la prairie, mais elle ne les perdit pas, même lorsqu'ils foncèrent dans la forêt pour éviter Biana. Elle tint bon malgré la migraine et les suivit à travers bois. Quand leurs pensées se focalisèrent sur la base, son cœur s'emballa. L'étau se refermait.

Elle s'élança, se frayant un chemin entre les arbres, sans trop savoir si elle voyait à travers leurs yeux ou les siens. Elle ne savait pas où elle se trouvait, ni combien de temps elle avait couru, ni si elle ressentait quoi que ce soit – jusqu'à ce que ses mains entrent en contact avec un épiderme et que sa vision se dégage.

Fitz et Keefe la fixaient, les yeux écarquillés. Elle leur agrippait le bras.

— Comment as-tu fait ? demanda Keefe. Tu as couru droit sur nous, comme si tu savais où nous étions.

— Je… (Elle se tritura les méninges à la recherche d'une excuse crédible.) Je vous ai entendus.

— Entendus ? Comment ?

Keefe hocha la tête et jeta un œil sur la main de la jeune fille posée sur son bras avant de la regarder de nouveau.

— Tu nous fais des cachotteries, Foster ?

— Elle a dû t'entendre écraser les buissons comme un sasquatch, dit Fitz, volant à sa rescousse. Je suis sûr qu'elle n'est pas la seule.

— Non, ça m'étonnerait.

— Tu es juste vert d'avoir perdu, le taquina Biana, qui venait de les rejoindre. Je n'arrive pas à croire que Sophie vous ait marqués toute seule tous les deux. Je serais ravie de la garder comme partenaire.

Elle adressa un grand sourire à Sophie, qui ne put s'empêcher de lui rendre.

Elle s'amusait vraiment – et avec Biana, en plus. Qui l'eût cru ?

— Mes yeux me jouent-ils des tours ou bien est-ce là Sophie Foster ? demanda Alden derrière eux.

— Tu nous as manqué, ajouta Della en se précipitant pour la prendre dans ses bras.

Sophie se laissa étreindre et ravala les émotions qui gonflaient sa poitrine. Elle n'avait pas revu Alden ni Della depuis son installation à Havenfield et elle ne s'était pas rendu compte à quel point ils lui avaient manqué. Elle prit une profonde inspiration pour s'éclaircir les idées et sentit son nez la chatouiller.

— Ouh là, vous sentez le brûlé ! Il y a eu un feu ?

Della s'écarta d'elle et échangea un rapide coup d'œil avec son mari, qui se racla la gorge.

— Une petite enquête, rien de plus. Aucune raison de s'inquiéter.

Sophie réprima un soupir. « Aucune raison de s'inquiéter » semblait être la devise d'Alden.

Cela dit, il n'avait jamais rien trouvé de suspect dans l'incendie de San Diego – ou du moins rien d'assez grave pour alimenter la rumeur. Autrement, Sophie ne doutait pas que Marella serait déjà au courant.

— Alors, à quoi vous jouez ? demanda Della.

— À se prendre une raclée à la conquête, grommela Keefe. Tu aurais dû voir ça : Sophie nous a marqués comme si elle savait où on était.

Alden jeta un regard à son fils – qui lui adressa un hoche-ment de tête imperceptible – avant de sourire à Keefe.

— J'ai comme l'impression que nous avons un mauvais perdant.

— Je voudrais juste savoir comment elle s'y est prise, mais elle insiste pour garder le mystère. (Keefe dévisagea Sophie, inquisiteur.) Et elle ne m'a toujours pas expliqué comment elle avait envoyé Fitz valser contre le mur hier.

Sophie s'empourpra, et lorsqu'elle croisa le regard d'Alden, elle put y lire de l'inquiétude.

— Fitz m'a dit qu'il allait vous en parler, dit-elle à voix basse. Une idée ?

— Rien de très crédible, reconnut l'elfe.

Le silence s'installa. Della vint à la rescousse.

— Et puis, nous, les filles, nous ne révélons jamais nos secrets. Comment voudriez-vous qu'on vous surprenne autrement, messieurs ? Alors, qui reste dîner ?

Elle se tourna vers Sophie.

— Désolée. J'ai promis à Edaline de rentrer tôt. La prochaine fois, peut-être.

Elle rougit en réalisant qu'elle venait de s'inviter. Mais Biana sourit.

— Entendu.

— As-tu besoin d'emprunter le luminateur ? demanda Alden.

— Non merci, Grady et Edaline m'ont donné un cristal de foyer.

Elle brandit une longue chaîne d'argent accrochée à sa ceinture. Le pendentif en cristal ne comptait qu'une face unique, qui la mènerait à Havenfield. Ses tuteurs le lui avaient confié le matin même en s'excusant de ne pas l'avoir fait plus tôt.

Elle avait vraiment l'impression de former une famille avec eux.

— Ne disparais pas trop longtemps cette fois, lui dit Alden. Tu nous as vraiment manqué.

— Vous aussi, vous m'avez manqué. On se voit bientôt.

Le lundi suivant, Biana, Keefe et Fitz déjeunèrent avec Sophie. Jensi et Marella ne cessaient de glousser en dévisageant leurs visiteurs – en particulier Marella. Quant à Dex, il passa l'intégralité du repas à bouder devant son assiette.

— Tu peux venir chez moi après les cours, Dex ? dit Sophie pour le tirer de sa déprime.

Il fusilla Fitz du regard avant de se tourner vers elle.

— Tu n'as pas autre chose de prévu ?

Elle ignora la pique.

— Je me suis dit que tu pourrais m'expliquer l'alchimie… Je vais avoir besoin d'aide avant les examens et je ne connais pas meilleur alchimiste.

Le jeune homme bomba le torse en entendant le compliment.

— Bien sûr, si tu as vraiment besoin de moi.

— Oh, ne va pas t'améliorer en alchimie, Foster ! lança Keefe d'un ton réprobateur. Qui d'autre serait capable de détruire les capes de Lady Galvin, autrement ?

— Ne t'en fais pas, je doute que Sophie puisse jamais devenir bonne en alchimie, lui dit Marella. Tu veux la liste de tout ce qu'elle a fait exploser ?

— Elle a encore fait sauter des trucs ? (Il adressa à Sophie un sourire malicieux.) Je veux tout savoir.

Sophie soupira et Marella se mit à raconter en détail les exploits d'apprentie alchimiste de son amie. Une nouvelle raison, en plus de Bronte, pour faire des progrès dans cette matière. Si elle devait régulièrement passer du temps assise sur un banc avec Keefe, elle n'aurait jamais la paix.

Le jeune homme fut collé la semaine suivante, ce qui lui laissa un peu de répit. Un sursis qui tombait bien, car même avec les explications expertes de Dex, elle n'arrivait pas à saisir le truc. Elle manqua de mettre le feu à sa chambre, deux fois, avant que son ami se décide à déplacer leurs expériences dans les grottes qui bordaient la plage au pied des falaises de Havenfield. La pierre ne brûlait pas et l'océan était à portée en cas de besoin. Ce qui arrivait. Souvent. Elle avait même mis le feu à la tunique de Dex.

Peut-être était-ce parce que les lois de l'alchimie défiaient toutes les règles de chimie qu'elle avait apprises, ou parce

246

que les ingrédients lui étaient complètement étrangers… toujours est-il qu'à deux semaines des examens elle était complètement paniquée. Sa seule chance de réussite aurait été de connaître le sujet en avance, afin de pouvoir s'exercer jusqu'à ce qu'elle y arrive. Dommage que Lady Galvin se refuse à distribuer des fiches de révision. Sophie était à peu près sûre que sa Mentor comptait sur son échec pour être débarrassée d'elle.

Bien sûr, la jeune fille pouvait toujours lire dans ses pensées. L'idée était si terrible qu'elle eut honte de l'avoir seulement caressée.

Pourtant…

Personne ne le saurait.

Et il lui faudrait quand même terminer l'exercice pratique sans aucune aide. Réduire le champ de ses révisions ne constituait pas un crime, après tout. Et puis, si elle échouait, Bronte disposerait d'un prétexte suffisant pour la faire renvoyer, peut-être même l'expédier à…

Elle refusa d'aller au bout de son effroyable pensée. La peur eut raison de son hésitation.

Lors de sa leçon suivante, elle fit tomber ses livres. Le dos tourné à Lady Galvin, elle se baissa pour les ramasser, ferma les yeux – avant d'avoir pu se dégonfler – et se focalisa sur les pensées de sa Mentor.

Ce fut plus facile qu'elle ne l'aurait cru. Sophie n'eut qu'à survoler les souvenirs de Lady Galvin, car l'elfe avait l'esprit préoccupé par l'examen : elle hésitait entre lui faire changer une rose en acier ou du cuivre en étain – les transmutations basiques les plus difficiles. La jeune fille mit les deux idées de côté avant de refermer son esprit et de rassembler ses manuels comme si de rien n'était.

247

Elle s'était attendue à l'euphorie du triomphe. Elle avait une chance de se battre. Et puis, elle avait vu juste. Lady Galvin allait lui donner les sujets les plus difficiles pour tenter de la recaler, et elle avait contrecarré ses plans. Alors pourquoi ce sentiment d'avoir englouti un bol de limaces ?

Distraite et mal à l'aise, elle renversa les champigaz et la pièce s'emplit d'un parfum de champignon pourri.

L'heure d'étude fut encore pire. Tous revoyaient leurs notes, mais Sophie, elle, gisait immobile sur sa chaise, craignant d'ouvrir ses livres. Arrivée chez elle, la jeune fille était au bord des larmes. Incapable d'avaler quoi que ce soit, elle ne put faire face aux regards inquiets de Grady et Edaline. Elle ne méritait pas leur compassion. Elle ne méritait rien. Elle se réfugia dans sa chambre pour le reste de la soirée.

Le sommeil ? Peine perdue.

Seule dans le noir, avec Ella dans ses bras et un lutin ronflant pour briser le silence, elle se força à regarder la vérité en face.

Elle avait enfreint la loi des Télépathes.

Pire encore : elle avait triché.

Le mot seul suffisait à lui donner des frissons d'horreur. Dorénavant, le moindre de ses succès à Foxfire découlerait de ce qu'elle avait triché à son examen d'alchimie. Pourrait-elle vraiment supporter ce fardeau ?

Non.

Mais que faire ? Comment réviser sans se concentrer sur ces deux sujets ? D'autant que si elle ne révisait pas, c'était l'échec assuré. Elle ne pouvait guère avouer à Lady Galvin ce qui s'était passé. Elle n'avait pas le droit de parler de sa télépathie à qui que ce soit. Elle était obligée de tricher, c'était la seule solution.

À moins que…

Une autre option lui vint à l'esprit et son cœur se serra. Loin d'être idéale, cette issue était pourtant la seule qui s'offrait à Sophie – et cela valait mieux que de passer le restant de ses jours écrasée par le poids de la culpabilité.

Tremblante de peur, elle se traîna hors de son lit et sortit le transmetteur que lui avait confié Alden. Il fallait s'exécuter tout de suite, avant de changer d'avis.

Elle s'éclaircit la gorge, prit une profonde inspiration, et obligea ses lèvres à former les trois mots qu'elle redoutait tant.

— Montre-moi Alden.

Chapitre 26

Le bureau de Dame Alina était une pièce triangulaire aux parois de verre et dont le haut plafond pointu coïncidait avec le sommet de la pyramide de Foxfire. Le soleil matinal inondait les fenêtres, dont un panneau sur deux était un miroir orienté de façon à renvoyer le reflet de Dame Alina lorsqu'elle s'asseyait derrière son bureau et examinait sa chevelure sous tous les angles.

Sophie garda les yeux baissés tout au long de sa confession. Elle ne voulait pas voir la déception sur le visage d'Alden ou de Tiergan, ni les reflets de Dame Alina qui la bombardaient de tous les côtés. C'était bien plus difficile que d'en parler avec Grady et Edaline comme elle l'avait fait avant de partir pour l'école. Ils s'étaient contentés d'acquiescer, de lui pardonner, et d'espérer qu'elle n'ait pas trop de problèmes.

— Qu'en pensez-vous, Dame Alina? demanda Alden lorsque Sophie eut fini.

Sur un ton neutre. Sans colère, mais sans douceur non plus. Dame Alina pinça les lèvres.

— Elle a violé les règles d'éthique de la télépathie.

— En effet, murmura Tiergan. Et je suis sûr que d'aucuns ici ont le sentiment qu'elle mériterait l'exil.

Il fusilla Alden du regard.

Sophie se figea. Le Conseil allait-il l'exiler ? Dire qu'elle pensait ne risquer qu'un renvoi !

Alden soupira.

— Personne n'a émis cette suggestion.

La jeune fille respira de nouveau.

— Bien sûr, grommela Tiergan, parce qu'il serait absurde d'exiler une jeune fille innocente. Mais un père de famille…

— Je refuse de revenir là-dessus, Tiergan. C'était la décision du Conseil. Je n'avais pas d'autre choix que d'obéir.

— On a toujours le choix, insista Tiergan à voix basse.

Sophie savait qu'ils parlaient de Prentice et elle aurait dû être intriguée. Mais depuis qu'elle avait compris qu'il l'avait abandonnée, elle refusait de s'intéresser à son sort. Y penser lui était trop douloureux.

— Allons, allons, les enfants, dit Dame Alina, qui se leva de son siège d'un mouvement élégant et lissa ses cheveux dans ses dizaines de reflets. Ne pourriez-vous pas faire un effort ?

Personne ne dit rien. Dame Alina soupira, avant de se tourner vers Alden à qui elle adressa un large sourire.

— Quelle devrait être la sanction, à votre avis ?

Tiergan ricana.

— Mais bien sûr, laissons-le décider. Pourquoi demander à son Mentor en télépathie quelle punition appliquer pour avoir violé les règles de la discipline ?

— C'est lui qui rapporte ses faits et gestes au Conseil, justifia Dame Alina.

Sophie manqua de suffoquer. Alden faisait des rapports sur elle, lui aussi ? Jusqu'où allait la surveillance du Conseil ?

— Oui, tout le monde sait avec quel zèle il remplit son travail, grogna Tiergan.

Alden souffla, mais ne dit rien.

— Vous vous oubliez, Sir Tiergan, rétorqua Dame Alina d'un ton glacial. Tant que vous serez Mentor, vous vous devrez de respecter mon autorité. Quant à moi, j'aimerais connaître la recommandation d'Alden.

— Évidemment, murmura Tiergan. Il est dans vos petits papiers et ce n'est un secret pour personne.

— Je vous demande pardon ? siffla Dame Alina.

Alden ferma les yeux et secoua la tête. Mais Tiergan se redressa, comme pour camper sur sa position.

— Votre tentative d'empêcher son mariage avec Della est connue de tous.

— Vraiment ? laissa échapper Sophie, incapable de se retenir.

Dame Alina vira écarlate et claqua la mâchoire à plusieurs reprises, comme si elle voulait parler mais ne parvenait pas à faire fonctionner sa langue.

Alden passa les mains dans ses cheveux.

— Tout ceci n'a rien à voir avec le sujet qui nous occupe.

— C'est ce que vous croyez ? demanda Tiergan. Tout ceci ne rime à rien. Sophie a remporté une grâce en gagnant le Grand championnat d'éclaboussures. Ne pourrions-nous pas la lui confisquer et considérer qu'elle a été assez punie ?

— Et la laisser croire que la tricherie est tolérée ? souffla Dame Alina, luttant encore pour recouvrer sa dignité. Certainement pas.

— Mais elle n'a pas triché, techniquement, fit remarquer Tiergan.

— Et sa présence même dans ce bureau prouve combien elle regrette ses actes. Rien ne l'obligeait à avouer, ajouta Alden.

Tiergan le dévisagea un court instant, comme incrédule : ils se trouvaient dans le même camp.

— Elle devrait au moins aller en retenue, insista Dame Alina.

— C'est ridicule, contesta Tiergan.

— Si vous permettez… intervint Sophie, stupéfaite par son propre courage.

Les trois adultes se tournèrent vers elle et la jeune fille eut soudain la bouche sèche.

— J'irai en retenue.

Le simple fait de décevoir tout le monde lui donnait la nausée. Elle ne méritait aucun laxisme. Et le sourire dissimulé aux coins des lèvres d'Alden lui confirma qu'elle avait pris la bonne décision.

Dame Alina acquiesça.

— Très bien. Alors je te mets en retenue jusqu'à la fin des examens, avec interdiction de révéler à qui que ce soit la raison de ta punition, c'est bien clair ?

— Qu'allez-vous dire à Lady Galvin ? demanda Sophie.

— Je lui expliquerai la situation. Aucune raison de s'inquiéter, dit Alden.

Sa voix chaleureuse fit fondre l'écœurante culpabilité qui tiraillait l'estomac de la jeune fille. La solution n'était pas parfaite, mais au moins pourrait-elle retrouver le sommeil. Enfin… une fois qu'elle aurait cessé de se tourmenter pour ses examens. Et Bronte.

Chaque chose en son temps.

Voilà qui commençait à ressembler à une devise.

— Où vas-tu ? demanda Dex lorsque Sophie fit mine de prendre la direction opposée à la cafétéria.

Elle qui voulait s'éclipser en douce, c'était raté.

Elle fixa ses pieds.

— Je ne peux pas manger avec vous aujourd'hui. Je dois aller en retenue.

— Quoi ? s'exclamèrent ses amis à l'unisson, assez fort pour faire se tourner quelques têtes.

— Pour combien de temps ? demanda Dex.

— Jusqu'à la fin des examens, marmonna-t-elle.

— Tu plaisantes ?

Jensi siffla.

— Ben mon vieux. Qu'est-ce que tu as fait ?

— Je n'ai pas envie d'en parler.

Elle esquissa un sourire et détala avant qu'ils aient pu poursuivre leur interrogatoire.

La salle de retenue se trouvait dans la pyramide en verre, un étage en dessous du bureau de Dame Alina. Le plafond était bas et les fenêtres filtraient plus de lumière qu'elles n'en laissaient entrer, donnant au lieu une atmosphère lugubre. Sophie essaya de se glisser discrètement parmi la vingtaine de prodiges présents, mais Sir Conley la reconnut comme une de ses élèves.

— Bienvenue, mademoiselle Foster, annonça-t-il, attirant sur elle l'attention générale.

Il passa une main dans sa longue crinière noire et désigna les rangées de bureaux inconfortables.

— Trouvez une place et installez-vous. J'ai une petite surprise pour tout le monde, aujourd'hui.

Elle se coula dans la première chaise venue en tentant d'ignorer les regards fixés sur elle. Elle croisa pourtant celui de Keefe, assis dans un coin. Il lui sourit, pouces pointés vers le haut.

— Prêts pour le chant des sirènes ? demanda Sir Conley.

Grognement général.

— Vous ne comprenez rien à l'art ni à la nature! grommela-t-il en tapant dans ses mains.

Une complainte assourdissante – mélange de chant de baleine, crissement de craie sur un tableau, avec un soupçon de hurlement de bébé – se répercuta à travers la pièce.

— Cessez de vous boucher les oreilles! J'élargis vos horizons et j'exige que vous écoutiez chaque note!

Les prodiges s'exécutèrent en adressant un regard assassin au Mentor.

— Qu'as-tu fait pour atterrir ici? demanda Keefe, un sourire en coin.

Il s'était glissé dans le siège voisin comme par enchantement.

— Ce ne sont pas tes oignons, chuchota-t-elle.

Il s'esclaffa.

— Tu n'arrêtes pas de dire que tu n'as rien à cacher, mais personne n'est dupe.

— Et toi, qu'est-ce que tu fais là?

— Tu te rappelles la puantine qui a été déposée dans le bureau de Dame Alina il y a quelques mois?

— C'était toi?

— Bien sûr. Elle en a mis, du temps, pour remonter jusqu'à moi.

Il rit de plus belle, pas le moins du monde repentant.

— Est-ce que tu vas au moins me dire combien de temps je pourrai me délecter de ta compagnie?

Elle se mordit la lèvre.

— Jusqu'à la fin du semestre.

— M'est avis que mademoiselle Foster a été très vilaine. À l'avenir, tu ferais mieux de me laisser faire le zouave à ta place.

Sophie grimaça : la complainte stridente déchirait toujours les airs.

— C'est toujours aussi bruyant ?

— Non. Juste avec Sir Conley. Demain, on a Lady Belva.

— C'est quoi, son supplice à elle ?

— Tu verras.

La danse de salon : voilà comment Lady Belva les punissait. Si elle avait eu le choix, Sophie aurait opté sans hésitation pour le hurlement des sirènes.

On avait repoussé les pupitres sur les côtés afin de pouvoir danser en ligne, comme dans les vieux bals édouardiens. Keefe tenta de prendre Sophie pour partenaire, mais Lady Belva lui mit le grappin dessus, aussi Sophie fit-elle équipe avec Valin, un des amis de Jensi à la queue-de-cheval graisseuse. Il avait les paumes glacées et moites, et un filet de bave, tenace, s'était installé au coin de sa bouche. Keefe ricanait chaque fois que le tour de Sophie venait de traverser l'assemblée au bras de son partenaire en sueur. Jamais elle n'avait été aussi soulagée d'entendre la cloche sonner l'heure de la pause déjeuner.

— J'espère que tu sais que Valin est amoureux de toi maintenant, la taquina Keefe en la rattrapant dans le couloir.

— Et tu le sais parce que...

— Pitié ! Il avait des étoiles dans les yeux, à en illuminer la pièce. Elles brillaient plus fort que le filet de bave sur ses lèvres.

Elle ne put se retenir de rire.

— Tu es terrible.

— Je sais. (Sourire malicieux.) Mais je suis sérieux. Je l'ai bousculé en sortant de la salle, il en pinçait grave. Le Fan-Club de Sophie Foster compte un nouveau membre baveux.

Elle ouvrit la bouche pour protester avant de saisir le sens de ses paroles.

— Minute… tu es Empathe? s'écria-t-elle.

Il lui adressa un clin d'œil et lui prit la main.

— Tu veux que je te dise ce que tu ressens?

Elle se dégagea.

— Non merci, sans façon.

— Dommage que je puisse lire tes sentiments même sans contact physique.

Sa voix gravit quelques octaves et il se mit à s'éventer de la main.

— J'espère que Keefe dit vrai à propos de Valin. Les garçons qui bavent, c'est tellement craquant.

— Tu vas baisser d'un ton, oui? siffla-t-elle en regardant de tous les côtés pour s'assurer que personne ne se trouvait à portée de voix.

Le jeune homme s'esclaffa et s'éventa de plus belle.

— Hmm… Maintenant je te sens embarrassée. Et un tantinet agacée.

— Faux. Je suis juste agacée.

— Non. Tu es flattée.

Il s'écarta avant qu'elle puisse le pousser.

Ils marchèrent encore une minute en silence, puis Sophie baissa les yeux.

— Tu percevais vraiment mon irritation, ou c'était un coup de bluff?

— Tu as l'air inquiète. Tu ne me ferais quand même pas des cachotteries? Un béguin secret, peut-être?

— Laisse tomber. Oublie.

— C'est presque trop facile de t'asticoter, tu le sais? dit-il en éclatant de rire.

Elle soupira.

— Bon, d'accord. Si tu veux tout savoir, oui, tes émotions sont un peu plus fortes que celles des autres. Je ne les comprends pas vraiment, mais je les perçois. Et, non, avant que tu ne le demandes, je ne sais pas pourquoi. Mais j'ai marqué des points auprès de mon Mentor en empathie quand je lui en ai parlé.

Elle ne savait pas trop quoi répondre, aussi poursuivirent-ils leur chemin en silence jusqu'à l'embranchement, où elle prit à gauche au moment même où Keefe tournait à droite.

— À demain en colle ! lança-t-il. C'est Lady Galvin qui nous surveillera. J'espère que tu es bonne en repassage. Mieux vaudrait éviter de faire des trous supplémentaires dans sa cape.

Il disparut avant qu'elle ait pu lui demander s'il plaisantait.

Keefe ne plaisantait pas. Lady Galvin apporta une pile de capes à faire repasser et suspendre par les prodiges en guise de punition. Sophie n'était pas autorisée à les manipuler, contrainte à la place de s'asseoir toute seule dans un coin pendant que Keefe lui adressait des clins d'œil et que Valin la contemplait la bave aux lèvres. Entre les deux, elle n'aurait su dire ce qui la gênait le plus.

Elle passa le plus clair de son temps à fixer des yeux le niveau sur son nexus, lequel n'avait toujours pas augmenté en dépit de ses entraînements au saut avec Grady. Son tuteur lui répétait sans cesse de laisser à son cerveau le temps de s'y habituer – c'était une façon de penser totalement différente qu'elle était en train d'apprendre –, mais la situation n'en était pas moins agaçante.

Elle retourna le nexus de façon à ne plus voir le compteur, et son regard s'arrêta sur la pierre aigue-marine scintillante. Ses pensées se tournèrent aussitôt vers Fitz.

Quelqu'un s'éclaircit la gorge.

Keefe l'observait. Elle se détourna en voyant son sourcil haussé. Une coïncidence, sans doute. Jamais il n'aurait pu détecter ses sentiments de l'autre bout de la pièce. Aucun Empathe n'était aussi puissant.

Malgré tout, elle se concentra sur des banalités jusqu'à la fin de la séance.

— Mademoiselle Foster ? l'interpella Lady Galvin juste avant qu'elle ne quitte la salle. Comment se passent vos révisions ?

Sophie sentit sa bouche s'assécher.

— Bien.

— Ravie de l'entendre. Vous allez en avoir besoin.

La jeune fille hocha la tête et se retourna pour sortir.

— Ce ne serait pas une mauvaise idée de revoir la purification de l'acier, ajouta la Mentor à voix basse.

Sophie fit volte-face.

— La purification de l'acier ?

— Dans le cas où vous vous seriez demandé quoi étudier. Votre examen sera dans cette veine. Même vous devriez pouvoir vous en sortir.

Lady Galvin lui fit signe de disposer et Sophie quitta la pièce, en proie à la confusion.

Lui avait-elle vraiment annoncé le contenu de son sujet d'examen ?

Avait-elle vraiment choisi la purification de l'acier – la transmutation la plus facile ?

— Alors, cette retenue ? demanda Dex lorsqu'elle le retrouva dans l'atrium.

— Ça s'est bien passé, répondit-elle, toujours occupée à digérer les événements.

En fait, ça s'était mieux que bien passé, mais il la regardait comme une bête de foire, aussi se garda-t-elle d'ajouter quoi que ce soit. Elle se contenta d'échanger ses livres.

— Au fait, Dex ?

— Oui ?

— Tu crois que tu pourrais m'aider à réviser la purification de l'acier ce week-end ?

Chapitre 27

— Alors, impatients de passer vos examens? gazouilla la projection de Dame Alina.

Sophie serra bien fort les jambes pour empêcher ses genoux de claquer pendant que la principale poursuivait avec un enthousiasme exaspérant.

— Vous trouverez vos casquettes pensantes dans vos casiers, et n'oubliez pas : tout élève surpris sans sa casquette à partir de maintenant sera disqualifié pour tricherie, est-ce bien clair? (Elle attendit que tout le monde acquiesce.) Parfait. Amusez-vous bien.

Un chœur de grognements résonna dans la pièce à l'instant où Dame Alina disparaissait, puis tout le monde quitta la salle. Sophie demeurait figée, trop terrifiée pour bouger.

Dex l'attira vers l'atrium.

— Tu vas te détendre, oui? On n'a pas arrêté de répéter depuis une semaine. Tu es prête.

Elle opina du menton, de peur que sa voix ne chevrote si elle se risquait à parler.

D'une main tremblante, elle mit la casquette déposée dans son casier. Le tissu blanc se lova autour de sa tête, retombant sur le côté. Elle lorgna son reflet.

— J'ai l'air d'un Schtroumpf.

Le textile épais consistait en un amalgame de métaux, conçu pour contenir les capacités télépathiques et préserver l'intégrité des examens. Mais dès l'instant où elle se concentra, elle sentit la voix de Dex affluer dans son esprit tel un souffle de vent. Le couvre-chef n'était donc d'aucune utilité sur elle. Quelle surprise…

— Bon… allons-y.

Elle se força à sourire avant de traverser le couloir d'un pas hésitant.

Elle écrivit une longue dissertation sur la trahison des humains en histoire elfique, nomma plus d'une centaine d'étoiles pour l'Univers, et remporta le débat esprit contre matière face à Sir Faxon pour l'épreuve de métaphysique. Tiergan fut si impressionné de constater l'inefficacité de la casquette qu'il lui attribua la note maximale d'office.

Mais ses épreuves les plus difficiles étaient prévues l'après-midi, l'alchimie en tête de liste. Rien que d'y penser, elle en avait l'estomac retourné.

Lady Alexine l'autorisa à quelques révisions de dernière minute en retenue, si bien que la jeune fille passa l'heure de la pause déjeuner à se répéter mentalement les conseils de Dex pour la purification.

— Détends-toi, tu veux ? chuchota Keefe. (Il balaya l'air de la main, comme pour chasser les ondes négatives qu'elle lui envoyait.) Tu commences à me stresser, là.

— Tu n'es pas nerveux ?

— Non, je suis trop fort aux examens. Mémoire photographique.

Sophie écarquilla les yeux.

— Toi aussi ?

— Tu as une mémoire photographique ? Mais pourquoi tu t'inquiètes, alors ?

— Parce qu'elle ne m'aide pas autant qu'on pourrait le croire.

— Bien sûr que si. Tu crois que j'aurais un an d'avance, autrement ? Je n'ai pas réussi à sauter un niveau grâce à mon éthique de travail…

— Tu as un an d'avance ?

Elle ne s'était jamais rendu compte qu'il était plus jeune que Fitz.

— Eh oui ! Ma grande fierté. J'ai sauté le Niveau 1. Un peu comme toi.

— Je ne l'ai pas sauté, plutôt manqué.

— C'est pareil.

Faux. Mais elle n'avait guère le temps de chipoter. La cloche sonna la fin du repas. L'espace d'un instant, elle se demanda si elle pourrait se mettre debout. Keefe la fit se relever.

— Cette sonnerie signifie qu'il est temps d'y aller, au cas où tu n'aurais pas remarqué. Sérieusement, Foster, il faut te détendre. Tu vas te rendre malade.

— C'est déjà le cas, admit-elle, chancelante.

Il eut un mouvement de recul.

— Merci de l'avertissement ! Pas la peine de partager cette sensation. Écoute, je ne suis pas assez sérieux pour être d'un grand soutien moral, mais crois-moi, tout va bien se passer.

— Comment le sais-tu ?

— J'ai comme l'impression que tu es capable d'atteindre tous les objectifs que tu te fixes. Alors arrête de douter, et prouve-moi que j'ai raison. Tu sais, pour que je puisse m'en vanter.

Elle ne put s'empêcher de sourire.

— Merci… dit-elle, un peu rassérénée.

Elle prit une profonde inspiration pour se calmer, redressa les épaules et ordonna à ses jambes de marcher. Par chance, elles obéirent.

Lady Galvin n'avait pas fini ses préparatifs quand Sophie entra dans la pièce. Elle sentit son cœur manquer un battement à la vue des baies d'un magenta profond et de la clef d'acier rouillé. Sa Mentor lui avait peut-être donné à faire le procédé le plus facile, mais elle n'en avait pas pour autant choisi un projet simple.

— La casquette est-elle seulement d'une quelconque utilité sur toi ? demanda-t-elle en plongeant ses yeux dans ceux de son élève.

La jeune fille secoua la tête. Elle n'avait pas le courage de le dire à voix haute.

— Est-ce que tu vas partir à la pêche dans mon cerveau ? Nouveau geste négatif.

— Et pourquoi devrais-je te croire ?

Sophie s'éclaircit la gorge et força sa langue à remuer.

— Je veux réussir de mon propre chef.

Lady Galvin la dévisagea un instant avant de cligner des yeux.

— Tu dois purifier la clef en acier en n'utilisant que les froisselles. Tu as cinquante-cinq minutes. Je te suggère de commencer sans tarder.

Les froisselles étaient de petites baies dégoûtantes et malodorantes qui faisaient remonter les impuretés à la surface du métal. Elles vous ridaient également la peau des doigts en cas de contact avec le jus – et vous sentiez les pieds pendant des jours –, aussi les alchimistes préféraient-ils d'autres méthodes pour purifier le métal. Mais c'était la consigne. Sophie n'avait d'autre choix que de sauter à l'eau et faire de son mieux.

Elle avait les paumes tellement moites qu'elle eut du mal à manier le couteau pour percer la première baie et en déposer le jus sur la clef. Elle s'efforçait de travailler lentement et avec précaution. Quelques gouttelettes atterrirent néanmoins sur son petit doigt, le rendant tout fripé et rabougri, et elle commença à manquer de temps. Seuls les trois quarts de la clef avaient retrouvé la teinte noire luisante qu'elle recherchait. Pourvu que ce soit suffisant… Lorsque Sophie lui rendit son travail, l'expression de Lady Galvin était indéchiffrable. Elle fixa le petit doigt fripé de la jeune fille. À l'évidence, elle allait lui retirer des points.

Sophie termina sa journée par une dissertation satisfaisante sur les ogres pour l'épreuve d'études multiespèces, suivie de prestations médiocres pour les deux dernières matières. La canalisation se passa bien en éducation physique – jusqu'à ce que Lady Alexine se mette à traverser les murs, brisant sa concentration. En élémentalisme, elle parvint à capturer trois nuages différents, mais il lui fallut quatre tentatives pour mettre en bouteille une tornade et le flacon se fissura sous la pression. Sir Conley ne sembla guère impressionné lorsqu'elle le lui tendit.

Complètement épuisée, elle se traîna jusqu'à l'atrium pour retrouver Dex.

— Je n'en peux plus, gémit-il en claquant la porte de son casier. Et toi, comment ça s'est passé ?

Elle se laissa glisser contre le mur.

— J'ai fait de mon mieux.

— On ne peut pas en demander plus, je suppose. (Il tenta de lisser ses cheveux décoiffés par la casquette.) Tu restes chez toi ce soir ?

— Non, Grady et Edaline m'emmènent faire les boutiques.

— Vraiment ? s'exclama Dex. Je crois bien qu'ils ne sont pas sortis en public depuis… tu sais.

En effet. Grady et Edaline n'avaient pas quitté Havenfield ensemble depuis la mort de Jolie. Sophie leur avait dit qu'ils n'y étaient pas obligés, mais Grady avait insisté. La tradition de Foxfire voulait qu'à la fin des examens chaque prodige pende son bonnet à l'envers sur un crochet fixé à son casier. Le lendemain, chacun remplissait les chapeaux des autres de cadeaux et tous ouvraient les paquets pendant que les parents rencontraient les Mentors afin de découvrir les notes de leur progéniture. Sophie sentit ses jambes se dérober sous elle rien que d'y penser.

Elle adorait le concept des cadeaux et de passer du temps avec ses amis, mais l'idée que Grady et Edaline puissent apprendre son échec avant qu'elle-même soit au courant lui glaçait l'échine. Pourquoi les elfes ne pouvaient-ils pas envoyer des bulletins comme les écoles humaines ?

— Et toi, tu vas faire des courses ce soir ? demanda-t-elle à Dex.

— Non. Mes parents pensent que c'est trop de travail de nous emmener tous les quatre et ils ne trouvent jamais de baby-sitter pour les triplés. (L'amertume s'immisça dans sa voix.) Mais ne t'en fais pas, ajouta-t-il en lui donnant un coup de coude, j'ai déjà préparé ton cadeau.

— Tu l'as fait toi-même ?

D'abord touchée, elle se ravisa un instant.

— Attends, c'est un genre de solution qui va me teindre les cheveux en vert, pas vrai ?

Dex lui adressa un petit sourire légèrement maléfique.

— Je suppose que tu le sauras bien assez vite.

266

Grady et Edaline emmenèrent Sophie en Atlantide. Elle n'y était pas retournée depuis sa visite avec Alden et Fitz – le jour où sa vie humaine avait pris fin – et elle ne savait pas encore très bien comment réagir à cet énorme changement. Elle vivait parmi les elfes depuis presque trois mois : autant dire qu'elle avait beaucoup progressé depuis. Mais il lui restait un long chemin à parcourir.

Sa réussite aux examens constituait le principal obstacle.

Elle fixa son petit doigt fripé. Combien de points allait-elle perdre pour cette erreur ? Et combien pour n'avoir pas fini l'exercice ?

Grady la vit s'arracher un cil et lui pressa l'épaule.

— Essaie de te détendre un peu, Sophie. Nous sommes venus nous amuser, pas paniquer pour des notes.

La jeune fille fut tentée de remarquer que ses deux tuteurs semblaient encore plus tendus qu'elle : les épaules rigides, la mâchoire serrée, sans oublier les cernes sous les yeux d'Edaline. Mais ils consentaient à un énorme sacrifice pour elle. La moindre des choses était d'apprécier ce moment passé ensemble.

Ils durent visiter sept magasins afin de trouver des cadeaux convenables pour tous ses amis et chaque arrêt laissait Grady et Edaline plus épuisés. Le pire fut la bijouterie. La gérante se souvenait d'eux. Apparemment, ils venaient souvent acheter de nouvelles breloques pour un bracelet – lequel avait, de toute évidence, appartenu à Jolie.

Sophie prit la main d'Edaline, qui sursauta. Ses yeux s'emplirent de larmes et elle serra la main de la jeune fille, qu'elle ne lâcha plus. De l'autre côté, Grady fit de même et tous trois marchèrent ainsi le reste de la soirée.

Une fois de retour à la maison, Sophie s'apprêtait à regagner sa chambre quand Grady l'arrêta.

— Je suis heureux que tu sois venue vivre avec nous, Sophie. C'est… (Sa bouche forma un mot, avant de changer pour un autre.) C'est agréable.

— Je suis heureuse aussi de vivre ici, murmura-t-elle.

Il s'éclaircit la gorge.

— Une grosse journée nous attend demain. Mieux vaut aller se coucher.

— Bonne nuit, Grady.

Elle avait beau être terrifiée en songeant à ses résultats, elle s'endormit avec la certitude que tout irait bien.

Chapitre 28

Foxfire était presque méconnaissable. Des banderoles d'argent enveloppaient chaque arbre, chaque buisson, chaque tour – comme si l'école avait été bombardée de guirlandes. Confettis et fleurs recouvraient le sol et des bulles géantes remplies de récompenses flottaient dans les couloirs. Les prodiges ignoraient leurs parents pour courir dans tous les sens afin d'en faire éclater le plus possible.

Accablés par l'affluence, Grady et Edaline se rendirent directement à leur premier rendez-vous et laissèrent Sophie à ses réjouissances. La jeune fille rejoignit l'aile des Niveau 4 afin de déposer les cadeaux de Fitz et de Keefe avant de retrouver ses amis.

Elle nourrissait le minuscule espoir de croiser Fitz devant son casier, mais ne trouva qu'une longue file de filles de Niveau 4, qui la fusillèrent du regard lorsqu'elle glissa son petit paquet pervenche dans le bonnet déjà presque rempli. Leur hostilité redoubla quand elle ajouta une boîte vert vif à la collection de Keefe.

Ah, les filles!

Elle s'éloigna tête baissée et se hâta vers sa propre section. Pour entrer en collision avec Sir Tiergan.

— Pardon! s'exclama-t-elle pendant qu'il s'efforçait de retrouver l'équilibre.

Il marchait vite et le choc avait été assez violent. Elle se frotta le front à l'endroit où il avait rencontré le coude du Mentor.

— Sophie! (Il balaya le couloir du regard, visiblement inquiet.) Que fais-tu là?

— J'étais juste venue déposer des cadeaux. Pourquoi? Tout va bien?

Il s'efforça de sourire.

— Bien sûr. Simplement je ne m'attendais pas à tomber sur toi. Surtout pas d'une façon aussi littérale.

Cette fois, son air réjoui ne fut pas feint.

— Eh bien, eh bien, qui vois-je là?

Sophie sentit son cœur se serrer lorsqu'elle se retourna. Elle s'attendait à trouver Keefe, prêt à la bombarder de questions et de ses habituels clins d'œil narquois. Et il était bien là. Mais son sourire avait disparu et la voix qu'elle venait d'entendre n'était pas la sienne.

Un elfe grand et élancé, vêtu d'une cape bleu marine incrustée de saphirs, se tenait à ses côtés et étudiait Sophie attentivement. La ressemblance entre les deux hommes était frappante, même si la tignasse en bataille et la chemise débraillée de Keefe contrastaient violemment avec les cheveux lisses et la tunique impeccable de son père.

— Ce doit être la fameuse jeune fille élevée par les humains, reprit-il d'une voix bien trop forte au goût de l'intéressée. Comme c'est étrange, de la trouver dans l'aile des Niveau 4, en pleine discussion avec le plus tristement célèbre des Mentors de Foxfire.

— Tristement célèbre? ne put s'empêcher de demander Sophie.

Elle jeta un regard à Keefe, mais le garçon fixait le sol. Elle fut surprise de le voir si… décontenancé. Comme s'il s'était étiolé sous la présence écrasante de son père.

L'homme esquissa une espèce de sourire onctueux dégoulinant d'hypocrisie.

— Peu de Mentors ont démissionné pour ensuite revenir des années plus tard, réapparu d'on ne sait où, afin de former un mystérieux prodige.

Il accompagna ces deux derniers mots d'un clin d'œil, comme s'il connaissait parfaitement l'identité du prodige en question.

Sophie sentit ses joues s'enflammer et chercha quelque mensonge à lui répondre. Mais Tiergan la coiffa au poteau.

— Intéressante théorie, Cassius…

— Lord Cassius, corrigea l'intéressé.

Tiergan serra la mâchoire

— Lord Cassius. Mais pensez-vous réellement qu'une petite fille ait suffi à me ramener ici ? En particulier avec des résultats si quelconques ?

Elle savait qu'il ne le pensait pas. Que le Mentor ne faisait que protéger le secret de sa télépathie. Ce qui n'enlevait pourtant rien au côté vexant de ses paroles. Très vexant.

— Allez viens, papa, dit Keefe en regardant Sophie et non son père. (Ses yeux exprimaient les excuses qu'il ne pouvait formuler à voix haute.) Je suis sûre que Fos… euh… Sophie est attendue.

Cassius fusilla son fils du regard.

— Oui, bien entendu. Et je dois pour ma part rencontrer tes Mentors. Je me demande à quel point tes résultats seront décevants, cette fois-ci.

Keefe leva les yeux au ciel et son père se tourna vers Sophie, un nouveau sourire hypocrite aux lèvres.

— Fascinant de faire ta connaissance. J'ai vraiment hâte de te voir à l'œuvre.

Sophie acquiesça et s'élança dans le couloir sans demander son reste. Elle s'en voulait d'abandonner ainsi Keefe et Tiergan, mais elle ne pouvait rester un instant de plus en présence de cet homme. Non parce qu'il était intimidant – même s'il l'était assurément. Elle avait d'ailleurs de la peine pour Keefe, qui côtoyait un père aussi froid et critique au quotidien.

Non, ce qui lui déplaisait le plus chez Cassius, c'était cette façon qu'il avait eue de la dévisager, inquisiteur. Ainsi que ses dernières paroles : « J'ai hâte de te voir à l'œuvre. » Comme s'il savait quelque chose qui échappait à Sophie. Elle en avait encore la chair de poule.

Elle fut soulagée de gagner le refuge de l'aile du Niveau 2, qui grouillait de prodiges occupés à éclater les bulles remplies de cadeaux. Elle en tapota une qui flottait près de son casier, et une boîte de papotins lui tomba dans les mains.

— Belle prise ! dit Dex en arrivant à sa hauteur.

Il sauta pour atteindre une bulle, mais la manqua de quelques centimètres. Avant qu'il ait pu retenter sa chance, Stina bouscula le garçon et tendit un bras squelettique pour la faire éclater.

Elle secoua la bouteille de jus de luxuriante sous le nez de Dex.

— Qu'est-ce que ça doit être frustrant d'être plus petit qu'un nain de taille moyenne !

Sophie ricana.

— Dixit celle qui ressemble à une sucette géante. Encore un peu et tu risquerais de te renverser, avec une aussi grosse tête.

Dex éclata de rire.

— Drôlement courageux de la part d'une fille qui sera renvoyée tout à l'heure, grommela Stina.

L'intéressée ouvrit la bouche mais ne trouva pas de repartie percutante. Stina avait peut-être raison, même si Sophie se faisait violence pour ne pas y penser. Surtout après le commentaire de Tiergan.

Stina gloussa.

— Profite bien de ta dernière journée à Foxfire, grosse nulle !

Elle poussa Sophie contre le mur avant de s'éloigner d'un pas vif.

— Ne la laisse pas te décourager. Et même si Lady Galvin te recale, j'organise la résistance. (Dex indiqua le bonnet de Sophie, qui débordait de présents.) Regarde comme tout le monde t'aime, ici.

Il jeta un coup d'œil contrarié à son propre couvre-chef, à moitié vide.

Sophie lui tapota le bras, sortit un paquet de sa sacoche (la montre Disneyland qu'elle portait en arrivant dans les Cités perdues – elle s'était dit que le cadeau l'amuserait), et le déposa dans le bonnet de son ami.

Il sourit, exhibant ses fossettes.

— J'ai mis le tien avant ton arrivée. (Il fixa soudain le sol.) J'espère qu'il te plaira.

— Je suis sûre que je vais l'adorer. Je vais juste déposer le cadeau de Biana et je te suis à la cafétéria.

— Pourquoi est-ce que tu lui as acheté un cadeau ? lâcha-t-il avec une grimace.

— On est amies.

— Mais bien sûr. Ce n'est pas comme si vous vous détestiez il y a à peine un mois.

— C'était un malentendu.

— Si tu le dis… mais je n'ai pas confiance en elle. Et je pense que tu devrais te méfier aussi. Pourquoi voudrais-tu qu'elle te…

Sophie le coupa d'un « Chut! »: Biana venait de pénétrer dans l'atrium, Maruca sur les talons. Elles semblaient en pleine discussion, mais en s'approchant, Sophie se rendit compte qu'elles se disputaient.

Biana se mordit la lèvre.

— Salut Sophie.

Maruca foudroya son amie du regard. Sophie s'éclaircit la gorge.

— Désolée. Je voulais juste te donner ça.

Elle tendit à Biana une boîte rose – le bracelet qu'elle avait acheté pour elle – et tourna les talons.

— Attends. (La jeune fille tira de sa poche un étroit paquet violet qu'elle présenta à Sophie.) Tu viens toujours dîner ce soir?

— Bien sûr. J'ai trop hâte! Bon, ben… à plus tard, répondit Sophie, qui se demandait pourquoi Maruca la regardait de travers.

Tout comme Dex, à vrai dire.

— Qu'est-ce qu'il y a? demanda-t-elle dès qu'ils furent à bonne distance.

— Tu vas dîner chez eux?

Il ajouta autre chose, mais la cloche vint noyer ses paroles.

Sophie se figea. Chaque carillon signalait le début d'une réunion parents-Mentors. Ce qui signifiait que Grady et Edaline étaient sur le point d'apprendre si elle allait ou non rester à Foxfire.

Dex la traîna jusqu'à la cafétéria en liesse, mais impossible pour Sophie de se détendre – même au milieu de ses amis.

La cloche sonnait toutes les vingt minutes. Elle avait déjà retenti quatre fois : autrement dit, dans vingt minutes, Grady et Edaline allaient savoir si elle avait raté l'alchimie. Elle avait les mains si moites qu'elle peinait pour ouvrir ses présents.

— Qu'avons-nous là ? demanda Keefe en subtilisant une boîte rouge dans le bonnet de la jeune fille.

Débarrassé de son père, il était à nouveau lui-même. Il jeta un œil à la carte et s'esclaffa.

— « Chère Sophie, j'ai vraiment apprécié notre danse et j'espère que nous pourrons recommencer bientôt. Affectueusement, Valin. »

Elle s'empourpra sous les rires de la tablée – même Fitz partageait l'hilarité générale.

— C'est qui, Valin ? demanda Dex.

— Le vice-président du Fan-Club de Sophie Foster. T'inquiète, c'est moi le président, je veille sur elle, répondit Keefe avec un clin d'œil. (Il lança le paquet à sa destinataire.) Vas-y, ouvre !

Pas moyen de se défiler : Sophie déchira le papier, dévoilant un bracelet orné de petits cœurs. Elle aurait voulu disparaître sous terre.

Keefe ricana de plus belle.

— Foster a un petit copain !

— C'est faux ! éructa Dex. N'est-ce pas, Sophie ?

Elle secoua la tête à s'en malmener le cerveau.

— Oh là là, je ne fais que plaisanter… protesta Keefe avec un coup de coude à Dex et un sourire à Sophie. Intéressant.

— Quoi ? demanda le garçon.

— Lequel est le tien, Dex ? les interrompit Sophie.

Pas la peine d'être un grand Télépathe pour deviner sur quel sujet Keefe allait tourmenter Dex. Le jeune homme

275

jeta un regard assassin au provocateur de service et attrapa un petit paquet enveloppé d'un simple papier blanc, qu'il tendit à Sophie.

— On n'avait pas de ruban, désolé.

— Quelle importance ? Je n'arrive pas à croire que tu l'aies fait toi-même !

Elle déchira l'emballage et sursauta.

— Mon iPod.

Elle tapota l'écran du gadget qui prit soudain vie.

— Oui, fit-il en désignant un rectangle vert, de la taille de son ongle, incrusté à l'arrière de l'appareil. Il marche à l'énergie solaire maintenant, et je t'ai intégré un haut-parleur au cas où tu ne voudrais pas utiliser les machins pour les oreilles.

Elle dévisagea son ami une minute, tellement impressionnée qu'elle aurait voulu le prendre dans ses bras. Mais elle savait que Keefe en ferait ses choux gras, aussi se retint-elle.

— C'est génial, Dex ! Comment as-tu fait ?

Il haussa les épaules et ses joues se teintèrent de rose.

— Merci, en tout cas ! C'est le plus beau cadeau que j'aie jamais eu !

— N'en sois pas si sûre, lança Keefe. Tu n'as pas encore ouvert le mien.

Elle se mordit la lèvre, inquiète à l'idée de voir ce qu'il lui avait offert.

— C'est lequel ?

— Ton bonnet était déjà bien rempli, alors je l'ai mis dans ton casier.

— Comment as-tu pu l'ouvrir ?

— J'ai mes secrets.

Elle secoua la tête, incrédule. Marella lui glissa alors une boîte enveloppée à la va-vite de papier vert.

— Tu n'as qu'à ouvrir le mien d'abord.

Le cadeau de Marella était un assortiment d'air parfumé. Elle reçut par ailleurs une tonne de bonbons de la part de prodiges qu'elle connaissait à peine. Biana, quant à elle, lui offrit un assortiment de gloss comestibles, et Jensi, une croque-arachnide, une plante qui se nourrissait d'araignées. Il n'avait clairement aucune idée de ce qu'aimaient les filles.

Sa seule déception vint du cadeau de Fitz. Il lui avait offert une plume-de-sphinx, un stylo qui n'écrivait que des énigmes jusqu'à ce qu'on en trouve la réponse. Ce qui était plutôt chouette, à ceci près qu'il avait fait le même cadeau à tout le monde. Elle avait passé des heures à lui trouver quelque chose de très personnel, optant pour un albertosaure miniature couvert de plumes violettes. Ridicule, certes, mais c'était en souvenir de leur première rencontre, et sur la carte qui l'accompagnait, elle le remerciait de lui avoir montré le vrai visage des dinosaures.

Le fait que Fitz lui offre un stylo sophistiqué – le même qu'à tout le monde, surtout – donnait l'impression qu'il n'avait pas pris le temps de penser à elle. C'était plus que probable, d'ailleurs. Il avait à peine regardé son cadeau en l'ouvrant, trop distrait par la tunique que lui avait offerte Keefe, avec « Je sais ce que tu penses – et tu devrais avoir honte » brodé sur la poitrine. Elle s'efforça de ne pas trop y penser.

Les portes s'ouvrirent à la volée et les parents affluèrent dans la salle. Sophie retint son souffle en scrutant les visages à l'affût de ceux de Grady et Edaline.

Dex lui pressa l'épaule et lui dit que tout irait bien quoi qu'il arrive, mais elle l'entendit à peine. Elle venait de trouver ses tuteurs : avec une expression indéchiffrable, ils fouillaient la pièce du regard sans voir la jeune fille qui se frayait un chemin jusqu'à eux. Il lui restait encore quelques mètres à parcourir lorsque ses yeux rencontrèrent enfin ceux de Grady. Un immense sourire illumina le visage de l'elfe.

— Tu as réussi! lui cria-t-il à travers la pièce.

Un rire hystérique s'échappa de ses lèvres et elle se mit à courir vers eux pour se jeter à leurs cous. Elle retrouva soudain ses esprits et se demanda si elle avait dépassé les bornes, mais ils la serraient eux aussi dans leurs bras, et lorsqu'ils la lâchèrent, elle vit qu'ils avaient les yeux embués.

— J'ai vraiment réussi? demanda-t-elle.

Elle avait besoin de l'entendre de nouveau.

— Même l'alchimie?

— Tu as obtenu un soixante-dix-neuf pour ta purification. Tu peux encore t'améliorer, mais c'était suffisant pour passer.

Elle les serra de plus belle avec un petit cri de bonheur.

Grady sourit jusqu'aux oreilles.

— Je te sens heureuse.

Elle rit si fort que des larmes lui dévalèrent les joues, mais elle s'en fichait. Elle avait réussi! Elle pouvait rester à Foxfire. Bien sûr, il lui faudrait encore faire face à Bronte et au Conseil pour son inscription permanente dans cinq mois, mais pour l'instant, l'heure était à la fête.

Elle fonça vers la table et se jeta au cou de Dex.

— Je n'aurais jamais réussi sans toi!

Il était rouge comme une tomate lorsqu'elle le lâcha et elle ne put s'empêcher de glousser.

Tout le monde la félicita – à l'exception de Keefe qui, une fois que son père eut le dos tourné, se baissa pour murmurer à l'oreille de Sophie : « Je te l'avais bien dit! » Tous ses amis avaient réussi leurs examens. En fait, la plupart des prodiges semblaient être dans le même cas. Quelques parents durent bien consoler leur progéniture en pleurs, mais la majorité des individus présents lançaient des confettis et se joignaient aux festivités. Y compris Stina, malheureusement.

Son visage se tordit en un rictus lorsqu'elle remarqua Sophie en pleines réjouissances. Puis elle leva les yeux au ciel et s'éloigna à grands pas. Sophie pouffa de rire.

Elle voulait rester faire la fête, mais elle voyait bien que Grady et Edaline se sentaient un peu oppressés. Elle courut dans l'atrium pour récupérer le cadeau de Keefe et se préparer à rentrer. Dans son casier, elle trouva une énorme boîte de bonbons d'humeur, un petit cube noir et un mot :

Pour la mystérieuse Mademoiselle F...
Ce bonbon aura toujours un goût amer si tu ne te détends
pas, alors reprends-toi ! Et tiens-toi à carreau !

K.

Le bonbon avait un goût de prune confite. Le cube, quant à lui, abritait un pendentif rond en argent, serti d'un cristal bleu en son centre.

Le bonbon prit aussitôt un goût amer.

Depuis quand Keefe lui offrait-il des bijoux ?

Il ne l'aimait pas...

Elle n'alla pas au bout de sa pensée. Jamais de la vie un garçon comme lui ne pourrait... Mais enfin à quoi pensait-elle ? Ce devait être l'influence de Marella.

Ce n'était qu'un collier. Il en donnait sans doute à toutes les filles.

Elle ne savait pas quoi en faire, aussi le fourra-t-elle au fond de son casier. Elle fut soulagée de ne pas croiser Keefe avant de partir. Elle avait besoin de réfléchir avant de le remercier pour son étrange présent.

Heureusement, Keefe ne fit pas allusion au cadeau lors du dîner ce soir-là. Il préféra la taquiner à propos de Valin, ou tourmenter Fitz au sujet de toutes ces filles qui lui avaient offert des bracelets du béguin – des bandeaux ornés de leurs noms, afin qu'il les porte et montre à toute l'école qu'il les aimait. Sophie n'aurait su dire ce qui était le plus agaçant.

Au beau milieu de ce festin gargantuesque, un homme aux cheveux noirs fit irruption dans la pièce et s'effondra sur une chaise inoccupée. C'était un Éclipseur : il clignotait à chacun de ses pas.

— Désolé pour le retard, maman, dit-il lorsque Della lui apporta une assiette. J'ai été retenu aux Douanes.

Maman ? Fitz et Biana avaient un frère aîné ? Pourquoi ne l'apprenait-elle que maintenant ?

Mêmes cheveux ondulés, même mâchoire carrée – mais avec les yeux pâles de Della. Lui aussi était d'une beauté invraisemblable, même s'il se donnait clairement beaucoup de mal pour y parvenir. Chaque mèche était fixée à la perfection, il avait la carrure d'un abonné à la salle de gym, et sa cape ornementée était immaculée. Pas aussi extravagante que celle de Lady Galvin, mais elle s'en approchait.

— Tu dois être la fameuse Sophie Foster, dit-il avec un sourire. Je m'appelle Alvar.

Elle ignora le ricanement de Keefe qui accompagna le « fameuse ».

— Je ne savais pas que Fitz et Biana avaient un autre frère.

— Je vois qu'on parle beaucoup de moi.

— Non… Je suis désolée. Je…

— Ce n'est rien. Ça m'apprendra à quitter la maison. Loin des yeux, loin du cœur. (Il adressa un clin d'œil à Della.) Je devrais sans doute passer dîner plus souvent.

280

— Nous savons combien tu es occupé, lui dit Della en lui ébouriffant les cheveux avant de lui tendre un verre de vin de pétillante.

— C'est ça. Occupé à jongler entre deux copines, plutôt, lança Keefe.

Alvar esquissa un sourire.

— Trois.

— Trois ? s'exclama Della d'une voix horrifiée. Alvar, c'est épouvantable !

— Vous voulez rire ? C'est génial ! corrigea Keefe. Tu es mon héros.

Alvar sourit, aux anges. Della les fusilla tous les deux du regard.

— Comment ça se passe avec les ogres ? demanda Alden pour changer de sujet.

— Compliqué. Ils se plaignent de la fumée, comme si nous étions responsables de l'incapacité des humains à éteindre leurs misérables petits feux. Je n'arrive pas à croire qu'ils n'aient toujours pas appris à faire du mouchevite.

— Quels feux ? demanda Sophie, consciente du trouble que sa question déclencha chez Alden.

— De simples feux de forêt, répondit-il au bout d'un instant.

— Oui, ajouta Alvar en vidant son verre d'un trait. Il n'y a vraiment pas de quoi envoyer les Émissaires pour une enquête.

Il adressa à son père un regard appuyé.

Sophie retint son souffle. Alden lui avait dit n'enquêter que sur les cas suspects.

— Encore des feux blancs ? s'enquit-elle.

— Oui. Comment le sais-tu ? dit Alvar, les sourcils froncés.

— Peu importe, se hâta de déclarer Alden. Et pourquoi est-ce que tu me surveilles ? demanda-t-il à son fils.

— C'est un réflexe quand j'entends dire que mon père poursuit des ennemis imaginaires. Dis-moi que tu ne crois pas aux théories du complot.

— Assurément pas sans preuve, répliqua Alden d'un ton dur. Mais il faudrait être idiot pour ne pas envisager cette possibilité.

— Tu penses vraiment que le Cygne Noir existe ?

— Oui. J'ai vu leur travail de mes yeux.

À présent, ils s'affrontaient du regard. Si seulement Sophie avait pu lire leurs pensées ! Le nom de « Cygne Noir » lui semblait familier…

Alvar finit par secouer la tête.

— Moi, en tout cas, je n'y crois pas.

— C'était ça, ce symbole ! s'exclama Sophie à l'instant où ses souvenirs s'emboîtaient.

— Un symbole ? demanda Alden.

Elle s'empourpra quand elle se rendit compte que tout le monde la dévisageait.

— Juste un truc que j'ai vu dans les papiers de Grady. Le cou noir et incurvé d'un cygne au bas d'une page.

Alvar ricana.

— Ah, oui. Le signe du cygne. Quelle foutaise !

Sophie n'entendit pas la réplique d'Alden : les battements du cœur de la jeune fille résonnaient à ses oreilles.

Le signe.

La courbe du cou de l'oiseau correspondait au motif tracé par les feux qui encerclaient San Diego. Quinlin avait d'ailleurs parlé de « signal ».

Ce qui voulait dire que l'incendie avait un rapport avec le Cygne Noir – peu importe ce que c'était.

— Et le Projet Colibri, qu'est-ce que c'est ? demanda-t-elle à voix basse.

Alden en lâcha sa fourchette.

— Où as-tu entendu cette expression ?

— Je l'ai lue, sur ces mêmes parchemins. Grady était surpris que je parvienne à déchiffrer le document. Il disait que c'étaient des runes cryptées.

Le silence se fit si pesant qu'il semblait lui écraser les épaules, mais elle soutint le regard d'Alden et attendit sa réponse.

— C'est secret, dit-il enfin.

Sophie soupira. Elle commençait à en avoir assez que toutes les informations importantes soient classées secrètes.

— C'est aussi un canular, ajouta Alvar. Mais qu'est-ce que c'est que cette histoire de code ? Et pourquoi Grady aurait-il des parchemins parlant du Cygne Noir ?

Sophie se posait la même question.

— Il avait l'habitude de faire certaines recherches, quand il était un membre actif de la noblesse, expliqua Alden.

— Mais pourquoi les a-t-il toujours en sa possession ? insista Alvar.

Et pourquoi les lire maintenant ? s'interrogea Sophie.

— Ça suffit, Alvar. Cette conversation est terminée. Et rien de ce qui vient d'être dit ne doit sortir de cette pièce, c'est bien compris ?

Alden attendit confirmation de tous les convives. Ses yeux s'arrêtèrent sur Sophie.

— Je sais que tout cela te semble passionnant, Sophie, mais comprends-moi : toute enquête non autorisée sur ce type de sujet t'attirerait de graves ennuis auprès du Conseil. Donc, fini les questions. D'accord ?

Sophie acquiesça, ruminant sa crainte et sa frustration. Elle ne pouvait se débarrasser du sentiment que toute cette histoire avait un rapport avec elle – peut-être même avec les étranges capacités de son cerveau. Mais elle avait trop à perdre, trop de choses que le Conseil pourrait lui retirer si elle contrariait ses membres. Elle prit donc une profonde inspiration et se concentra sur son assiette.

Keefe lui donna un coup de coude.

— La Terre à Foster : Della t'a demandé ce que tu faisais pendant les vacances.

— Désolée, marmonna-t-elle, secouant la tête pour revenir au présent. Je ne suis pas encore sûre.

— J'espère que tu pourras venir nous voir un peu, dit Alden avec un regard à sa fille.

Biana hocha la tête.

— Quand tu veux.

— Alors je viendrai aussi souvent que possible, répondit Sophie, ravie du prétexte.

Peut-être n'avait-elle pas le droit de mener sa petite enquête. Et peut-être n'était-elle pas autorisée à lire les pensées d'Alden. Mais qui sait, sans doute pourrait-elle découvrir quelques nouvelles informations rien qu'en traînant dans les parages.

C'était le meilleur plan qui s'offrait à elle.

Chapitre 29

Dex refusait le moindre contact avec Fitz et Biana, aussi Sophie dut-elle partager ses vacances entre Havenfield et Everglen. Alden et Della s'absentaient souvent et revenaient habituellement les vêtements et les cheveux imprégnés d'une odeur de fumée. Ils n'en parlaient jamais et Sophie avait trop peur de poser des questions après les avertissements d'Alden – mais elle n'abandonnait pas.

Si elle ne pouvait obtenir de nouvelles informations, peut-être était-elle à même de trouver un sens à ce qu'elle savait déjà. Elle essaya de rassembler les indices.

Le Projet Colibri avait forcément un rapport avec le Cygne Noir – quelle que soit la nature de ce dernier. Et ils devaient être responsables des incendies. Mais… pourquoi jouer les pyromanes, en particulier chez les humains ? Qu'espéraient-ils accomplir ?

Les incendies l'obsédaient au point de se frayer un chemin dans ses rêves. Des cauchemars saisissants de sa famille humaine, piégée dans leur ancienne maison, encerclée par les flammes. Elle avait beau savoir que ce n'était qu'un songe, elle se réveillait chaque nuit, tremblante. Elle était si terrifiée qu'elle en vint à dormir avec Iggy sur son oreiller afin de ne pas être seule.

Très vite, elle se mit à compter les jours qui la séparaient de la rentrée. À l'école, elle serait en sécurité. Elle avait réussi ses examens. Une fois que les cours auraient repris, elle n'aurait plus rien à craindre.

— Félicitations à tous ceux qui ont passé avec succès leurs examens, dit Dame Aline durant leur première orientation. J'espère que vous avez bien profité de vos six semaines de vacances, car il est temps de passer aux choses sérieuses. Tout prodige ayant obtenu une moyenne inférieure à quatre-vingt-cinq pour cent va devoir mettre les bouchées doubles s'il veut valider son année.

Sophie soupira. Hormis son soixante-dix-neuf en alchimie, elle avait obtenu un quatre-vingt-un en élémentalisme et un quatre-vingt-trois en éducation physique.

— Vos Mentors m'informent également que cent neuf Niveau 3 n'ont pas encore manifesté de pouvoirs, et plus du double chez les Niveau 2, ce qui est inacceptable. Attendez-vous à ce que dorénavant on vous harcèle en détection des pouvoirs.

Des grognements s'élevèrent à travers la pièce.

La semaine suivante, après la séance de détection, ils se traînèrent tous en sueur et exténués vers la salle d'étude. Même les cheveux bouffants de Marella avaient jeté l'éponge et pendaient mollement.

— Qu'est-ce qu'ils vous ont fait? demanda Sophie.

— Ils nous ont collés dans un four et rôtis pendant deux heures en essayant de décider si on était des Givreurs, grommela Dex.

— Ce qui n'était pas le cas, puisque le givrage est un talent idiot extrêmement rare, ajouta Marella avant de s'affaler sur une chaise. Et toi, ton cours de soutien?

— Barbant, comme d'habitude.

En réalité, le cours avait été génial. Tiergan avait mis à l'épreuve sa distance de transmission, qui s'avérait phénoménale. Fitz avait frôlé la crise cardiaque quand elle l'avait joint à l'autre bout du campus. Difficile de lui en vouloir – même Tiergan ne savait pas que c'était possible –, mais jamais elle n'oublierait son sursaut mental quand elle l'avait contacté. Elle espérait qu'il n'en avait pas mouillé son pantalon.

La jeune fille réprima un sourire. Elle se sentait un peu coupable que tout le monde souffre pendant qu'elle s'amusait.

— Qu'est-ce que c'est, les Givreurs ?

Dex posa la joue sur la table.

— Des cryokinésistes. Ils figent les objets en manipulant les particules de givre dans l'air. Totalement inutile. Je ne sais même pas pourquoi on nous a testés pour ce pouvoir.

— Ils sont obligés de tout essayer, lui rappela Jensi.

— Faux. Ils ne testent pas la pyrokinésie, contra Dex. •

— Oui, parce que c'est un talent interdit.

— Il y a des talents interdits ? demanda Sophie.

— Un seul, lui confirma Dex. Les Hypnotiseurs et les Instillateurs sont surveillés de près, mais les Pyrokinésistes sont bannis.

— Pourquoi ?

— Trop dangereux.

— En quoi sont-ils plus dangereux que des elfes qui manipulent la douleur ?

— Parce que le feu est trop imprévisible. Personne ne le contrôle vraiment.

— Et puis, il y a eu des morts, ajouta Marella.

— Qui ça ? demanda Dex.

Elle haussa les épaules.

— Je n'en sais rien. J'ai entendu dire qu'il y avait eu cinq morts, et que c'est pour ça qu'à présent ils sont interdits.

— Mais comment peut-on interdire une chose pareille? demanda Sophie. Ce serait comme défendre à quelqu'un de respirer, non?

— Non. Certains talents surviennent d'eux-mêmes quand on grandit, comme la télépathie ou l'empathie. Pour d'autres, on ne peut pas les détecter sans les provoquer.

Sophie secoua la tête.

— Je ne trouve tout de même pas ça normal. C'est comme si on les empêchait d'être eux-mêmes.

— Calme-toi, voyons. Il y en a peut-être eu douze maximum dans l'histoire... ce n'est donc pas un gros problème.

— J'imagine.

Elle n'écoutait plus vraiment, car elle venait de se rappeler ce qu'avait dit Alvar sur les feux.

Une théorie du complot.

Se pourrait-il qu'un Pyrokinésiste soit impliqué?

L'idée méritait d'être approfondie – et elle lui trotta dans la tête tout le reste de l'heure d'étude –, mais Sophie manquait d'informations. Avant de rentrer chez elle, la jeune fille fit un détour par la bibliothèque pour voir s'ils disposaient de livres sur le sujet. Alden ne lui en voudrait pas d'avoir fait quelques recherches innocentes à l'école, quand même?

La bibliothèque de Niveau 2 ne possédait pas d'ouvrages sur la pyrokinésie. Pas plus que celle du Niveau 3. La documentaliste du Niveau 6 l'informa finalement que la plupart des livres traitant de cette question étaient bannis, mais elle nota le nom de Sophie et lui promit de vérifier dans les archives et de déposer tout ce qu'elle pourrait trouver dans son casier. En attendant, Sophie se demanda si Grady et Edaline possédaient de tels ouvrages à Havenfield.

Elle fit chou blanc dans la bibliothèque principale du rez-de-chaussée, mais le couple avait forcément des étagères remplies de livres dans les deux bureaux du premier étage. La cachette parfaite pour des ouvrages interdits. Seul problème : même après avoir passé un peu plus de cinq mois en leur compagnie, Sophie doutait d'avoir accès à cette partie de la maison, et elle ne savait comment ils réagiraient s'ils la prenaient la main dans le sac – surtout après les avertissements d'Alden.

Mais elle ne pas pouvait laisser tomber. Elle attendit donc que Grady et Edaline soient occupés dehors par un couple de loups préhistoriques et se glissa à l'étage pour y jeter un œil. Elle se promit de prendre bien garde à ne laisser aucune trace de son passage.

La première porte qu'elle essaya s'ouvrit sur le cabinet de Grady. Des corbeilles remplies de rouleaux, un bureau enseveli sous une montagne de paperasse, des livres rangés au petit bonheur la chance sur des étagères. Pas de photo ni de bibelot – rien de personnel pour agrémenter la pièce. Mais des espaces vides, là où il avait dû s'en trouver auparavant.

Les étagères croulaient sous les livres de droit et d'histoire. Il devait sans doute y être question de pyrokinésie, mais Sophie n'avait guère le temps de tous les parcourir. Les parchemins la tentèrent, mais ils étaient trop serrés pour pouvoir être lus, et elle craignait que Grady découvre son intrusion si elle les ouvrait. Elle n'avait pas l'audace de feuilleter les documents sur la table non plus, de peur qu'ils ne soient organisés suivant un ordre particulier. Pourvu que le bureau d'Edaline lui réussisse mieux.

Elle supposait que la porte d'en face menait au cabinet d'Edaline, aussi réprima-t-elle un sursaut en pénétrant dans une chambre ombragée. Des rideaux de dentelle obstruaient la lumière, la poussière ternissait les chandeliers, et la pièce était jonchée des vestiges d'une vie d'enfant: licorne en peluche, épingles de papotin fichées sur des cordons, poupées, livres. Sur la table reposait le portrait encadré d'une ravissante jeune fille.

Jolie.

Ses douces boucles blondes cascadaient jusqu'à sa taille. Elle avait les yeux turquoise de sa mère et l'ossature remarquable de son père. Elle portait l'uniforme blanc des Niveau 6 et devait donc avoir seize ans au moment de la photo. À côté se trouvait un autre cliché: Grady, Edaline et Jolie, alors plus proche de l'âge de Sophie, debout dans un jardin d'une beauté à couper le souffle. Ses tuteurs – heureux, drapés dans des capes aristocratiques –, avant que la tragédie ne les frappe. Sophie aurait pu passer la journée entière à contempler cet aperçu de leur ancienne vie, mais elle savait que ce serait le pire endroit pour se faire prendre. Elle s'arracha à la contemplation de la photo et partit.

La dernière pièce, à l'évidence l'ancien bureau d'Edaline, était devenue un cimetière d'affaires inutiles. Des piles de malles encombraient le plancher, recouvertes de monceaux de draps pliés, de cadeaux à l'emballage intact et d'objets divers qu'elle ne put identifier. Une énorme corbeille de lettres encore cachetées bloquait la porte et empêchait Sophie d'entrer – ce qui n'était pas plus mal. Les étagères étaient remplies de volumes épais et poussiéreux. Tout objet déplacé sauterait aux yeux.

Elle devrait chercher ailleurs des ouvrages sur la pyro-kinésie. Peut-être Biana la laisserait-elle parcourir la bibliothèque d'Everglen… mais il lui faudrait une excuse toute prête, au cas où Alden les surprendrait. Le terrain était glissant, mais elle touchait au but – elle le sentait. Son esprit ne la laisserait pas abandonner avant de trouver le fin mot de l'histoire.

Chapitre 30

Sophie fut prise d'un haut-le-cœur en léchant la pastille d'ouverture de son casier.

— Encore un choix d'Elwin? gémit-elle à l'adresse de Dex.

Dans les trois semaines qui avaient suivi les vacances, ils avaient déjà eu droit aux parfums chair brûlée et pieds en sueur. Elwin était en forme.

Dex se boucha le nez au moment de lécher la sienne, ce qui ne l'empêcha pas de grimacer.

— Beurk, c'est exactement le goût que j'aurais imaginé pour un pet.

Sophie gloussa et saisit un petit rouleau qui l'attendait sur l'étagère supérieure – un devoir spécial distribué par les Mentors de l'Univers. Chaque liste comptait six étoiles correspondant à une sorte de schéma, et chaque prodige était censé embouteiller un échantillon de lumière de chacune, établir le lien entre elles, et choisir un septième astre pour compléter logiquement la liste. Les deux amis avaient prévu de travailler ensemble dessus ce soir-là.

Dex l'emmena à la Clairière de la lune : une vaste prairie circulaire remplie de milliers de lucioles qui dansaient dans les ténèbres.

— Les autres vont au Rocher de la sirène, expliqua-t-il en installant le stelloscope, qui ressemblait à une longue-vue tordue et inversée. Mais il y a tellement de monde qu'il est difficile d'y trouver un coin libre pour travailler. Et puis, d'ici on a une meilleure vue.

Il désigna le ciel d'encre, dans lequel brillaient des milliards d'étoiles, avant de lui tendre une épaisse liasse de cartes stellaires.

— Ça prend des heures de trouver les étoiles, alors autant se partager le travail. La première sur ma liste est Amaranthis.

Sophie scruta le ciel, parcourant les constellations qu'elle avait déjà mémorisées.

— Juste là : la quatrième à gauche de Lambentine.

Dex la regarda, bouche bée.

— Comment as-tu fait ?

— Mémoire photographique. Tu te rappelles ?

— Je sais, mais… les étoiles ?

Elle sourit d'un air suffisant.

— Eh ben… c'est génial.

Il fourra les cartes dans son sac et attacha un petit flacon de verre à l'extrémité la plus large de la lunette.

— Tu veux le faire la première ?

Elle prit l'appareil et le porta à ses yeux.

— Comment ça marche ?

— Facile. Tu trouves l'étoile et tu utilises les molettes pour l'isoler.

Il se plaça derrière elle et stabilisa le stelloscope d'un bras. Il passa l'autre autour d'elle et guida ses doigts jusqu'à un ensemble de boutons.

— Désolé, tu permets ? demanda-t-il quand elle se raidit.

— Bien sûr.

Étrange, pourtant, de le savoir si proche. Elle sentit ses joues s'enflammer et fut soulagée qu'il fasse trop sombre pour qu'il puisse la voir rougir.

Dex s'éclaircit la gorge.

— Tu as trouvé Amaranthis?

— Oui.

— Bien. Maintenant, tu tournes les molettes jusqu'à la voir changer de couleur, puis tu actionnes le levier près de ton pouce. L'appareil fera le reste.

Elle s'exécuta. Un rayon d'un violet brillant emplit aussitôt la fiole. Avec un tintement de verre, le stelloscope emprisonna la lumière.

Il ne leur fallut que quelques minutes pour remplir des flacons de lumière écarlate (Rubini), jaune (Orroro), bleu pâle (Azulejo), orange profond (Cobretola), et enfin bleu foncé (Indigeen).

Dex contempla les six fioles scintillantes en se grattant la tête.

— Je ne vois pas de schéma.

— Ce sont les différentes couleurs du spectre.

Elle réarrangea les flacons dans le bon ordre.

— Rouge, orange, jaune, bleu, indigo, et violet. Qu'est-ce qui manque?

— Vert! Est-ce que tu vois Zelenie?

Elle pointa une étoile isolée sur la gauche.

— Là.

Il captura la lueur d'un vert profond.

— Ça sera bien la première fois que je réussis cet exercice! D'habitude, je me contente de prendre une étoile au hasard et d'y aller au bluff.

Sophie s'esclaffa et tira sa liste de sa poche. Ses étoiles étaient bien plus difficiles à trouver, ce qui demanda plus d'efforts à sa mémoire, mais elle remplit finalement ses flacons de lumière couleur argent, or, noir, blanc, cuivre et vert.

— Une idée du motif? demanda Dex.

— Je n'en suis pas sûre.

Cette association de couleurs lui rappelait quelque chose, une ébauche d'idée, trop floue pour avoir du sens. Elle fouilla dans ses souvenirs, grappillant l'indice qui lui manquait. Les pièces du puzzle s'emboîtèrent.

— Élémentine.

— Quel est le schéma?

— Je ne sais pas, mais la réponse est l'étoile Élémentine, j'en suis sûre.

Elle saisit le stelloscope.

— Vraiment? Je n'ai jamais entendu parler de cet astre.

— Je sais ce que je dis. Et puis, pourquoi irais-je inventer un truc pareil?

— Bien vu.

Elle suivit d'étranges traînées à travers les constellations. Les minutes s'écoulèrent.

— Je sais que c'est par là.

Elle se concentra sur un espace sombre et tripatouilla le cadran.

— Je ne vois rien, commenta Dex.

— Je crois que c'est vraiment loin.

Nouveaux ajustements. Toujours rien. Dex commençait à s'impatienter lorsqu'elle s'écria enfin : « Là! », et actionna le levier.

L'instrument bourdonna avant de virer incandescent. Sophie laissa échapper un cri perçant et lâcha l'appareil.

— Qu'est-ce qui s'est passé?

Elle agitait les mains afin de calmer la brûlure, mais la douleur était si forte qu'elle en avait les larmes aux yeux.

— Fais voir.

Dex sortit une fiole de clair de lune de son sac et lui attrapa les poignets pour braquer la lumière dessus.

— Ouh là! Tout va bien?

Sophie aurait voulu faire preuve de courage, mais elle ne put retenir ses pleurs en voyant les marques pourpres qui lui zébraient les paumes.

— Qu'est-ce que je dois faire? demanda Dex, paniqué.

Elle s'efforça de réfléchir malgré la cuisante sensation qui émanait de ses mains. Elle pouvait rentrer, mais elle ne voyait pas trop ce que Grady et Edaline auraient pu faire. Elle avait besoin d'un médecin.

Elle se rembrunit en comprenant qu'elle n'avait pas le choix.

— Tu veux bien sortir mon transmetteur de ma sacoche, s'il te plaît?

L'appareil ne la quittait plus depuis l'incident de la triche. Dex fouilla dans ses affaires jusqu'à trouver le cube argenté.

— Qui est-ce qu'on appelle?

Elle soupira.

— Elwin.

Chapitre 31

— Alors maintenant on m'appelle chez moi pour me tirer du lit ? Je préférais quand je te faisais peur, ironisa Elwin.

Son sourire s'estompa lorsque Sophie lui montra les cloques violacées sur ses mains.

— Comment t'es-tu fait ça ?

— J'essayais simplement de mettre en bouteille de la lumière d'Élémentine.

— Élémentine ? (Il tira un pot de sa besace et étala un épais baume vert sur les brûlures.) Jamais entendu parler.

— Je t'avais bien dit qu'elle n'existait pas, dit Dex.

— Mais je l'ai trouvée, insista Sophie. (Elwin saupoudrait à présent une poudre violette par-dessus le baume.) Le stelloscope est devenu très chaud quand j'ai actionné le levier et je me suis brûlée.

Le médecin banda ses mains d'un épais tissu bleu.

— C'est bien la première fois que j'entends une histoire pareille. Avec toi, chaque jour est une nouvelle aventure, Sophie, je te l'accorde.

Le pire était qu'elle ne pouvait le contredire. Pourquoi lui arrivait-il tant de choses étranges ?

— Tu as un peu moins mal ? demanda Elwin.

— Oui. Merci…

— Bien. (Il sortit une bouteille de jouvence et en imbiba le pansement.) Est-ce que tu as pu embouteiller la lumière?

— Je ne sais pas.

Avec cet incident, elle n'avait même pas pensé à vérifier.

— Je vais regarder, proposa Dex en courant jusqu'au stelloscope, qui était toujours là où Sophie l'avait laissé tomber. La fiole est bien pleine, mais son contenu est étrange.

— Ne touche à rien! lui ordonna Elwin. La dernière chose dont j'ai besoin, c'est d'un patient supplémentaire.

Sophie baissa la tête.

— Désolée de vous avoir réveillé.

— Ne t'en fais pas. Au moins j'aurai une histoire à raconter demain.

Elle soupira. Marella et Keefe allaient se régaler de l'anecdote.

Elwin défit les bandages. Les ampoules avaient disparu, mais la peau demeurait rouge et à vif. Il se frotta le menton.

— Mon traitement aurait dû marcher mieux que ça.

— Je n'ai plus mal.

— C'est parce que le baume est anesthésiant. Je vais devoir préparer une pommade plus forte. Ne bouge pas.

Elle hocha tristement la tête. Où aurait-elle pu aller?

Elwin s'évapora en scintillant et Dex s'affala à côté d'elle.

— Tu n'es pas obligé d'attendre avec moi.

— Comme si j'allais te laisser en pleine nuit au milieu de nulle part, blessée. Pour quel genre d'ami me prends-tu?

— Mais tu dois avoir froid.

— Non. Je peux ajuster ma température corporelle. Tu vois?

Il lui effleura la joue et elle fut surprise par la chaleur de sa peau.

— Tu veux que je te montre demain comment faire?

— Je ne peux pas. Je vais chez Fitz et Biana.

— Une autre visite au palais, dit-il avec une grimace. N'oublie pas ta couronne.

— Tu vas arrêter avec ces bêtises, oui?

— Impossible, désolé.

— Ce sont mes amis. J'aimerais bien que tu sois plus gentil.

— Et encore, je me retiens.

Elle s'esclaffa.

— Permets-moi d'en douter.

Il arracha une poignée d'herbe qu'il jeta au loin.

— Tu es juste contente de voir le petit génie. Pitié, ne me dis pas que tu en pinces pour lui.

— Bien sûr que non.

Elle sentit ses oreilles s'empourprer et remercia une fois de plus les ténèbres.

Dex arracha une nouvelle touffe d'herbe.

— Alors quoi? Qu'est-ce que tu lui trouves?

— C'est lui qui m'a trouvée.

À peine les mots eurent-ils quitté ses lèvres qu'elle prit conscience de son imprudence.

Dex se figea.

— Tu ne me l'avais pas encore racontée, celle-là.

— Je sais.

Elle essayait de ne pas parler de son passé – cela engendrait trop de questions auxquelles elle n'avait pas de réponses.

— Il y a plein de choses que tu me caches, n'est-ce pas? Comme tes séances dans l'aile de Niveau 4. Des cours de soutien, mon œil!

Il attendit qu'elle proteste. Ce qu'elle ne fit pas.

— Qu'est-ce que tu fais là-bas?

— Je ne peux pas te le dire.

— Le petit génie est au courant ?

— Oui, soupira-t-elle.

Il se tut un long moment et poursuivit le supplice des brins d'herbe innocents.

— Ça fait plaisir…

— Je ne lui ai pas dit, si c'est ce que tu penses. C'est juste qu'il est… impliqué… alors il a le droit de savoir certaines choses.

Ils restèrent assis en silence. L'un massacrait l'herbe et tous deux attendaient que l'autre parle. Finalement, Dex souffla.

— Désolé. Je suis odieux.

— Moi aussi, je suis désolée. Je déteste devoir te cacher des choses. Tu es mon meilleur ami.

Il redressa soudain la tête.

— Ton meilleur ami ?

Elle haussa les épaules, évitant son regard.

— Si tu le veux bien.

— Tu rigoles ? Bien sûr !

Elle sourit.

— Tu pourrais me rendre un service, alors ?

— Bien sûr. Ce que tu veux.

— Tu veux bien lâcher les baskets à Fitz ?

— Tout sauf ça !

— S'il te plaît, Dex ?

Il fixa le sol d'un œil noir.

— D'accord. Mais je fais ça pour toi, je ne l'en apprécierai pas pour autant.

Son obstination amusa Sophie.

— Merci ! Ça me touche beaucoup.

Un éclair se produisit devant eux et Elwin reparut, serrant un pot de baume.

— OK, revoyons ces mains.

Il se mit à étaler la pommade dorée sur ses brûlures et la jeune fille fronça le nez.

— Beurk. Qu'est-ce qu'il y a dedans, Elwin ?

— Crois-moi, tu ne veux pas savoir. Il faut laisser reposer une minute. On va jeter un œil à cette lumière que tu as capturée.

Il s'agenouilla près du stelloscope, le front plissé.

— Qu'y a-t-il ? demanda Dex.

— Je ne sais pas.

Il tapota le flacon d'un coup de doigt rapide.

— C'est froid. De quelle étoile as-tu dit que ça venait ?

— Élémentine.

— Ce nom ne me dit rien. Enfin, ne fais rien avec tant que tu ne l'as pas montrée à Sir Astin. Et sois prudente.

Il ôta doucement la fiole du stelloscope, qu'il tendit à Dex. Puis il enveloppa le flacon dans un de ses torchons et la cala dans le sac de Sophie. Il vérifia une dernière fois ses mains : les brûlures avaient entièrement disparu.

— Merci, Elwin… marmonna-t-elle.

— C'est pour ça que je suis là. Ça va aller, tous les deux ?

— Oui. On va rentrer.

— Bien. Passe me voir demain, Sophie. Je veux m'assurer que je n'ai rien laissé passer.

Elle soupira. Il aurait tout aussi bien pu lui assigner une place attitrée au Centre de soins.

— Très bien, mon travail ici est terminé. Soyez prudents en rentrant. Au fait, Sophie, tu ferais bien de te laver les mains au moins une vingtaine de fois.

La jeune fille n'avait pas envie de s'étendre sur l'incident, aussi lorsque ses tuteurs lui demandèrent comment s'était passée sa soirée, elle se contenta de hausser les épaules et de lâcher un laconique « Bien ». Elle prit ensuite la douche la plus longue, la plus chaude et la plus savonneuse de sa vie. Elle projetait de tout leur raconter au matin, mais un des griffons s'échappa, si bien qu'elle décida de remettre son récit à son retour de l'école. Peut-être que d'ici là, ses Mentors lui auraient expliqué ce qui était allé de travers.

Elle arriva en avance afin de passer discrètement au cabinet d'Elwin. Bien que satisfait de la cicatrisation, il lui fit boire un médicament aigre, par acquit de conscience.

Elle avait prévu d'interroger Sir Conley sur cette étrange lumière d'étoile en cours d'élémentalisme, mais il lui fit mettre en bouteille des flammes, et elle manqua de mettre le feu à sa propre cape – par deux fois. Il lui remit un épais volume d'allure ennuyeuse consacré à la capture du feu, à lire avant son examen final. Stupide cape !

L'inquiétude la rattrapa à la cafétéria. Elle semblait être la seule à avoir eu des problèmes avec le devoir, ce qui n'augurait rien de bon pour sa note. La réaction de Sir Astin n'arrangea rien : à peine avait-elle sorti ses flacons que son Mentor fronça les sourcils.

— Où est votre septième étoile ?

Elle se mordit la langue. Elle avait espéré qu'il ne compterait pas.

— Il est arrivé un curieux incident. Le stelloscope m'a brûlée quand j'ai voulu la mettre en bouteille.

Il écarquilla les yeux, mais il secoua la tête.

— Non… c'est absurde. C'est impossible…

— Voulez-vous voir le flacon ? Je crois qu'il doit y avoir une anomalie, mais à vous de me dire.

Elle extirpa le paquet de sa sacoche. La fraîcheur glacée lui picota les doigts même à travers l'épais tissu, et le flacon pesait bien plus lourd que les autres, comme s'il contenait un élément solide. Il brilla d'une lueur aveuglante lorsqu'elle le déballa.

Sir Astin était toujours pâle, mais il devint plus blanc qu'un linge et s'écria avec un mouvement de recul :

— Ne bougez pas !

Elle se figea.

— Voulez-vous que je remballe la fiole ?

— J'ai dit de ne pas bouger ! J'ai besoin de réfléchir.

Il se mit à faire les cent pas en marmonnant de façon incohérente.

— OK, est-ce que vous voulez bien me dire ce que c'est ? Vous me faites peur.

Il ne put retenir un rire sombre.

— Avez-vous déjà entendu parler de la Quintessence ?

— Le cinquième élément ? Je croyais qu'il s'agissait d'un mythe.

— Je suis sûr que vous n'avez dû entendre que des fables à son sujet. Mais l'élément, lui, existe bel et bien. La Quintessence est la lumière sous sa forme la plus pure, la plus puissante. Dans les bonnes conditions, cette petite fiole suffirait à faire sauter ce bâtiment tout entier. Voire pire…

Elle déglutit. Qu'est-ce qui pourrait être pire que de faire exploser un bâtiment ?

— Qu'est-ce qu'on fait ?

— Je n'en ai pas la moindre idée ! (Il se tordit les mains.) Comment est-ce arrivé ?

— Je ne sais pas. J'essayais simplement de déterminer le schéma.

— Il s'agissait des métaux! Les étoiles de cette liste ont toutes une lumière métallisée. Vous auriez dû capturer quelque chose couleur de bronze ou de laiton. Pas ça! ajouta-t-il en désignant le flacon avec agitation.

Sophie sentit ses joues s'enflammer. À présent qu'il la lui avait donnée, la solution paraissait évidente.

— Je suis désolée. Pour une raison qui m'échappe, j'ai cru avoir besoin de trouver Élémentine.

Le Mentor se figea.

— Où avez-vous appris ce nom?

— Je ne sais pas. Sans doute sur l'une des cartes que j'ai mémorisées.

— Non, Sophie. Je ne vous ai jamais enseigné ce mot. Personne ne le fait.

Sa voix n'était plus qu'un murmure, à peine audible.

Voilà qui expliquait pourquoi Dex et Elwin n'en avaient jamais entendu parler.

— Mais je l'ai forcément appris ici, insista-t-elle. Comment le connaîtrais-je, autrement?

— Aucune idée. Élémentine est une des cinq étoiles non répertoriées. Seuls les Conseillers connaissent leur position exacte. Et personne n'est autorisé à les mettre en bouteille. (Il déglutit bruyamment.) Vous avez enfreint une loi très importante, Sophie. Vous allez devoir passer devant un tribunal pour qu'on détermine votre sanction.

Chapitre 32

L'audience avait lieu à Éternalia, dans la Salle du tribunal. Une bannière bleue flottait au sommet du dôme, comme lorsque Fitz avait fait contempler la cité à Sophie le jour de leur première rencontre. Cette fois, pourtant, elle n'était plus simple spectatrice.

La jeune fille était assise à côté d'Alden, sur une estrade qui faisait face aux trônes vides des douze Conseillers. Derrière elle se trouvaient Grady et Edaline, Dex, Sir Astin, Dame Alina et Elwin – tous ceux qui étaient liés de près ou de loin à l'incident. Le reste de l'énorme pièce était vide. Les débats se tenaient à huis clos, une mesure rare pour une audience. Mais Alden expliqua que tout ce qui touchait à la Quintessence était classé top secret.

Chaque trône était gravé d'un nom. Celui d'Oralie avait des coussins en velours et un dossier en forme de cœur, couvert de tourmaline rose. Kenric possédait un siège rustique et simple, en bois poli incrusté de larges morceaux d'ambre. Le trône de Bronte était en argent massif incrusté d'onyx. Elle n'avait encore jamais entendu les noms inscrits sur les autres sièges : Clarette, Velia, Terik, Liora, Emery, Ramira, Darek, Noland, Zarina. Ils étaient intimidants – et elle n'avait même pas encore vu leurs propriétaires. Elle s'arracha un cil, qu'elle jeta d'une pichenaude.

Deux heures à peine s'étaient écoulées depuis le moment où Sophie avait montré à Sir Astin le flacon luisant, mais il sembla que tout avait changé. Foxfire avait été évacuée – une première dans ses trois mille ans d'histoire. Une force d'intervention spéciale avait déplacé la Quintessence dans un lieu tenu secret. La jeune fille était à présent dans la capitale – et comparaissait pour avoir enfreint une loi majeure. Bronte devait saliver rien qu'à l'idée de pouvoir la condamner.

Une douzaine de gobelins pénétrèrent dans la pièce pour aller se poster devant les trônes, et Sophie se redressa sur son siège. Elle se souvint d'en avoir vu à Lumenaria, mais elle avait oublié combien ils étaient immenses.

— Les gardes du corps des Conseillers, expliqua Alden.

Elle focalisa son regard sur l'étrange lame passée à leur ceinture et ne put s'empêcher de se demander contre quoi les Conseillers avaient besoin de protection. Alden n'avait de cesse de répéter combien leur monde était sûr.

Une fanfare tonitruante résonna à travers la pièce, et tous se levèrent pendant que les Conseillers apparaissaient en face de leurs trônes. Dégoulinants de bijoux, drapés dans des capes d'argent étincelant, le front ceint de diadèmes, ils auraient fait passer n'importe quel roi humain pour un vulgaire amateur. Le déjeuner de Sophie fit un soubresaut dans son estomac.

— Veuillez vous asseoir, annonça un Conseiller aux cheveux noirs mi-longs et dont les yeux étaient assortis aux saphirs de son diadème. (Son trône annonçait « Emery ».) Merci d'être venus si vite. Nous allons commencer par vous, mademoiselle Foster.

Elle se leva et esquissa la révérence la plus disgracieuse au monde. Oralie s'approcha de la jeune fille, posa une main sur son épaule et saisit ses doigts de l'autre.

— Répondez à mes questions avec honnêteté et il n'y aura pas de problème, l'avertit Emery.

Sophie hocha la tête : elle était si terrifiée qu'elle se demandait si elle n'allait pas être malade. Elle évitait les yeux de Bronte, consciente que si elle croisait son regard glacial, elle perdrait toute contenance.

— Où avez-vous appris l'existence et la position d'Élémentine ?

— Je ne sais pas, dit-elle d'une voix tremblante.

Emery lança un regard à Oralie, qui confirma.

— Qu'est-ce qui vous a poussée à la chercher ?

— Mon devoir d'Univers.

Sir Astin toussa derrière elle, comme insatisfait de la réponse.

— Qu'est-ce qui, dans votre devoir, vous y a fait penser ? demanda Emery.

— Honnêtement ? Ça semblait la chose à faire.

Oralie acquiesça de nouveau. Tel un détecteur de mensonge fait de chair et de sang, elle lisait les émotions de la jeune fille.

— Avez-vous la moindre idée de ce à quoi sert la Quintessence ? poursuivit Emery. Réfléchissez soigneusement à votre réponse, mademoiselle Foster, elle est cruciale.

Sophie se tritura les méninges. Il y avait quelque chose, là, une idée si brumeuse qu'elle ne parvenait pas à en tirer le sens.

— Je ne sais pas.

— Oralie ? demanda Emery lorsque l'Empathe fronça les sourcils.

— Elle est désorientée, dit-elle de sa voix fluette. Mais elle ne ment pas.

Emery acquiesça et ferma les yeux, les mains sur les tempes.

Le silence sembla durer une éternité et Sophie se demanda si elle avait parlé de travers. Emery ouvrit enfin les yeux.

— Merci, mademoiselle Foster. Vous pouvez vous asseoir.

Elle avait les jambes en coton, mais parvint à boitiller jusqu'à son siège aux côtés d'Alden.

— Sir Astin, appela Emery.

Le Mentor se leva d'un bond. Oralie regagna son trône. L'honnêteté de Sir Astin pouvait être éprouvée par un Télépathe : son esprit n'était pas impénétrable, contrairement à celui de Sophie.

— Quelles étoiles s'était-elle vu attribuer ?

— C'était, euh… (Sir Astin se racla la gorge et gigota.) Je crois qu'il s'agissait…

Le soupir d'Emery se répercuta sur les murs.

— Vous rappelez-vous, mademoiselle Foster ?

Elle bondit sur ses pieds et esquissa une nouvelle courbette maladroite.

— Oui. Argento, Auriferria, Pennisi, Merkariron, Styggis et Achromian.

Emery ferma les yeux.

— Pouvez-vous répéter cette liste, plus lentement ?

Elle obéit et remarqua que Kenric repérait les étoiles sur une carte. Il eut un haut-le-corps.

— Qui a créé cette liste ? demanda Emery avec un regard à son confrère.

— Je n'en suis pas sûr, admit Sir Astin avec un mouvement de recul. Tous les Mentors d'Univers en proposent et elle ne faisait pas partie de mes créations.

— Voilà qui tombe bien ! ironisa Bronte.

Malgré elle, Sophie leva les yeux vers l'endroit d'où provenait la voix du Conseiller. Elle frissonna. Assis sur son trône ornementé, il semblait encore plus effrayant que dans ses souvenirs.

Emery fit taire Bronte d'un geste.

— Qui lui a attribué cette liste ?

Son ton se faisait plus dur, mais son visage demeurait impassible.

— Les listes sont distribuées au hasard, bégaya Sir Astin. Pure coïncidence.

Emery ferma les yeux et se massa les tempes.

— Savez-vous s'il existe un lien entre ces étoiles et Élémentine ?

Sir Astin secoua la tête.

— Je ne sais rien d'Élémentine, à part son nom.

— Merci.

Emery fit signe à tous de s'asseoir. Le silence retomba sur la pièce.

— Que se passe-t-il ? murmura Sophie à Alden.

— Emery arbitre les débats par télépathie. Il ne se prononcera qu'une fois un consensus atteint, de façon à préserver l'image d'unité du Conseil.

La jeune fille comprenait la logique, mais elle avait de la peine pour Emery. Nul doute qu'il lui faudrait une sacrée aspirine après cela.

— Il suffit ! tonna Emery en brandissant les mains comme des pancartes de stop après ce qui sembla à Sophie une éternité.

— Nous avons pris une décision. Elle n'est pas unanime… (Il lança un regard noir à Bronte.) Mais dans le cas présent, cela n'est pas nécessaire. Veuillez vous lever, mademoiselle Foster.

Elle s'appuya sur Alden.

— Ce que vous avez fait était très dangereux et enfreint une de nos lois les plus fondamentales. Cependant, nous ne pensons pas que vos actes aient été délibérés, et pour cette raison, vous ne serez pas tenue responsable. Vous regagnerez Foxfire dès demain et aucune mention ne sera faite de cette audience.

Sophie reprit son souffle. Alden lui pressa la main.

Elle était sauve. C'était fini.

— Nul ne connaîtra les détails de cet incident, ni le degré d'implication de mademoiselle Foster, poursuivit Emery en s'adressant au reste de l'assistance. La version officielle sera qu'une substance suspecte a été détectée, prélevée et détruite. Aucun détail supplémentaire ne sera communiqué. Est-ce clair ?

Tous murmurèrent leur assentiment.

— Bien. Lord Alden ?

Alden soutint le regard d'Emery avec un signe de tête.

— Merci de votre assistance dans cette affaire. (Emery fit signe à tous de se lever.) Voilà qui conclut l'audience.

— Je suis vraiment désolée, répéta Sophie pour la millionième fois à Grady, Edaline et Dex lorsqu'ils la retrouvèrent avec Alden à la sortie de la Salle du tribunal.

Elle aurait souhaité ne jamais avoir à remettre les pieds dans cet endroit terrifiant. Mais elle serait obligée d'y revenir à la fin de l'année, elle le savait. Ses genoux tremblaient à cette seule pensée.

Dex sourit.

— Tu veux rire ? C'était le jour le plus cool de toute ma vie ! J'ai enfin pu voir Éternalia et Foxfire a été évacuée !

J'avais manqué l'incident du Grand Gulon il y a trois ans, mais je parie que ce n'était rien à côté de ça.

— Qu'est-ce que c'est que cet incident du Grand Gulon? demanda Sophie.

Alden s'éclaircit la gorge.

— Peut-être pourrions-nous en discuter une autre fois? Sophie et moi avons encore quelques détails à régler ensemble.

Il échangea un bref regard avec Grady, qui hocha la tête.

— Nous ramenons Dex chez lui. Où veux-tu que je dise qu'il a passé l'après-midi?

Pendant que les adultes se concertaient sur la version à adopter, Dex se pencha vers Sophie. Un énorme sourire creusait ses fossettes.

— Est-ce que Fitz saura ce qui s'est réellement passé aujourd'hui?

— J'en doute.

— Excellent. Je sais enfin quelque chose que le petit génie ignore.

Elle ne put s'empêcher de rire.

— Allons, Dex, il est temps de rentrer, intervint Grady, avant de se tourner vers Sophie avec un sourire. On se retrouve à la maison, jeune fille.

Tout le monde s'éclipsa, laissant l'adolescente seule avec Alden.

— Viens, Sophie. Marchons un peu.

Chapitre 33

Alden la conduisit sur les berges de la rivière qui se frayait un chemin tortueux au cœur d'Éternalia.

— Sais-tu comment on appelle ces arbres? demanda-t-il en désignant les troncs monumentaux qui les entouraient.

L'écorce brun-rouge formait des tresses sous le feuillage vert camouflage qui se déployait en éventail.

— Non, admit-elle.

Elle en avait déjà vu – il y en avait même quelques-uns à Havenfield – mais jamais l'idée ne lui était venue de se renseigner à leur sujet.

— Leur nom complet est *Purfoliage palmae*, mais tout le monde les appelle les purs, parce que leurs feuilles filtrent l'air et chassent toute pollution ou impureté. Chaque maison, chaque ville en compte au moins un spécimen afin de préserver la qualité de l'air. Ici, ils sont tellement nombreux qu'Éternalia dispose de l'air le plus frais et le plus vivifiant au monde. (Il lança un regard soucieux au ciel, où une note de gris venait troubler le bleu.) Enfin, tant qu'il n'y a pas d'incendie à proximité, mais là n'est pas la question. Veux-tu savoir pourquoi je te demande ça?

Elle acquiesça.

— Je me disais combien il était étrange que tu ignores le nom d'un de nos arbres les plus répandus, alors même que tu connais le nom et la position d'une étoile dont seuls quelques-uns d'entre nous ont entendu parler, et que seuls les Conseillers savent localiser.

Elle fixa ses pieds.

— Je ne sais pas comme ça se fait. Je vous le jure.

— Je sais, Sophie. Personne ne te reproche ce qui s'est passé. Mais nous nous inquiétons de savoir ce que ton esprit pourrait encore renfermer.

Elle redressa la tête.

— Vous croyez qu'il y a encore autre chose ?

— C'est possible. Tu as réussi à lire les runes cryptées sur les parchemins de Grady, n'est-ce pas ?

Sophie sentit son sang se glacer. Était-ce là ce que Quinlin, le jour de son arrivée, avait sous-entendu en disant qu'elle était une Gardienne ?

— Mais… comment aurais-je obtenu ces connaissances ?

— Nous n'en avons aucune idée.

Son hésitation à répondre suggérait le contraire et donnait à la jeune fille l'envie irrépressible de s'introduire dans ses pensées. Mais elle avait déjà bien assez d'ennuis. Et peut-être valait-il mieux ne pas savoir…

— C'est ce qu'Emery vous a dit à la fin ? (Elle se rappela le hochement de tête d'Alden.) Il s'est adressé à vous par télépathie, non ?

— Tu as l'œil, toi, n'est-ce pas ? (Il soupira.) Il m'a donné une nouvelle instruction à ton égard.

La jeune fille sentit son estomac se nouer.

— C'est grave ?

— Bien sûr que non. Suis-moi.

Il lui prit la main et, ensemble, ils sautèrent à la frontière d'Éternalia, où une rangée de châteaux de cristal jetait des reflets roses et orange dans le crépuscule.

— Où sommes-nous ? demanda Sophie, qui se laissait guider vers l'édifice le plus éloigné.

— Ce sont les bureaux des Conseillers. Tu as rendez-vous avec le Conseiller Terik.

Nerveuse, les jambes en coton, Sophie manqua une marche en atteignant le perron. Le père de Fitz la rattrapa juste à temps.

La porte s'ouvrit avant même qu'Alden ait frappé et un elfe aux cheveux bruns ondulés et surmontés d'un diadème serti d'une émeraude examina la jeune fille avec des yeux cobalt emplis de curiosité. Elle esquissa une révérence tremblante et Alden salua.

— Voulez-vous que je reste ? demanda-t-il.

Terik le chassa d'un geste.

— Cela fonctionne mieux en tête à tête, et vous le savez.

— Alors je reviens dans dix minutes. (Il pressa l'épaule de la jeune fille.) Détends-toi, Sophie. Tu n'as aucune raison de t'inquiéter.

Elle acquiesça, la bouche trop sèche pour parler.

Terik la fit entrer dans un salon ovale adjacent au vestibule. D'un signe, il lui indiqua de prendre place sur l'un des fauteuils moelleux, puis s'assit en face d'elle.

— Alden t'a-t-il expliqué pourquoi tu es ici ?

Elle secoua la tête, incapable de retrouver l'usage de la parole.

Il laissa échapper un rire doux et agréable, qui résonna contre les parois de cristal et leva l'ambiance lourde qui pesait sur la pièce.

— Inutile d'avoir peur. Je m'apprête à te faire une faveur. Des parents m'implorent d'en faire de même avec leurs enfants et je refuse. Ça crée trop de problèmes. (Il soupira.) Quel fardeau que d'être le seul Discerneur!

Il semblait attendre une réaction, aussi acquiesça-t-elle de nouveau.

— Tu n'as aucune idée de quoi il retourne, n'est-ce pas?

Elle hésita une seconde avant de secouer la tête.

— Comme c'est rafraîchissant! Cela signifie que je peux détecter le potentiel. Tu comprends donc pourquoi les parents me harcèlent pour que je rencontre leur progéniture. J'acceptais, autrefois, avant de remarquer combien les conséquences pouvaient être néfastes. Le potentiel n'a de valeur que s'il est exploité, tu ne crois pas?

Elle se racla la gorge en se rendant compte qu'elle n'avait toujours pas prononcé le moindre mot depuis son arrivée.

— En effet.

— Elle parle! Je commençais à me demander si tu avais avalé ta langue. (Il sourit.) Je sais que tu es nerveuse, Sophie, mais je t'assure que tu n'as aucune raison de t'inquiéter. Étant donné les circonstances exceptionnelles d'aujourd'hui, le Conseil a décidé qu'il serait intéressant que je me fasse un avis précis sur toi. C'est indolore, je te le promets. Tout ce que j'ai à faire, c'est te tenir les mains et me concentrer. Tu crois que tu pourras supporter cette épreuve?

Il lui tendit les mains.

Elle hésita une demi-seconde avant de poser ses paumes sur les siennes. Quelque part en son for intérieur, elle redoutait ce qu'il allait découvrir, mais elle comprenait également qu'elle n'avait pas le choix. Quand elle le vit fermer les yeux, Sophie prit une profonde inspiration et se mit à compter pour se calmer.

Cinq cent treize secondes s'écoulèrent avant qu'il n'ouvre enfin les paupières.

— Fascinant, murmura-t-il, le regard dans le vague.

Encore 327 secondes avant qu'il ne lâche ses mains et se lève.

— Incroyable.

— Puis-je savoir ce que vous avez perçu? demanda-t-elle à voix basse.

— Je te le dirais si je savais comment le formuler. J'ai ressenti quelque chose... de fort. Mais je ne saurais dire de quoi il s'agit.

Elle connaissait déjà la réponse, mais elle ne put s'empêcher de demander:

— C'est déjà arrivé auparavant?

— Non. C'est une première, indéniablement.

Il se dirigea vers la porte, qu'il ouvrit avant qu'Alden ait pu frapper. Le père de Fitz les regarda à tour de rôle.

— Tout s'est bien passé?

— Intéressant, murmura Terik, l'esprit ailleurs.

Devant son mutisme, Alden se tourna vers Sophie.

— Prête à rentrer?

Elle acquiesça. Terik ne lui dit pas au revoir. Lorsque la lumière les emporta, le Discerneur se tenait toujours au même endroit, perdu dans ses pensées.

Une fois à Havenfield, Alden lui tendit un paquet enveloppé dans du papier vert.

— Le Conseil a aussi insisté pour te confier ceci.

Elle déballa l'épais carnet pervenche et effleura des doigts l'oiseau d'argent gravé sur la couverture. De longues pattes de grue, une queue aussi grande que celle d'un paon et un cou incurvé qui rappelait le cygne.

— Il est magnifique.

— C'est un journal mémoriel. (Il ouvrit le volume pour en révéler les pages blanches et lisses.) Est-ce que Tiergan t'a montré comment projeter?

Elle hocha le menton.

— Bien. Le Conseil tient à ce que tu gardes une trace de tous tes souvenirs, afin de voir si certains n'appartiendraient pas à quelqu'un d'autre.

— Comment dois-je m'y prendre?

Ils ne pouvaient quand même pas lui demander d'enregistrer l'intégralité de sa mémoire, c'était impossible!

— Contente-toi d'enregistrer tout ce qui te semble important. Ainsi que tous les rêves dont tu te souviens.

Elle se mordit la lèvre.

— Même les cauchemars?

— Tu en fais souvent?

— Parfois.

Depuis que les cours avaient repris, ses mauvais rêves s'étaient faits plus rares, mais, encore une fois par semaine au moins, elle se réveillait en proie à des sueurs froides.

— Il m'arrive de rêver que ma famille est prise au piège dans une maison en flammes dont ils essaient de sortir.

Les images terrifiantes en tête, elle frissonna.

Alden se tut un instant avant de dire avec douceur:

— Ta famille est en sécurité, Sophie. Tu n'as aucune raison de t'inquiéter pour eux.

Elle le regarda dans les yeux.

— Vous ne voulez pas me dire ce qui se passe avec ces feux?

Il recula d'un pas, comme s'il ressentait le besoin de mettre de la distance entre elle et sa question.

— Est-ce qu'ils ont un rapport avec moi?

317

Elle retint son souffle : il semblait réfléchir à sa réponse.

— Je… je ne sais pas, finit-il par murmurer. C'est pourquoi ce journal est si important. J'y jetterai régulièrement un œil pour voir s'il révèle quoi que ce soit d'utile. Prends bien soin d'enregistrer tes cauchemars.

Elle acquiesça.

— C'est bien. (Il l'attira à lui pour la serrer d'un bras, avant de se figer.) Tu n'as pas parlé à tes tuteurs de ces mauvais rêves, dis-moi ?

— Non. Pourquoi ?

— Jolie est morte dans un incendie. Ils ne t'ont rien dit ?

Elle secoua la tête.

— Ils ne parlent jamais d'elle. Je ne crois pas qu'ils savent que je suis au courant.

Le visage d'Alden s'assombrit.

— C'est difficile pour eux. Tu n'imagines pas à quel point. Mourir est monnaie courante chez les humains. Alors que pour nous… (Son regard se perdit au loin.) La maison de son fiancé a pris feu. Il a tenté de la sauver, mais il n'en a pas eu le temps. Il a tout juste pu en réchapper lui-même, et encore…

Il ne termina pas sa phrase, mais Sophie put lire dans ses yeux que la fin n'était pas gaie. Elle s'efforça de ne pas visualiser l'horreur qu'il lui décrivait. Mourir brûlé vif – elle frémit rien que d'y penser.

— Je ne leur parlerai pas des cauchemars, c'est promis.

— Merci, Sophie.

Il lui adressa un sourire triste et disparut.

La jeune fille monta directement à sa chambre et ferma la porte derrière elle.

Projeter ces affreux rêves dans le journal n'avait rien de difficile. Les revoir avec une telle netteté, en revanche, l'horrifiait. Son corps tout entier se mit à trembler devant la vision de sa famille terrifiée, encerclée par la fumée et les flammes. Elle referma le journal d'un geste brusque et le cacha derrière une étagère afin que personne ne puisse le trouver.

Dans une tentative désespérée d'oublier ces images épouvantables, elle attrapa son vieil album et grimpa sur son lit. Elle n'avait pas ouvert le livre depuis que Dex l'avait feuilleté.

Elle ne passa même pas la couverture.

Quand Edaline entra, l'adolescente avait toujours le regard rivé sur l'album clos.

— Tout va bien ?

Sophie sursauta et pressa aussitôt le volume contre sa poitrine.

— Ça va, répondit-elle plus vivement qu'elle n'en avait l'intention.

Sa tutrice fronça les sourcils.

— Le dîner t'attend en bas.

Le simple fait de penser à la nourriture retourna l'estomac de la jeune fille.

— Je n'ai pas vraiment faim. Mais merci.

— Oh... d'accord. (Edaline s'assit à côté d'elle sur le lit.) Il s'est passé quelque chose avec Alden ? Tu veux m'en parler ?

Elle tendit la main pour effleurer le bras de Sophie, mais l'adolescente tressaillit – elle craignait qu'Edaline ne touche son album.

L'elfe retira sa main, incapable de regarder Sophie dans les yeux.

— Pardon, je ne voulais pas... dit la jeune fille.

Edaline balaya ses excuses d'un geste et se releva avec un sourire forcé.

— Je comprends, tu as envie de rester seule. Je te monterai un repas plus tard, si jamais tu as faim.

Sophie la regarda s'éloigner : elle s'en voulait d'avoir heurté la sensibilité de sa tutrice. Mais elle se rattraperait un autre jour. Pour l'heure, elle avait des problèmes plus pressants à régler.

Elle prit une profonde inspiration et s'obligea à regarder une nouvelle fois la photo de couverture de son album. Elle devait s'assurer que ses yeux ne lui jouaient pas un tour.

Elle sentit l'angoisse lui nouer la gorge.

Elle était là, à onze ans, en train d'ériger un château de sable sur la plage. Mais, contrairement à ce qu'elle avait toujours cru, ce château n'avait rien d'imaginaire.

À présent, Sophie reconnaissait l'édifice. Elle l'avait visité l'après-midi même.

Les tourelles torsadées. Les arches grandioses. Une réplique exacte des châteaux de cristal d'Éternalia.

Comment avait-elle pu en bâtir un modèle réduit un an plus tôt, avant même de connaître leur existence ?

Chapitre 34

Le Conseil avait vu juste. L'information avait été implantée dans son cerveau.

L'idée paraissait si énorme que Sophie était totalement dépassée.

De ses mains tremblantes, elle arracha la photographie de l'album. Ce qui revenait à enfreindre toutes les recommandations d'Alden – et tout ce que le Conseil lui avait ordonné –, mais si qui que ce soit découvrait le pot aux roses, sa vie en serait à jamais bouleversée. Elle n'osait l'envisager.

Elle glissa la photo au cœur d'un épais volume qu'elle fourra sur l'étagère la plus haute, parmi une douzaine d'autres livres. Le cliché y serait en sûreté. Pour le moment.

Elle aurait voulu se rouler en boule et ne plus jamais se relever, mais il n'y avait pas une minute à perdre. Quelqu'un avait trafiqué son cerveau et il lui fallait retrouver ces souvenirs, avant qu'ils ne lui attirent plus d'ennuis.

Qu'est-ce qui avait bien pu lui évoquer Élémentine ?

Elle sortit sa carte stellaire et plaça les étoiles de sa liste sur une page – comme elle avait vu Kenric le faire à l'audience. Les six astres formaient deux lignes, qui pointaient droit sur Élémentine.

La chambre se mit à tournoyer autour d'elle.

Impossible que ce soit fortuit, la liste avait forcément été créée à son intention. Ce qui signifiait qu'on voulait qu'elle trouve Élémentine.

Mais qui ? Et pourquoi ?

Et quel serait leur prochain objectif ?

Elle passa une nuit blanche à projeter tout ce qui lui revenait à l'esprit dans son journal mémoriel, mais lorsque l'aube pointa, elle n'était pas plus avancée. La jeune fille était sûre d'une seule chose : elle se devait de garder le secret. Si le Conseil apprenait qu'on avait trafiqué son cerveau, jamais ils ne la laisseraient rester à Foxfire, Bronte y veillerait personnellement. Ils pourraient même déclarer qu'elle constituait une menace... Elle n'osa imaginer ce qu'ils lui feraient subir dans ce cas.

De plus, il n'était pas dit qu'elle ne représentait aucun danger. Elle avait failli faire sauter l'école – ou pire. Et si cette liste avait justement servi ce dessein ?

Aucun endroit ne semblait assez sûr pour y cacher le journal mémoriel, aussi le fourra-t-elle au fond de sa sacoche afin de le garder sur elle en permanence. Pas un seul de ses amis ne remarqua à quel point elle était anxieuse. Ils étaient habitués à la voir peiner en éducation physique, et pendant le déjeuner ils étaient trop distraits par toute la pression qu'ils subissaient pour manifester leurs pouvoirs. Ce n'est qu'une fois face à Tiergan qu'elle regretta de ne pas s'être fait porter pâle.

— As-tu seulement dormi cette nuit ? demanda le Mentor lorsqu'elle s'affala sur sa chaise.

— Non.

Inutile de mentir. Elle s'était vue dans le miroir. Ses cernes rivalisaient avec ceux d'Edaline.

— Je m'y attendais. (Il se racla la gorge.) Alden m'a relaté les événements d'hier.

Elle aurait dû s'en douter. Ce qui voulait dire qu'il était au courant de son devoir spécial. Elle attrapa son sac, comme si le fait de le serrer pouvait protéger les secrets qu'il renfermait.

— As-tu commencé ton journal mémoriel ? demanda-t-il, confirmant ses craintes.

Elle hésita un instant avant de lui répondre.

— J'imagine que tu n'as pas envie de me le montrer.

Le silence s'éternisa jusqu'à ce que Tiergan sorte un éclaireur noir de sa poche.

— Concentre-toi, lui intima-t-il, et une vague de lumière bleue les emporta.

Le bruit martela son cerveau à l'instant même où le décor se matérialisait en scintillant.

— N'oublie pas le bouclier ! cria Tiergan en la voyant se boucher les oreilles pour chasser la douleur.

Elle ferma les yeux et repoussa le bruit de son esprit. Le chaos se dissipa, et elle retrouva son souffle. Tiergan la guida vers un banc où elle se laissa glisser, épuisée.

Il s'assit à côté d'elle.

— Bienvenue à Los Angeles. En fait, je crois qu'on appelle cet endroit Hollywood.

Six mois qu'elle n'avait pas revu des humains – assez pour oublier la circulation, la pollution et les ordures. Son estomac se noua.

— Euh… on ne risque pas de se faire remarquer ? demanda-t-elle en tirant sur sa cape ridicule.

— Ici ?

De l'autre côté de la rue, Spider-Man et Batman posaient pour des photos devant le *Mann's Chinese Theatre*.

— Hmm… je suppose que non. (À vrai dire, ils ne détonnaient pas le moins du monde.) Qu'est-ce qu'on fait ici ?

— On enfreint le règlement. (Tiergan brandit son éclaireur, dirigeant des rais de lumière azur vers le sol.) Seuls les cristaux bleus peuvent te mener aux Cités interdites et seuls certains membres de la noblesse ont le droit de s'en servir. Le mien m'a été confié quand je travaillais pour le Conseil, et j'ai « oublié » de le rendre au moment de ma démission. Ce voyage sera donc notre petit secret, d'accord ?

Elle acquiesça.

— Je viens ici de temps en temps. Je ne suis pas censé le faire, mais les observer donne matière à réflexion. (Il désigna les humains qui parcouraient les rues, ignorant les deux elfes assis parmi eux.) Nous nous sommes coupés du monde, nous avons disparu dans la lumière. C'est plus facile d'oublier combien nous sommes semblables. Ou comme nous pourrions l'être – sans leur entêtement.

Il marqua une pause, comme s'il attendait qu'elle intervienne. Mais elle ne savait que dire.

— Est-ce que ta vie humaine te manque ? lui demanda-t-il.

Elle repensa à toutes les migraines, à la peur de la découverte, à ce sentiment d'inadéquation qui était toujours le sien, et ouvrit la bouche pour répondre non. Au lieu de quoi, « Ma famille me manque parfois » passa la barrière de ses lèvres.

Le visage de son Mentor se radoucit.

— C'est bien, Sophie. Toi, plus que quiconque, ne devrais jamais oublier d'où tu viens. Si jamais tu as besoin de te rafraîchir la mémoire, fais-moi signe et je t'amènerai ici.

Elle hocha la tête.

— Tu te demandes peut-être pourquoi tu étais cachée parmi les humains ?

Son esprit sauta malgré lui à Prentice.

— Mes vrais parents voulaient sans doute se débarrasser de moi, murmura-t-elle.

Tiergan ferma les yeux, ses traits déformés par la tristesse.

— Crois-moi, Sophie, personne ne s'est « débarrassé » de toi. Ne sais-tu pas à quel point tu es spéciale ?

— Oui, assez spéciale pour qu'on me colle des informations secrètes dans la tête sans me demander mon avis, marmonna-t-elle.

Ce qui était probablement la raison pour laquelle Prentice l'avait abandonnée. Qui voudrait d'un monstre pour fille ?

À moins qu'il n'ait implanté lui-même l'information dans son cerveau ? Elle serra les poings.

— Ce n'est pas la seule raison, crois-moi. (Le Mentor chassa toute lassitude de sa voix.) T'es-tu rappelé quoi que ce soit d'autre depuis l'audience ?

Elle regarda une fourmi parcourir le trottoir sale.

— Je comprendrai si tu ne te sens pas prête à en parler. Mais n'aie pas peur d'explorer tes souvenirs. Ils pourraient bien être la seule clef pour comprendre qui tu es vraiment.

— Et si je suis quelqu'un de mauvais ? murmura-t-elle, mettant enfin des mots sur la peur qui la consumait depuis la veille.

— Je puis te certifier que ce n'est pas le cas, promit-il.

Elle secoua la tête, incrédule.

— Que savez-vous de Prentice ?

Tiergan s'agita sur son siège.

— Je sais que c'est classé secret, mais je mérite de savoir qui il était, je pense. (Elle prit une profonde inspiration et rassembla son courage.) C'était mon père, n'est-ce pas ?

Le Mentor eut le souffle coupé.

— Bien sûr que non. Qu'est-ce qui te fait croire une chose pareille ?

— Il était Gardien, on l'a exilé à cause de moi. Ce n'est pas difficile de faire le lien.

— Regarde-moi, Sophie, dit Tiergan, qui attendit qu'elle s'exécute. Prentice a été exilé pour avoir caché ton existence, pas parce qu'il en était responsable.

— Que voulez-vous dire ?

Il hésita. Elle voyait bien qu'il était en proie à une lutte intérieure : jusqu'où pouvait-il aller dans ses révélations ?

— Je vous en supplie, murmura-t-elle. Tout le monde refuse de me parler de mon passé.

Il soupira et détourna les yeux. Lorsqu'il reprit la parole, ses mots semblaient précipités, comme s'il se forçait à les dire avant de changer d'avis.

— Prentice était Gardien pour un groupe appelé le Cygne Noir, et l'information qu'il cachait, c'était toi. Où te trouver. Je l'avais prévenu qu'aider le Cygne Noir aurait des répercussions, mais il refusait de m'écouter. Et lorsqu'il a été capturé, il a sacrifié sa santé mentale pour te maintenir à l'abri. Maintenant, il vit en exil, l'esprit en mille morceaux, détruit.

— C'est pour ça que vous en voulez tellement à Alden ?

Il acquiesça.

— C'est Alden qui l'a retrouvé. J'ai plaidé la clémence au nom de Prentice, mais le Conseil exigeait de savoir ce qu'il dissimulait dans son esprit. Alden a supervisé ce qu'on appelle le brise-mémoire. C'est une sorte de sondage qui vise à pulvériser la santé mentale d'un individu afin d'accéder à ses souvenirs cachés.

Sophie frémit. Elle ne pouvait imaginer Alden exécuter un tel ordre – à moins d'être persuadé d'avoir raison. Mais pourquoi Prentice avait-il refusé de leur révéler où elle se trouvait ?

— Qu'est-ce que c'est exactement, le Cygne Noir ?

— Une source d'embarras pour notre société. (Il tritura l'ourlet de sa cape.) Leur nom est métaphorique. Des milliers d'années durant, les humains furent convaincus que le cygne noir était une impossibilité biologique. Alors, quand on en a découvert un, il est devenu le symbole de ce qui existe en dépit des règles. Dans notre monde, un petit groupe d'insurgés en a pris le nom. Une rébellion qui couvait, un cygne noir, dans une société où les troubles ne sont pas censés exister.

— Comment se fait-il que vous en sachiez tant à leur sujet ? ne put-elle s'empêcher de demander.

— Tu n'es pas la seule à préférer garder tes secrets.

Sophie déglutit. Elle en savait tellement peu sur son Mentor préféré. Il ne pouvait tout de même pas être impliqué dans quelque chose de… néfaste ?

Non. Tiergan comptait parmi les êtres les plus gentils qu'elle connaisse. Il ne pouvait pas être mauvais.

— Donc, le Cygne Noir, ce sont les méchants, en quelque sorte ? murmura-t-elle, les yeux rivés sur ses mains. Et s'ils ont un rapport avec moi…

Elle ne put se résoudre à aller au bout de sa pensée. Tiergan lui saisit les mains et attendit qu'elle relève le menton.

— Quoi que puisse être le Cygne Noir, il n'a rien à voir avec qui tu es. Quand je te regarde, je ne vois que de la bonté. Tu t'es dénoncée après avoir triché. Tu as même choisi d'effectuer ta punition alors que tu n'y étais pas obligée. Ce qui se trouve dans ton esprit n'est que de l'information. Et quels que soient les secrets dissimulés dans ton passé, ils ne changent pas la jeune fille que tu es devenue. Le moment venu, je ne doute pas que tu prendras les bonnes décisions.

Les paroles du Télépathe constituaient un baume plus efficace que les remèdes utilisés par Elwin pour soigner ses brûlures.

— Merci, Tiergan… Je tâcherai de m'en souvenir, répondit-elle, émue.

Elle ne savait pas trop quoi faire des autres informations qu'il lui avait données. Tous ces fragments appartenaient à un puzzle qu'elle n'était pas sûre de vouloir résoudre. Elle les mit donc de côté et se raccrocha à l'espoir que Tiergan avait raison – qu'elle était quelqu'un de bien. Tant que cela restait vrai, elle pourrait presque tout affronter.

En dépit des encouragements de Tiergan, Sophie ne se sentait pas prête à révéler ses secrets à qui que ce soit. Surtout pas à Bronte.

Elle gardait le journal mémoriel sur elle en permanence et ne le sortait de sa sacoche que lorsqu'elle se trouvait seule. Grady et Edaline avaient l'habitude de la voir partir travailler son alchimie dans les grottes, aussi ne s'inquiétaient-ils pas lorsque, tous les jours après la classe, elle disparaissait avec Iggy. Quant à Dex, il était trop pris par les exercices supplémentaires de détection des pouvoirs pour se rendre compte qu'il la voyait moins souvent. La seule qui semblait soucieuse vis-à-vis de Sophie était Biana.

Un jour, elle coinça la jeune fille dans un couloir de l'école.

— Tu me fais la tête ?

— Quoi ? Non. Pourquoi ?

— Tu n'es pas venue à la maison depuis au moins trois semaines. Depuis l'évacuation de l'école, en fait.

Sophie n'avait vraiment pas vu le temps passer.

— Désolée. J'étais super occupée.

— Tu veux venir ce week-end ?

— Je ne suis pas sûre de pouvoir.

Elle craignait qu'Alden ne l'interroge sur son journal mémoriel.

— La semaine d'après, alors ?

— Euh… d'accord.

Son amie semblait insister, et puis Sophie pourrait toujours annuler par la suite.

Biana se redressa comme si on l'avait soulagée d'un poids.

— Génial ! Je préviendrai mes parents, qu'ils s'arrangent pour être là.

— Oh… Bien.

Son sourire ressemblait sans doute plus à une grimace.

Sophie savait bien qu'elle réagissait de façon exagérée. En dehors d'Élémentine et de la photo du château de sable, elle n'avait rien trouvé de concluant. Elle avait parcouru son album à l'affût du moindre élément vaguement elfique, enregistré chaque rêve, mais rien ne semblait assez important pour être dissimulé. Élémentine constituait-elle un incident isolé ? Elle n'abandonnait pas ses recherches, mais peut-être n'avait-elle pas besoin de s'inquiéter autant pour son journal.

Elle maintint donc son rendez-vous avec Biana et se rendit à Everglen. Elle eut l'impression de rentrer chez elle.

Ils jouèrent à la conquête et cette fois elle fit équipe avec Fitz. Il sembla un peu envieux lorsque Sophie lui décrivit sa méthode pour remonter les pensées jusqu'à un endroit précis. Elle essaya de lui apprendre, mais il ne parvenait pas à maîtriser la technique, aussi se chargea-t-elle de la traque, lui transmettant les positions de Keefe et Biana afin qu'il marque leurs adversaires. Le cerveau de Fitz lui semblait tellement familier après toutes les transmissions effectuées à travers le campus durant ses séances de télépathie qu'il lui fallait très peu de concentration pour le trouver.

Après avoir perdu trois manches d'affilée, Keefe refusa de poursuivre le jeu à moins de faire équipe avec Sophie. Elle accepta et transmit les coordonnées de leurs cachettes à Fitz afin de perdre: elle ne voulait pas éveiller les soupçons. Keefe semblait au bord de l'explosion lorsque Fitz le marqua une deuxième fois, et il passa le reste de la soirée à grommeler une histoire de conspiration. Sophie rit à s'en tenir les côtes. Elle ne pouvait croire qu'elle avait laissé son angoisse l'empêcher de s'amuser ainsi pendant plus d'un mois.

D'autant qu'Alden ne demanda pas une seule fois à voir le journal de la jeune fille. Avec son épouse, il l'embrassa, l'invita à revenir plus souvent et s'éclipsa le reste de la journée pour affaires. Pour une fois, elle n'eut pas envie de savoir où.

Sophie en avait fini avec les questions. Fini, les enquêtes secrètes – non qu'elle en eût beaucoup fait, d'ailleurs. Elle ne tenait pas à déclencher accidentellement de nouveaux souvenirs. L'ignorance était plus sûre.

Ce qui se tramait demeurait le problème du Conseil, pas le sien. Elle ne se laisserait plus contrôler par la peur.

Elle réussit à tenir un mois entier sans s'inquiéter inutilement, avant que Dame Alina ne prononce les deux mots les plus terrifiants qui soient: « examens finaux ».

Plus que trente jours avant les épreuves. Et même si elle réussissait, il lui faudrait encore affronter une autre audience, où le Conseil, c'est-à-dire Bronte, déciderait une bonne fois pour toutes de son avenir à Foxfire. Le simple fait d'y penser lui donnait la nausée.

L'alchimie demeurait sa bête noire, mais elle se débattait également avec l'élémentalisme et l'éducation physique

– autant de disciplines où il lui fallait accomplir des choses, et non seulement les apprendre. Elle n'avait toujours pas trouvé comment déconnecter la zone de son cerveau qui lui criait que la lévitation était impossible, que la foudre ne pouvait se mettre en bocal, ou que la loi de conservation des masses était un principe scientifique légitime – ce qui ne cessait de la perturber.

Dex la harcelait depuis des mois afin qu'elle essaie un élixir de son invention appelé têtalaise, qui contenait du limbium, un minéral rare censé éclaircir l'esprit. Elle avait résisté, puisqu'elle ne pouvait l'utiliser pendant les examens, mais peut-être était-ce comme pour le vélo : il fallait d'abord en passer par les petites roues.

Dex sembla pris de vertige lorsqu'elle lui en demanda un flacon – sans doute parce que le manque d'adresse de Sophie l'avait mené à la défaite lorsqu'ils avaient fait équipe en éducation physique. Il lui en apporta de quoi tenir une semaine dès le lendemain matin.

Elle avala d'un trait le sirop étrangement froid et grimaça. Un frisson parcourut sa gorge.

— Je ne sens pas de différence.

Dex s'esclaffa.

— Attends un peu. Ton organisme a besoin de temps pour l'absorber.

— En attendant, je ferais sans doute mieux d'enfiler mon uniforme.

Elle se dirigeait vers son casier, quand tout à coup son esprit s'embruma. Elle s'appuya contre le mur.

— Je crois qu'il y a un problème.

Elle n'aurait su décrire ce qui lui arrivait, mais ce malaise n'augurait rien de bon.

Dex se précipita à ses côtés.

— Tu n'as pas l'air très bien.

— C'est parce que je ne me sens pas très bien.

Elle ferma les yeux – sa vision brouillée lui donnait la nausée – et tira sur ses vêtements. Il faisait beaucoup trop chaud pour porter une cape.

— Attends, laisse-moi t'aider, dit Dex en dégrafant l'étoffe. Qu'est-ce qui ne va pas?

— Je n'en sais rien. (Elle tenta d'enlever son gilet.) J'ai la peau en feu.

— Ouh là! Qu'est-ce que c'est que ça? demanda Dex, le doigt pointé sur d'énormes boutons rouges qui couvraient les bras de la jeune fille.

— Oh non! haleta Sophie en s'effondrant. Une allergie…

Dex la rattrapa avant qu'elle ne heurte le sol.

— Une allergie? C'est quoi?

Elle voulait lui expliquer, mais un poids lui écrasait la poitrine et la privait d'air. Autour d'elle, le monde tournoya encore plus fort et sa vision s'assombrit.

— Tiens bon. Je t'emmène voir Elwin.

Elle se sentit hissée par-dessus l'épaule de Dex, puis ils se mirent en mouvement. Il était costaud, mais comme ils faisaient la même taille et presque le même poids, ils progressaient lentement. Peut-être trop. La peur s'installa dans chacun de ses muscles, la fit trembler.

Puis quelqu'un l'attrapa, la berça dans ses bras. Elle entendit une vague discussion – une dispute, peut-être – puis le mouvement reprit, plus rapide. Elle était bien trop faible pour saisir ce qui se passait. Elle sentit un tiraillement à l'estomac et une brûlure à la gorge, puis elle perdit connaissance.

Chapitre 35

— N'essaie pas de parler, Sophie, murmura une voix familière lorsqu'elle battit des paupières.

De toute façon, entre sa gorge rêche comme du papier de verre et le corps étranger qu'était devenue sa langue, elle n'aurait pas pu prononcer un mot. Elle concentra son regard flou sur la tête échevelée qui planait au-dessus d'elle.

— Hoche le menton si tu m'entends, lui ordonna Elwin.

Elle acquiesça, surprise par la quantité d'énergie qu'exigeait un mouvement aussi simple.

— Première bonne nouvelle de la journée!

Le sourire d'Elwin n'effaça pourtant pas l'inquiétude dans ses yeux. Il porta un petit flacon aux lèvres de la jeune fille.

— Tu veux bien avaler ça, s'il te plaît?

Quelques gouttes dégoulinèrent au coin de sa bouche, mais elle réussit à ingurgiter le reste.

— C'est bien, Sophie.

Il lui essuya le visage avec un morceau d'étoffe et apposa une compresse fraîche sur son front.

— Repose-toi pour le moment, d'accord?

Elle acquiesça de nouveau, épuisée par l'effort. Le liquide tiède apaisa son mal de gorge et se répandit en elle avec un doux fourmillement. Passé quelques minutes, elle retrouva ses capacités de déglutition.

— Qu'est-ce qui s'est passé?

— Je ne sais pas trop. D'après Dex, tu lui as parlé d'allergie. Il pense que c'est dû au limbium contenu dans la solution qu'il t'a donnée, car tu n'en as jamais pris auparavant.

Ses souvenirs brumeux se précisèrent.

— Où est Dex?

— Je l'ai fait attendre dehors avec Fitz, le temps de maîtriser la situation. On ne pouvait décemment pas accueillir des spectateurs.

Fitz?

Elle se rappelait vaguement avoir été transportée par des bras musclés. S'agissait-il de lui? Elle allait poser la question lorsqu'elle saisit enfin les paroles d'Elwin.

— Que voulez-vous dire?

— Ne t'en fais pas, j'ai nettoyé tout le vomi. Mais tu vas devoir changer de chemise.

Elle se redressa d'un coup.

— J'ai vomi?

— Partout, oui. Un spectacle inédit! On ne s'ennuie jamais avec toi, pas vrai? Mais ne t'inquiète pas, ça ne me dérange pas... Fitz non plus, d'ailleurs. Ce n'était que sa tenue de sport.

Elle avait vomi sur Fitz?

— Oh non! gémit-elle.

Était-il possible de littéralement mourir de honte?

— Que se passe-t-il? Tu as mal quelque part?

— Non, geignit-elle.

Elle aurait voulu se cacher sous les couvertures et disparaître. À présent, Sophie sentait l'odeur rance de son uniforme et elle n'aurait su dire ce qui était le pire : savoir qu'elle empestait ou que Fitz lui-même était aussi imprégné de cette puanteur, par sa faute.

— Pourquoi ? Pourquoi fallait-il que ça arrive ?

— Je ne m'y connais pas trop en allergies. Je n'en avais encore jamais vu… et je ne suis pas pressé d'en refaire l'expérience. Bullhorn a hurlé comme un fou quand tu es arrivée. J'ai cru mourir de peur.

Sophie grimaça.

— À ce point-là ?

Elwin se mordit la lèvre.

— C'est la première fois que Bullhorn se comporte de cette façon.

Ils furent tous les deux parcourus d'un frisson.

— Comment avez-vous su quoi faire ? demanda-t-elle d'une toute petite voix.

— Je n'avais encore jamais eu à gérer un tel cas de figure. J'ai agi d'instinct, en espérant que le traitement fasse effet. Quand Bullhorn a daigné te laisser tranquille, j'ai compris que j'étais sur la bonne voie.

— Eh bien… merci !

Le mot semblait ridicule : Elwin lui avait sauvé la vie. Mais qu'aurait-elle pu dire d'autre ?

— Ne me refais jamais un coup pareil ! Je vais te préparer un flacon de la solution que je t'ai administrée. Tu le garderas toujours avec toi… au cas où tu referais une réaction de ce genre. Et évite le limbium !

— Je ferai attention.

Il lui tendit une de ses immenses tuniques et la laissa se changer. Son uniforme souillé fut emballé sous vide afin d'enfermer l'odeur.

— Que dirais-tu d'un peu de compagnie? demanda Elwin quand elle eut fini. Fitz et Dex ne partiront pas avant de s'être assurés que tu vas mieux.

Elle se renfonça dans le lit avec un signe de tête. Comment présenter ses excuses à quelqu'un sur qui on avait vomi?

— Vous pouvez entrer, les garçons! lança Elwin.

Dex se précipita au chevet de Sophie, Fitz sur les talons. Il avait les yeux rouges et gonflés.

— Je suis désolé, Sophie. Je n'avais aucune idée que tu ferais une telle réaction. Jamais je…

— Ce n'est rien, Dex, l'interrompit-elle. Ce n'est pas ta faute. Et je vais mieux. Tu vois?

Elle tendit le bras pour lui montrer sa peau débarrassée des boutons.

Dex lâcha un profond soupir.

— Tu te sens vraiment mieux?

— Oui. Juste humiliée.

Elle prit son courage à deux mains pour lever les yeux sur Fitz. Il portait un maillot de corps blanc plutôt moulant. Sa tunique de sport avait disparu.

— Je suis vraiment désolée, Fitz. Je n'arrive pas à croire que j'ai…

Un sourire éclatant aux lèvres, il leva les mains.

— Ne t'en fais pas. Ce n'était rien comparé à la fois où le raptor d'Alvar m'a uriné dessus. Ça, c'était répugnant!

Elle aurait voulu le croire, mais elle savait qu'elle resterait à jamais la fille qui avait vomi sur Fitz. Elle n'avait qu'une envie, disparaître au fond d'un trou pour une décennie ou deux.

— Quand même. Je suis désolée.

— Tu n'as aucune raison de l'être. Je suis content de voir que tu vas mieux et d'avoir pu t'aider.

— J'aurais pu me débrouiller tout seul, répliqua Dex.

— Pitié, tu ne serais jamais arrivé à temps!

— Bien sûr que si!

Dex chercha l'approbation de Sophie.

— Je… je ne me souviens pas.

Elle voulait épargner l'orgueil de son ami, mais en son for intérieur elle savait que Fitz avait raison. Et cette pensée l'effrayait.

Dex grimaça.

— Tu as déjà eu ce genre de réaction? demanda Fitz.

— Une fois seulement, quand j'avais neuf ans.

— Avais-tu pris du limbium à ce moment-là? demanda Elwin.

— Je n'avais jamais entendu ce mot avant que Dex n'en parle. Les humains n'ont pas ce genre de produit.

— Qu'est-ce qui avait déclenché la crise, alors?

— Les médecins ont fait tout un tas d'examens, sans jamais rien trouver. Ils se sont contentés de m'injecter des médicaments et des stéroïdes en me disant de faire attention.

Elle frissonna au souvenir des seringues.

Elwin se caressa le menton.

— Honnêtement, je ne peux pas faire mieux. Tout ce que je puis te dire, c'est d'éviter le limbium et de garder ceci avec toi en permanence.

Il lui tendit un minuscule flacon noir suspendu à un cordon.

— Si jamais ça se reproduit, bois immédiatement cette solution et cours me voir.

— Entendu.

Elle attacha le cordon autour de son cou.

— Je peux aller au cours de sport maintenant?

— As-tu perdu la tête? demanda Elwin. Je te ramène chez toi pour que tu te reposes. Et inutile de protester.

Consciente qu'il n'en démordrait pas, elle se glissa hors du lit et chancela lorsque le sang afflua à sa tête. Fitz la rattrapa.

Elle rougit sous son étreinte.

— Merci…

— Tu ne devrais même pas être debout, gronda Elwin, qui lui saisit le bras et le passa autour de ses larges épaules afin de soutenir la jeune fille. Quant à vous, les garçons, vous devriez retourner en cours. Enfin, Fitz ferait peut-être bien de prendre une douche d'abord.

Dex ricana et Sophie baissa la tête.

— Je suis désolée, murmura-t-elle.

Fitz lui sourit.

— Oublie, tu veux?

— Seulement si tu oublies aussi.

— Marché conclu.

Puis Elwin pénétra dans le rayon lumineux et la chaleur les emporta au loin.

— Elwin? lança Grady, qui, lorsqu'il les aperçut, abandonna aussitôt ce qu'il faisait.

Il se précipita à leur rencontre, Edaline sur les talons.

— Que se passe-t-il?

— J'ai ramené Sophie pour qu'elle se repose. Elle a eu une sorte de crise.

— Une crise?

Edaline, visiblement paniquée, entraîna tout le monde à l'intérieur. Elwin guida Sophie vers le canapé.

— Qu'est-il arrivé?

Sophie se cacha le visage pendant qu'Elwin leur racontait toute l'histoire, mais elle ne put s'empêcher de jeter un coup d'œil entre ses doigts lorsque Grady et Edaline sursautèrent : Elwin venait de leur décrire la réaction de Bullhorn.

Les tuteurs de Sophie étaient pâles comme la mort.

— Est-ce que Bullhorn s'est allongé à ses côtés ? demanda Grady.

Sa voix semblait éteinte. Les banshees n'adoptaient ce type de comportement que quand la mort rôdait, toute proche.

— Oui, admit Elwin à voix basse. Au début il se contentait de hurler, puis il s'est tu avant de se pelotonner contre sa poitrine… J'ai cru que j'allais faire une crise cardiaque.

— Donc… elle a frôlé la mort, murmura Edaline.

Son regard tomba sur Sophie et elle écarquilla les yeux.

— Tu as failli mourir !

Sophie ne put s'empêcher de frémir.

Grady se racla la gorge et pressa la main d'Edaline.

— Mais elle est sauve à présent, n'est-ce pas ?

— En théorie. Elle est résistante. Comment aurait-elle pu survivre à de tels désastres autrement ?

Grady et Edaline restèrent impassibles.

— Elle est si pâle, chuchota Edaline.

Elle tendit une main pour effleurer Sophie, mais se retint au dernier moment.

— Elle a juste besoin de repos. Demain, tout sera rentré dans l'ordre.

— C'est déjà le cas, déclara Sophie, qui détestait voir Grady et Edaline aussi inquiets.

— Et si l'incident se reproduit ? demanda Edaline.

— Aucune chance, promit Sophie.

— Vraiment ? demanda Grady à Elwin.

— Il faut que j'étudie la question. En attendant, je lui ai donné une solution d'urgence à garder sur elle. Espérons qu'elle n'en ait pas besoin, et que dans le cas contraire, le remède s'avère efficace.

Les deux tuteurs acquiescèrent, le regard vide.

Elwin pressa le bras d'Edaline.

— Elle va bien maintenant. Du repos et un bon repas, et elle sera sur pied.

— C'est déjà le cas, insista Sophie.

Edaline hocha la tête sans conviction.

— Bien, dit Grady en se tournant vers Elwin. Nous devrions te laisser retourner à tes occupations. Merci de l'avoir sauvée.

— Je ne fais que mon travail. Et puis, Sophie est ma meilleure patiente, répondit Elwin avec un petit sourire à la jeune fille. Tâche de faire moins spectaculaire la prochaine fois, d'accord ?

— C'était peut-être ma dernière catastrophe, marmonna-t-elle.

Elwin s'esclaffa.

— Avec toi ? Jamais.

Grady pinça les lèvres. Edaline gardait les yeux fixés au sol. De toute évidence, ils se rangeaient à l'avis d'Elwin. À ceci près que la situation ne semblait guère les amuser.

Grady l'aida à monter l'escalier et Edaline lui porta un bol de bouillon au lit, mais ils avaient la tête ailleurs. Lorsque Sophie eut terminé son repas, Edaline tapa deux fois dans ses mains : la pièce se retrouva plongée dans la pénombre. Sous la lumière tamisée, les deux adultes semblaient las et hagards.

— Tout va bien ? demanda Sophie.

— Nous nous faisons du souci pour toi, murmura Edaline, le regard baissé.

Sophie ouvrit la bouche dans une tentative de les convaincre qu'elle allait bien, mais son lit moelleux et le confort de l'obscurité transformèrent ses paroles en bâillement.

— Tâche de dormir, lui intima Grady.

L'elfe borda la jeune fille pour la première fois depuis son arrivée chez eux. Était-ce la façon dont il l'avait serrée dans ses couvertures ? Ou celle dont Edaline lui avait tendu Ella ? Peut-être était-ce parce qu'elle avait frôlé la mort. Quoi qu'il en soit, lorsque Sophie se blottit contre son oreiller, elle se sentit tellement chez elle qu'elle ne put s'empêcher de chuchoter dans le silence :

— Je vous aime, tous les deux.

Mais, épuisée, elle s'assoupit avant même d'entendre leur réponse.

Chapitre 36

Un hurlement strident, à mi-chemin entre le crissement de pneus sur la chaussée et la clameur de centaines de jeunes filles hystériques, arracha Sophie à ses rêves. Elle enfila la tenue qu'elle avait l'habitude de porter pour travailler dans les pâturages et se précipita dehors pour voir si Grady et Edaline avaient besoin d'aide.

Il faisait encore sombre, mais une fois que ses yeux se furent accommodés à l'obscurité, elle aperçut un ptérodactyle doré, de la taille d'un aigle, qui tentait d'échapper à la laisse que Grady lui avait passée autour du cou. Il voltigeait dans le ciel et traînait l'elfe derrière lui, tel un poids mort, pendant qu'Edaline, assistée des gnomes, tentait de calmer les animaux à proximité.

« Kriiiiiissssss! »

Sophie se boucha les oreilles.

— Qu'est-ce que je peux faire? cria-t-elle à Grady.

— Tu ne devrais pas être debout! Retourne te coucher, Sophie. Nous n'avons pas besoin d'aide.

Grady enroula la longe autour de ses jambes pour plus de stabilité avant de tirer dessus afin de ramener la créature à lui. La bête se débattit, exploitant sa vitesse et son élan pour renverser l'elfe : elle reprenait le dessus.

« Kriiiiiisssssss ! »

Grady paraissait en mauvaise posture…

Comment la jeune fille pouvait-elle lui prêter main-forte ? Sophie fixa le ptérodactyle. Deux énormes yeux dorés la dévisagèrent en retour. Elle soutint le regard du dinosaure et une image vint lui emplir l'esprit.

Du feu.

Sans trop savoir comment, elle avait trouvé la marche à suivre. Elle fonça vers l'abri, saisit la torche d'alchimie qu'utilisait Edaline pour élaborer des solutions vétérinaires, et ressortit à toutes jambes. Une pile de feuilles d'ombre sèches gisait au milieu de la prairie, dans l'attente d'être dispersée pour nourrir les animaux. Sophie courut droit dessus pour y mettre le feu avant de pouvoir changer d'avis.

— Que fais-tu ? s'écria Edaline à l'instant où la jeune fille s'écartait des immenses flammes bleues, dont l'odeur rappelait étrangement le poulet frit.

— Qu'on m'apporte du mouchevite !

— Attendez ! lança Sophie, le doigt pointé vers le ptérodactyle, qui s'était calmé. Je sais ce que je fais.

Elle pria pour que ce fût vrai.

La créature décrivit un cercle avant de plonger la tête la première dans le brasier. Sophie ne put retenir un hurlement lorsque les flammes engloutirent son corps mordoré, mais le volatile s'ébroua comme un oiseau dans une fontaine. La jeune fille dut faire un pas en arrière afin d'éviter les étincelles.

— Mais enfin, à quoi est-ce que tu pensais ? cria sa tutrice. Qu'est-ce qui t'a pris de faire ça ?

L'elfe éloigna encore l'adolescente du brasier.

— Elle avait froid, expliqua Sophie.

Le ptérodactyle jouait toujours dans le feu.

— Froid ? demanda Grady.

Il venait de les rejoindre, couvert de boue et de brins d'herbe.

— Oui. Il lui fallait du feu.

Grady contempla sa pupille avant de se tourner vers la créature.

— Tu as raison. Je parie qu'il s'agit d'un apyrodon. Leur fourrure est ignifuge et ils ont besoin de côtoyer des flammes s'ils ne veulent pas mourir de froid. Voilà pourquoi ils sont si rares. Mais comment le savais-tu ?

— Je n'en suis pas sûre, mais je pense…

Elle rejoua la scène dans sa tête. Il ne s'agissait pas d'un souvenir induit, comme elle l'avait craint tout d'abord. C'était plutôt…

— Je crois que j'ai lu dans ses pensées. Est-ce possible ?

Grady se passa une main sur la figure.

— Je n'en sais rien. Je n'ai jamais entendu parler d'une telle chose auparavant.

— Quelle importance ? les interrompit Edaline, dont la voix avait grimpé d'une octave. Tu aurais pu te brûler ! Ou même mourir ! Alors que tu devrais être au lit pour te remettre de tes derniers démêlés avec la mort !

Sophie recula d'un pas sous le regard furieux d'Edaline.

— Je voulais juste vous aider.

— Nous n'avons que faire de ton aide, Sophie ! Ta place est à l'intérieur, à l'abri. Allez, ouste !

Elle désigna la maison. Sophie jeta un œil à Grady dans l'espoir qu'il vole à son secours : après tout, elle avait résolu le problème. Mais il était trop occupé à serrer dans ses bras son épouse tremblante. C'est alors que la jeune fille comprit.

Le feu.

La mort.

Jolie.

— Je… je suis désolée, bredouilla-t-elle, confuse. Je ne voulais pas vous causer du souci.

— Ce n'est rien, dit Grady, aussi bien à l'attention d'Edaline que de Sophie, avant de se tourner vers la jeune fille. Retourne te coucher. On en reparlera demain matin.

Il semblait calme, mais une lueur dans son regard avertit l'adolescente qu'il ne fallait pas le provoquer.

— D'accord, marmonna-t-elle, les yeux baissés. On se verra à mon réveil, alors.

Aucun des deux adultes n'ajouta quoi que ce soit et elle se dirigea vers la demeure. Pas un « bonne nuit ». Encore moins d'embrassades. Et lorsqu'elle se retourna pour leur faire signe, ils regardaient déjà ailleurs.

Au petit déjeuner, l'ambiance ne s'était pas améliorée. Grady et Edaline affichaient des sourires forcés, et ni l'un ni l'autre n'avait grand-chose à dire.

— D'où cet apyrodon est-il venu ? demanda Sophie afin de briser le silence.

— Elle s'est arrêtée sur notre terrain en criant à tue-tête, et nous nous sommes précipités pour la calmer, répondit Grady. C'est à ce moment-là que tu nous as rejoints. C'est étrange… les apyrodons vivent d'ordinaire près des volcans, voilà pourquoi je n'ai même pas pensé à recourir au feu. Gildie s'est égarée bien loin de chez elle.

— Gildie ?

— Nous avons veillé tard pour la calmer et il nous a semblé ridicule de l'appeler « apyrodon ». Quand nous avons su qu'il s'agissait d'une femelle, Edaline l'a baptisée Gildie.

— C'est un joli nom.

Edaline esquissa un rictus avant de détourner le regard.

— Tu es sûre d'avoir lu dans ses pensées ? demanda Grady.

— Comment aurais-je pu savoir autrement ? Je me disais… peut-être que je pourrais aller m'entraîner avec Gildie avant de partir en cours ?

— Hors de question ! aboya Edaline, qui bondit aussitôt sur ses pieds. Tu restes à la maison pour te reposer. Et je t'interdis d'approcher de ces animaux. Est-ce bien clair ?

— Mais je suis parfaitement remise. Et puis, je vous aide tout le temps.

— Peut-être avions-nous tort de te laisser faire. Je ne commettrai plus cette erreur. Je ne veux plus te voir dans les pâturages.

Grady évitait le regard suppliant de sa pupille.

— C'est à cause de cette nuit ? murmura-t-elle.

— Entre autres choses, reprit Edaline. Nous n'avons pas assez veillé à ta sécurité et il est grand temps d'y remédier. (Elle soupira.) Et si tu allais réviser ? Tes examens sont dans moins d'un mois.

Hélas… elle avait raison.

Sophie passa le reste du week-end à tenter de venir à bout de l'épouvantable volume sur la capture du feu que Sir Conley lui avait donné à lire avant l'incident de la Quintessence. Elle avait le sentiment que le sujet tomberait à l'examen. Mais l'ouvrage était si aride qu'elle ne cessait de prendre des pauses pour s'entraîner avec Iggy.

La plupart du temps, elle était incapable de déchiffrer son esprit, mais sans doute était-ce parce qu'Iggy agissait sans réfléchir. Comme lorsqu'il se bagarrait avec une de ses chaussettes et tombait du lit, ou quand il déchiquetait ses devoirs sans raison apparente. Pourtant, elle se demandait parfois si elle ne parvenait pas à percevoir ses pensées. Même s'il s'agissait plus d'une vague émotion que d'une réflexion concrète – ce qui semblait logique. La psyché humaine n'avait pas la même texture que celle des elfes. Peut-être chaque type de créature développait-il un esprit différent? Il lui faudrait poser la question à Tiergan pour en avoir le cœur net.

— Si quelqu'un d'autre abordait ce sujet, je m'interrogerais sur sa santé mentale! s'esclaffa Tiergan. Mais avec toi, j'ai appris que rien n'est impossible.

Sophie rougit.

— Vous ne connaissez vraiment personne capable de lire les pensées des animaux?

— Non. De même que je n'ai jamais entendu parler de transmission à distance, d'esprit impénétrable, ni de détection géographique exacte, aussi ne suis-je pas exactement surpris. À vrai dire, je me demande… Penses-tu que tu serais capable de transmettre à un animal? Ou de le pister?

— Je peux toujours essayer.

Le visage du Mentor s'éclaira.

— Oh oui, absolument! Si tu réussis, je pense qu'on pourrait considérer cet exercice comme ton examen final.

— Vous me donneriez mon année… comme ça?

— Tu possèdes les plus grands talents télépathiques que j'aie jamais rencontrés, Sophie. Je doute d'avoir le niveau pour te mettre à l'épreuve. Même si tu n'y parviens pas, je trouverai un autre prétexte pour valider ton examen. Le contraire serait une erreur.

À ces mots, elle sentit son cœur s'alléger: un examen de gagné. Plus que sept à passer.

— Je m'y mets dès ce soir, et jeudi, je vous fais part des résultats.

— J'ai hâte de les connaître.

Sophie décida de s'entraîner sur un nouvel animal et porta son choix sur leur tyrannosaure préféré. Les pensées de Verdi étaient plus définies que celles d'Iggy mais moins fortes que celles de Gildie, et lorsque la jeune fille lui envoya encore et encore une image de sa patte droite, le dinosaure finit par comprendre le message et la lever. Avant de réclamer par la pensée une caresse sur le ventre en récompense. Avec un gloussement, Sophie effleura son duvet soyeux. Elle était donc capable de communiquer par la pensée avec des animaux! Quoi de plus génial?

— Que fais-tu ici?

Sophie fit volte-face et recula d'un pas : les yeux d'Edaline flamboyaient de colère.

— Je lis les pensées de Verdi, pour un devoir. Je crois qu'elle a décidé de croquer le verminion. Vous feriez mieux de ne pas les laisser ensemble.

Elle attendit un rire, ou au moins un sourire, de la part de sa tutrice. Au lieu de quoi, l'elfe plissa les yeux.

— Il me semblait m'être bien fait comprendre : je ne veux pas te voir dehors.

Sophie avait espéré retrouver une vie normale après sa crise d'allergie, mais quatre jours plus tard, Edaline s'en tenait toujours à sa décision.

— À un moment donné, il faudra bien m'autoriser à sortir.

— Quand je te dis quelque chose, j'attends de toi que tu obéisses! aboya Edaline.

— Mais je vais bien. Arrêtez de faire comme si je pouvais mourir d'une minute à l'autre!

Soudain blême, Edaline fuit le regard de Sophie.

— Tu as raison. Je me fais trop de souci.

La douleur qui déformait les traits de sa tutrice poussa la jeune fille à adopter un ton plus calme, qu'elle souhaitait apaisant.

— Je vous promets de faire attention. Vous n'avez pas à vous inquiéter.

L'elfe se tut un long moment avant de secouer la tête.

— Je ne peux pas m'en empêcher.

Puis elle tourna les talons et regagna la demeure sans un mot de plus.

Edaline ne se joignit pas à eux pour le dîner. Sophie interrogea Grady et lui présenta aussi ses excuses. Il se contenta de la rassurer, puis se perdit dans la contemplation du paysage au dehors.

Un violent coup frappé à la porte vint briser le silence.

Sophie alla ouvrir et un Alden à bout de souffle s'engouffra dans la maison, accompagné d'une forte odeur de feu et de fumée.

Grady bondit sur ses pieds.

— Que se passe-t-il ?

— Il y a eu un imprévu.

Alden jeta un coup d'œil à Sophie avant de se tourner vers son tuteur.

— J'ai besoin de toi.

Ils se toisèrent une longue minute avant que Grady ne fasse soudain un pas en arrière, recroquevillé sur lui-même, comme s'il avait été frappé. Sophie se rendit compte qu'Alden avait en fait transmis un message à son tuteur.

La respiration saccadée, Grady s'appuya d'une main sur la table et passa l'autre dans ses cheveux.

— Je… je ne peux pas, murmura-t-il.

— Tu sais bien que je ne te le demanderais pas si j'avais le choix.

L'époux d'Edaline secoua la tête.

— Je regrette. Demande aux autres.

— Tu es le seul en qui j'aie confiance.

Les yeux fixés sur Grady, Sophie retenait son souffle. Alden semblait désespéré. Pour qu'il s'inquiète ainsi, l'heure devait être grave.

Vieilli de trente ans, Grady s'affala sur sa chaise et enfouit le visage dans ses mains.

— Je suis désolé. Je ne peux pas.

Alden ferma les yeux. Écouter les pensées de Grady ? L'implorer par télépathie ? Jamais depuis qu'elle avait triché pour l'examen d'alchimie la tentation n'avait été aussi forte de violer le code éthique des Télépathes afin de découvrir de quoi il retournait. Mais si par malheur l'Émissaire la surprenait, Bronte pourrait se servir de l'incident pour la faire exiler.

Serait-elle prise la main dans le sac ?

Elle pourrait sans doute s'introduire dans son esprit sans qu'il s'en aperçoive, mais que ferait-elle de l'information ainsi recueillie ? Quoi qu'elle fasse ou dise à ce sujet, il saurait comment elle l'avait découvert.

Le jeu n'en valait pas la chandelle.

Alden poussa un profond soupir.

— Je vais devoir trouver une autre solution, dans ce cas. Excuse-moi.

Il adressa un signe de tête à Sophie et se dirigea vers la porte.

— Attendez.

Il fallut un instant à la jeune fille pour se rendre compte que la voix qui avait parlé était la sienne. Alden se retourna et elle se racla la gorge.

— Que se passe-t-il ?

Le père de Fitz ouvrit la bouche mais Grady ne lui laissa pas le temps de répondre.

— Va te coucher, Sophie !

— Mais…

— Au lit, tout de suite !

Jamais elle n'avait vu son tuteur aussi furieux. Même Alden avait fait un pas en arrière. Elle cligna ses yeux brûlants de peine et d'humiliation et courut jusqu'à sa chambre.

Le lendemain, Grady et Edaline étaient absents lorsque Sophie descendit pour le petit déjeuner. Ils lui avaient laissé un mot sur la table : « Sortis. »

Pas de « bonjour ». Ni de « affectueusement, Grady et Edaline ». Elle s'efforça de ne pas le prendre mal… en vain.

Ils n'étaient toujours pas rentrés lorsqu'elle revint de Foxfire.

Elle avait beau vouloir s'essayer à la télépathie avec Verdi et Gildie, elle poursuivit ses révisions à l'intérieur, déterminée à se montrer coopérative.

À la tombée de la nuit, les gnomes partagèrent avec elle leur repas, qu'elle mangea seule dans sa chambre. La jeune fille commençait à s'inquiéter de l'absence prolongée de ses tuteurs. Lorsque les étoiles firent leur apparition, elle décida qu'il était temps d'appeler Alden. La porte d'entrée claqua avant qu'elle n'ait pu agir.

Elle fonça dans le couloir et se figea dès qu'elle entendit des voix chuchoter. Elle jeta un œil par-dessus la rambarde de l'escalier et entraperçut les deux adultes.

— On a pris la bonne décision, disait Grady à son épouse.

Il dégagea quelques mèches de cheveux du visage d'Edaline et l'attira à lui. Des sanglots étouffés s'envolèrent vers l'étage.

— C'est mieux pour tout le monde. Alden trouvera quelqu'un d'autre.

Les pleurs d'Edaline redoublèrent. Son mari se racla la gorge.

— Allez, viens… je t'emmène te coucher.

Sophie eut à peine le temps de regagner sa chambre. Accroupie devant la cage d'Iggy, elle lui frottait les joues à travers les barreaux lorsque Grady passa la tête par l'entre-bâillement de la porte.

— Oh, tu es réveillée!

— Je ne voulais pas me mettre au lit sans être sûre que vous étiez bien rentrés.

La culpabilité altéra les traits harmonieux de l'elfe.

— Désolé. Nous ne voulions pas t'inquiéter.

— Ce n'est pas grave. Où étiez-vous?

— Partis faire une course.

Elle fixa ses mains.

— Est-ce que ça avait un rapport avec la visite d'Alden hier soir?

— Ce ne sont pas tes affaires. Tu devrais dormir maintenant, il se fait tard.

Elle ne tenait pas à l'énerver, mais elle avait besoin de savoir.

— Il est arrivé quelque chose de grave, n'est-ce pas?

Le soupir de Grady résonna dans le silence.

— Rien qui doive te préoccuper. D'accord?

— D'accord, acquiesça-t-elle.

Mais lorsqu'elle grimpa dans son lit, la jeune fille était rongée par l'inquiétude.

Chapitre 37

— Je peux te parler ? murmura Sophie à Fitz le lendemain, sur le chemin de la cafétéria. Dans un endroit calme ?

Il sembla surpris par sa requête, mais, avec un haussement d'épaules, lui fit signe de l'accompagner. Elle sentit le regard de Dex lui brûler la nuque quand elle suivit Fitz dans le couloir.

— Que se passe-t-il ? demanda-t-il lorsqu'ils furent seuls.

— Sais-tu sur quoi ton père enquête en ce moment ?

— Pourquoi ?

Elle se concentra sur son nez afin de s'éclaircir l'esprit. Le regard aigue-marine du garçon avait tendance à lui ramollir le cerveau.

— Il y a quelques jours, il est passé à Havenfield pour supplier Grady de l'aider. L'affaire semblait importante.

— Je suis sûr qu'il n'y a pas lieu de s'inquiéter.

Elle leva les yeux au ciel. On aurait dit son père.

— Il avait l'air vraiment angoissé, Fitz. Je ne l'ai jamais vu comme ça. Sais-tu sur quoi il travaille en ce moment ?

Il hésita.

— Une histoire d'incendie… Je le sais parce qu'il empeste toujours la fumée quand il rentre. Il ne me parle pas de son travail.

— Mais il t'a envoyé à ma recherche, il doit bien se confier à toi.

Fitz jeta un œil par-dessus son épaule pour s'assurer qu'ils étaient toujours seuls.

— C'était une exception. Il avait besoin de quelqu'un proche de ton âge pour remonter les pistes qu'il avait trouvées… quelqu'un qui pourrait se fondre dans le décor. Autrement, il ne m'aurait jamais impliqué dans l'histoire.

Elle se mordit la lèvre, digérant ses propos.

— Et tu n'as vraiment pas idée de ce sur quoi il travaille ? Pas du tout ?

L'expression de l'elfe se modifia légèrement : il en savait plus qu'il ne voulait l'admettre, elle en était sûre.

— *Tu peux me faire confiance*, lui glissa-t-elle par télépathie.

Il prit une brusque inspiration.

— Ouh là ! J'avais oublié que tu étais capable de faire ça.

— *S'il te plaît*, insista-t-elle.

Elle s'était peut-être juré de ne plus fouiner après la débâcle de la Quintessence, mais cette fois la situation était grave, et Grady et Edaline s'entre-déchiraient.

— *J'ai besoin de savoir*.

Il l'interrogea du regard, puis ferma les yeux.

— Je ne devrais pas faire ça.

— *S'il te plaît*.

Il appuya la tête contre le mur.

— Concentre-toi.

Elle savait ce qu'il voulait dire. Il ne pouvait verser les informations dans sa tête : même Tiergan en était incapable. Il voulait qu'elle lise dans ses pensées. Elle ouvrit son esprit et tendit l'oreille.

— *Je l'ai entendu discuter avec Alvar*, pensa-t-il. *Il ne s'agit pas que d'un feu, mais de plusieurs centaines. Tous dans les Cités interdites. Tous démarrés le même jour. Avec des flammes d'une étrange couleur jaune fluorescent. Le Conseil a refusé de mener l'enquête, décrétant que c'était le fait d'un criminel humain, mais mon père pense que le Cygne Noir est impliqué. Alvar le prend pour un fou.*

Sophie sentit son cœur manquer un battement.

— *Des centaines d'incendies humains ? Sais-tu dans quelles villes ?*

— *Il ne me l'a pas dit. Mais je sais que c'est partout à travers le monde.*

— *Et près de chez ma famille ?*

— *Je suis sûr qu'ils sont en sécurité. Mon père est chargé de les garder à l'œil, au cas où la mémoire leur reviendrait.*

— *Alden ne m'en a jamais parlé. Mais je suis contente de savoir que quelqu'un veille sur eux. Sais-tu ce que mijote le Cygne Noir ?*

— *Aucune idée, je te le jure. Et personne ne doit savoir que je t'ai raconté tout ça. Je ne suis même pas censé être au courant.*

— *Je ne dirai rien. Promis.*

— C'est bon ? On peut aller manger maintenant ? demanda Fitz.

— Vas-y. J'ai besoin de réfléchir.

— Ne t'en fais pas, Sophie. Je suis sûr que ce n'est pas si grave.

Elle se força à sourire.

— J'ai juste besoin de cogiter.

Pourquoi le Cygne Noir mettrait-il le feu à proximité des humains, et pourquoi les flammes brillaient-elles jaune cette fois ? Pourquoi Alden avait-il besoin de l'aide de Grady ? Et pourquoi Grady avait-il refusé ?

Elle se dirigea vers l'atrium afin de changer de livres avant l'affluence. Elle n'avait guère envie de parler.

Un ouvrage l'attendait sur l'étagère centrale de son casier : *Précis de pyrokinésie*. Accompagné d'un mot : « En espérant qu'il puisse vous aider dans vos recherches. »

Elle sourit. Elle avait oublié que la bibliothécaire avait promis de lui envoyer tout ce qu'elle trouverait sur le sujet. Ce livre tombait à pic.

La séance d'alchimie s'avéra plus catastrophique encore qu'à l'accoutumée. Sophie était bien trop distraite pour se concentrer : elle réussit à transformer une partie de sa chaussure en cuivre. Lady Galvin la laissa partir plus tôt, avant que sa propre cape ne subisse un nouvel outrage. La jeune fille profita de l'intermède pour faire un tour à la bibliothèque du Niveau 6 afin de remercier la documentaliste pour sa trouvaille.

— Vous cherchez toujours des livres sur la pyrokinésie ? demanda l'elfe lorsqu'elle aperçut Sophie.

— Non, celui que vous m'avez envoyé répond à toutes mes interrogations.

— Que voulez-vous dire ?

— Le *Précis de pyrokinésie*.

Sophie se figea lorsqu'elle vit la confusion se peindre sur les traits de son interlocutrice.

— Ce n'est pas vous qui me l'avez fait parvenir ?

— Je n'en avais jamais entendu parler… et pourtant je pensais connaître tous les ouvrages sur le sujet.

— Oh ! Il doit venir d'un de vos collègues à qui j'ai parlé, alors. Je ferais mieux d'aller le remercier.

Sophie fit mine de rire.

— Prévenez-moi quand vous aurez trouvé qui vous a prêté ce volume, dit la documentaliste. J'adorerais le lire après vous.

Sophie acquiesça, puis, un sourire forcé toujours plaqué sur le visage, quitta la bibliothèque sur des jambes chancelantes.

Aucun autre documentaliste n'avait promis de lui envoyer quelque ouvrage que ce soit dans son casier. Le livre venait peut-être de l'un d'entre eux, mais Sophie pressentait qu'ils n'étaient au courant de rien.

Son soupçon se confirma une heure plus tard, lorsque, seule dans sa chambre, elle remarqua une page cornée – la première d'un chapitre – vers la fin du volume. Elle tomba sur l'illustration d'un elfe encerclé par des flammes jaune vif.

« Grand Brasier : la flamme inextinguible. »

Des souvenirs étrangers défilèrent dans son cerveau et le livre lui échappa des mains. À moitié aveuglée par le flot d'informations, Sophie tituba jusqu'à sa sacoche pour en tirer son transmetteur.

— Montre-moi Alden.

Chapitre 38

Sophie inspira profondément pour lutter contre la sensation de noyade que lui causait toujours l'aquarium du bureau d'Alden. Elle étreignit sa sacoche contre sa poitrine.

De l'autre côté du bureau jonché de papiers, Alden se racla la gorge.

— De quoi voulais-tu me parler, Sophie?

Elle ouvrit la bouche. Aucun mot ne sortit.

— Est-ce au sujet de la décision de Grady et Edaline? demanda-t-il à voix basse.

Elle secoua la tête et déglutit pour retrouver sa voix.

— Non… même si leur attitude m'inquiète. Ils agissent de façon étrange depuis votre dernière visite.

Alden détourna le regard.

— Ils ne t'ont rien dit?

— À propos des incendies? Non. Mais ce n'était pas nécessaire: je sais qu'il y en a par centaines. Je sais que les humains sont menacés. Et je sais que vous soupçonnez le Cygne Noir. Alors n'allez pas me dire qu'il n'y a pas lieu de s'inquiéter, parce que je vois bien que quelque chose ne va pas.

— La situation sera bientôt sous contrôle. Les humains éteindront les incendies et tout retournera à la normale.

Il avait beau parler avec assurance, son regard trahissait son scepticisme.

Elle arracha un de ses cils, consciente que sa réponse pourrait tout changer.

— Pas s'il s'agit du Grand Brasier.

Alden bondit sur ses pieds avant même qu'elle ait pu réagir. Il la saisit par les épaules pour la forcer à le regarder.

— Où as-tu entendu ce nom ?

Les mots lui manquèrent. Elle fouilla sa sacoche pour en tirer le manuel de pyrokinésie.

Il la dévisagea, bouche bée.

— Où l'as-tu trouvé ?

— Quelqu'un l'a laissé dans mon casier aujourd'hui. Après avoir marqué le chapitre consacré au Grand Brasier.

Elle sortit son journal mémoriel et feuilleta les pages qu'elle avait noircies après avoir appelé Alden.

— Et quand j'ai lu cette expression, tout ceci m'est revenu en mémoire.

L'air las, il examina la formule complexe qu'elle avait projetée.

— Sais-tu de quoi il s'agit ?

— Pas vraiment. Je sais qu'on appelle ça le Frissyn.

Elle désigna un symbole qui ressemblait à trois points alignés et traversés d'une croix en forme de x.

— Et ceci représente la Quintessence, même si je n'ai aucune idée de sa fonction.

La liste d'ingrédients et les instructions étaient tellement détaillées que seul un alchimiste émérite aurait pu les déchiffrer.

— Le Frissyn constitue l'unique moyen d'éteindre le Grand Brasier. Sa formule est classée secrète : c'est la première fois que je la vois dans son intégralité.

Alden se passa une main dans les cheveux.

— Sais-tu ce que ça signifie ?

— Quelqu'un a implanté une information confidentielle dans mon cerveau.

Sa voix se brisa. Les mots semblaient bien plus terribles une fois prononcés. Elle lui tendit la photo d'elle sur la plage, devant le château de sable.

— Je l'ai retrouvée il y a quelques semaines.

— Pourquoi ne m'as-tu rien dit ?

Il ne semblait pas fâché, mais elle sentit néanmoins son visage s'embraser sous le coup de la culpabilité.

— Je suis désolée. J'avais peur d'avoir des ennuis. Mais il faut dire aussi que j'avais tout oublié jusqu'à aujourd'hui. D'où mon appel.

Elle se força à le regarder dans les yeux.

— Ces incendies... il s'agit du Grand Brasier, n'est-ce pas ?

— J'ai bien peur que oui... même si on n'a pas tenu compte de mon avis.

— Comment ça ?

Il se leva et se mit à faire les cent pas.

— Le Conseil n'y croit pas. Ils pensent bien plus probable que les humains aient affaire à un pyromane apprenti chimiste, et que puisqu'ils ont renoncé à notre aide en brisant le traité, nous n'avons pas à nous en mêler. Je comprends la position du Conseil. De tels événements ne sont censés survenir que très rarement. Mais notre monde traverse une phase de profonde mutation.

Il plongea son regard dans l'aquarium.

— Ton existence en est la preuve.

— Que voulez-vous dire ?

Après un instant d'hésitation, il se dirigea vers le bureau, referma le journal de Sophie, et désigna l'animal argenté qui l'ornait.

— Connaissais-tu cet oiseau ? C'est un colibri lunaire…

Elle secoua la tête et sentit un frisson lui parcourir l'échine. Elle n'avait guère prêté attention à la couverture du livre.

— Suldreen, prononça Alden d'une voix douce. Les colibris lunaires pondent à la surface de l'océan et laissent la marée emporter leurs œufs au large. Les poussins naissent seuls et apprennent à survivre sans famille. C'est le nom que t'a donné le Cygne Noir. Le Projet Colibri lunaire.

Elle agrippa les côtés de sa chaise : elle avait besoin de se raccrocher à quelque chose.

— Il y a douze ans, nous avons capturé un membre du Cygne Noir et sondé son esprit.

— Prentice, lâcha Sophie.

Il acquiesça.

— Prentice était Gardien pour le Cygne Noir, aussi le Conseil a-t-il ordonné à Quinlin de sonder ses souvenirs. Prentice en a perdu la raison. Quinlin n'a pu extraire que deux informations… un brin d'ADN non répertorié, le tien, et ton nom de code : Colibri lunaire. Tu étais l'œuf qu'ils avaient mis à dériver sur la mer de l'humanité, en espérant que tu survives.

Ses paroles la blessaient, tranchantes comme de la glace. Elles confirmaient les dires de Tiergan, mais s'avéraient bien plus cruelles. C'était elle, le Projet Colibri lunaire ?

— Alors, mes parents appartenaient au Cygne Noir ? demanda-t-elle.

— D'une certaine manière, oui…

Il tritura l'étoffe de sa cape.

— Le problème, vois-tu, Sophie, c'est que je ne suis pas persuadé que tu aies des parents… du moins pas comme on l'entend habituellement. Je pense que le Cygne Noir t'a créée, même si je n'ai pas encore pu déterminer dans quel but. J'ai fait des recherches depuis que je t'ai retrouvée. Comme tes parents humains avaient du mal à concevoir un enfant, ils sont allés consulter un spécialiste de la fertilité. Je pense que ce soi-disant médecin était un membre du Cygne Noir, infiltré chez les humains, et qu'il a implanté ton embryon dans l'utérus de ta mère afin de nous cacher ton existence.

Sophie essayait de digérer ses propos, mais la pièce tanguait autour d'elle.

— Pourquoi ?

— Tu es très spéciale. Ton ADN a été manipulé. Ce qui explique la couleur de tes yeux et tes dons télépathiques exceptionnels. Ils t'ont même dotée d'une mémoire photographique, afin que tu puisses apprendre et retenir sans peine informations, runes codées et secrets du Conseil. Et ils ont rendu ton esprit impénétrable pour empêcher qui que ce soit de découvrir ces données. Tu es sans doute allergique au limbium pour la même raison, puisque cette substance affecte l'esprit, et que le tien est différent de celui du commun des elfes… et pas seulement en termes d'aptitude. Sur un plan génétique également.

Elle secoua la tête. Elle aurait tant aimé pouvoir en chasser tout ce qu'elle venait d'apprendre !

— Ce qui fait de moi une mutante.

— Pas une mutante. Une anomalie.

— C'est pareil.

— Ce n'est pas aussi dramatique que tu le penses.

362

— Vraiment? Vous venez pourtant de dire qu'un groupe de renégats cinglés m'avait conçue et dissimulée comme une arme secrète ou je ne sais quoi d'autre.

— Je n'ai jamais prétendu que tu étais une arme. Je ne sais pas dans quel but ils t'ont conçue, ni pourquoi ils voulaient que je te retrouve.

Il esquissa un sourire triste face à sa surprise.

— On peut affirmer sans trop se tromper que ce sont eux qui m'ont envoyé l'article à ton sujet. Je suis sûr qu'ils l'ont écrit eux-mêmes : je doute que l'emploi du terme « prodige » dans le titre soit une coïncidence. Ils sont allés jusqu'à tracer leur symbole en lettres de feu autour de la cité où tu vivais pour attirer notre attention.

Elle se massa les tempes. Elle tombait de Charybde en Scylla.

— Qu'est-ce que ça signifie ?

— Qu'il faut te montrer extrêmement prudente.

Il désigna le manuel de pyrokinésie.

— Ils essaient à l'évidence de te manipuler. Pour quoi faire… je n'en ai aucune idée. Mais ils t'ont déjà fait recueillir de la Quintessence de façon illicite, et le Conseil pourrait se montrer moins clément si d'aventure tu venais à enfreindre une nouvelle fois la loi. Je veux que tu me promettes que, quoi que tu puisses recevoir, entendre, ou te rappeler, tu viendras m'en avertir aussitôt, comme tu l'as fait aujourd'hui, sans rien faire d'autre. Tu veux bien me le promettre ?

La peur la suffoquait à tel point que c'est à peine si elle put articuler un oui. Il était déjà effrayant d'avoir des secrets implantés dans son cerveau, mais la seule idée d'avoir été conçue et contrôlée comme une vulgaire marionnette la faisait trembler de la tête aux pieds.

Sans compter qu'elle perdait ainsi tout espoir d'une vie normale. Qui voudrait d'une anomalie comme amie ?

Alden la serra dans ses bras.

— Tout va bien se passer. On va trouver une solution.

Elle enfouit son visage dans le manteau de l'elfe et ravala le sanglot qui menaçait de lui échapper. Elle valait mieux que ça et elle ne pouvait se permettre de perdre la tête. Elle s'efforça de surmonter sa peur pour se concentrer sur le vrai problème.

— Et si ces incendies sont vraiment le Grand Brasier ? Les flammes sont jaunes, n'est-ce pas ? Comme dans le livre ?

— Cette couleur peut s'expliquer d'une dizaine de manières différentes. Je mène l'enquête. Je t'en prie, fais-moi confiance.

Elle profita encore quelques secondes de son étreinte avant de s'écarter.

— D'accord.

Il lui tendit son journal mémoriel. À présent qu'elle connaissait la symbolique de l'oiseau argenté, elle ne put s'empêcher de le contempler.

— Note bien tout… et surtout n'en montre le contenu à personne. Cette formule est top secret, mais j'aimerais que tu la conserves au cas où elle pourrait déclencher de nouveaux souvenirs. Tu comprends ?

— Ne vous inquiétez pas. Je ne l'ai montrée à personne, pas même à Grady et Edaline.

À ces noms, Alden fronça les sourcils.

— Est-ce que vous en voulez toujours à Grady d'avoir refusé de vous aider ?

— Je suis simplement… déçu. Mais ce qui est fait est fait.

Il lui pressa les mains.

— Tout va bien se passer. Quoi qu'il arrive, ne l'oublie pas.

— J'essaierai.

À travers la fenêtre, elle jeta un regard au ciel d'un violet crépusculaire.

— Je ferais mieux de rentrer. Je ne voudrais pas qu'ils s'inquiètent.

Alden hocha la tête.

Il garda le manuel de pyrokinésie afin de voir s'il contenait d'autres indices quant à sa provenance et vérifia que le journal était bien dissimulé au fond du sac de la jeune fille avant de la laisser partir.

— Veux-tu emprunter le luminateur ?

— Non, j'ai mon cristal de foyer.

Toute fière, elle brandit son pendentif. Alden se mordit la lèvre.

— Bien. Si jamais tu as besoin de parler, quelle que soit l'heure… n'hésite pas à m'appeler, d'accord ?

— Entendu, promit-elle.

Puis elle pénétra dans le rai lumineux avec l'espoir que la chaleur apaise les frissons qui lui couraient le long de l'échine. Le paysage commença à se dissiper en scintillant et, juste avant de se retrouver sur le chemin du retour, Sophie vit le masque serein d'Alden se disloquer. Elle espéra très fort avoir rêvé.

Un autre message de Grady et Edaline l'attendait sur la table : « Sortis faire une course. À plus tard. » Sept mots, cette fois. C'était plus du double de la missive précédente. Un bon signe, peut-être.

Le rire guttural de Grady lui manquait. De même que le sourire tendre d'Edaline. Même si elle n'arrivait pas à identifier le problème, il lui fallait trouver un moyen de le régler avant qu'il ne crée un fossé entre eux. Elle ne pouvait pas perdre sa nouvelle famille.

Edaline lui avait laissé de quoi dîner dans la cuisine. Comme elle ne voulait pas être seule, Sophie descendit Iggy ainsi que ses devoirs. Elle attaquait le dernier chapitre du livre de capture du feu lorsqu'on sonna à la porte.

Elle courut jusqu'à l'entrée, effrayée qu'Alden ne soit de retour avec une nouvelle urgence, mais il s'agissait d'un messager, venu livrer un parchemin du Conseil.

Elle ne porta pas le rouleau à la lumière pour tenter de le lire par transparence. Elle n'essaya pas de briser le sceau et de le recoller. Elle avait beau être dévorée par la curiosité, elle se contrôla et laissa le rouleau sur la table. Cependant, elle resta au rez-de-chaussée, afin de voir la réaction de Grady lorsqu'il l'ouvrirait. Sa bonne volonté avait des limites.

Elle se pelotonna dans la méridienne du salon pour terminer sa lecture. Elle parcourait le texte en diagonale (quoi de plus ennuyeux que la capture du feu ?) lorsque le terme « brasier » retint son attention. Sir Conley lui avait appris à glisser une bille de cuivre dans ses flacons pour contenir la chaleur de la flamme, mais, selon le manuel, ce métal n'avait d'effet que sur les flammes lumineuses. Les flammes non lumineuses, elles, nécessitaient de recourir à de l'argent. Et ce que l'auteur appelait un « brasier artificiel », à de l'or.

Un souvenir vint titiller les tréfonds de son esprit.

Luménite.

Sans trop savoir de quoi il s'agissait, elle sortit son journal pour l'enregistrer.

Elle projeta l'image dans son cerveau : un petit flacon trapu et arrondi, scellé d'or. Fallait-il de l'or et de la luménite pour mettre le Grand Brasier en bouteille ? Qu'était donc la luménite? Et pourquoi le flacon était-il plus large que haut et renflé? Sir Conley n'avait cessé de lui marteler que le feu se capturait dans de longues fioles élancées. La forme était essentielle afin de retenir la chaleur sans briser le verre.

Elle ferma les yeux et se concentra sur le souvenir pour s'assurer que rien ne lui échappait. L'image était floue, comme s'il manquait un élément à même de clarifier le reste. Mais pas de doute: le flacon était curviligne.

Un bruit de déchirure vint pulvériser sa concentration.

— Non, Iggy! s'écria-t-elle en s'élançant à travers la pièce.

Elle arracha le rouleau destiné à Grady des petites pattes crasseuse de la créature.

SCRAAAAAAATCH!

Iggy s'enfuit sans un bruit, son trésor, un énorme fragment de papier, précieusement serré entre ses pattes.

— Reviens ici tout de suite si tu ne veux pas finir dans l'assiette du verminion!

Après cinq minutes de course-poursuite dans le salon, le morceau de parchemin lui échappait encore et toujours.

— Stop! hurla-t-elle. Ça suffit maintenant! Arrête!
ARRÊTE!

Sa supplique mentale se fit tellement désespérée que le message passa.

Iggy se figea et se retourna pour la regarder, les yeux écarquillés, en état de choc.

Lâche ce papier!

Le trésor voleta au sol. Elle le ramassa pour évaluer les dégâts.

— Regarde-moi ce massacre! grogna-t-elle

Elle étala les différents morceaux du parchemin sur le tapis afin de voir comment elle pourrait les recoller.

— Qu'est-ce que je vais dire à Grady ? Sais-tu seulement dans quels ennuis tu…

Elle s'arrêta net : elle venait d'apercevoir son nom.

Une petite voix lui souffla de ne pas en lire davantage. Mais ses yeux avaient déjà repéré un autre mot.

« Adoption. »

Elle parcourut le reste de la page, luttant pour déchiffrer ce que contenait le document déchiqueté. Avant de trouver.

« Conformément à votre requête, la procédure d'adoption de Sophie Foster a été annulée. »

Chapitre 39

Le mot résonnait à ses oreilles, où il battait à l'unisson de son cœur. *Annulée. Annulée. Annulée.* Autrement dit entamée. Puis suspendue.

Elle ferma les yeux pour empêcher la pièce de tournoyer autour d'elle. Lorsque ses poumons commencèrent à lui brûler, Sophie se rendit compte qu'elle avait cessé de respirer. Elle serra les bras autour de sa poitrine pour contenir ses tremblements. Iggy remonta le long de son épaule pour aller se blottir contre son cou, comme s'il avait compris qu'elle avait besoin de réconfort. Mais sa présence ne lui était d'aucune aide.

Elle n'arrivait pas à réfléchir. Ni à se mouvoir. Elle n'était pas sûre de pouvoir s'en remettre un jour. Puis la porte d'entrée s'ouvrit et, comme par enchantement, la jeune fille fut sur pied. Elle essuya ses larmes du dos de la main à l'instant où ses tuteurs pénétraient dans le salon.

— Qu'y a-t-il ? demanda Grady.

Un sanglot lui souleva la poitrine.

— Un messager d'Éternalia a délivré ce parchemin, mais Iggy l'a déchiqueté.

Grady tressaillit et se précipita sur le rouleau. Sophie fuyait déjà à l'étage. Il l'appela, mais elle courut sans se retourner.

Elle claqua la porte de sa chambre et la bloqua avec une chaise pour plus de sûreté.

De l'autre côté, Grady martelait le battant et l'implorait de le laisser entrer, mais elle l'ignora. Elle s'écroula sur son lit et enfouit son visage contre Ella pour étouffer ses pleurs.

Les coups finirent par cesser.

Elle abaissa les stores et se laissa engloutir par les ténèbres qui l'enveloppèrent tel un manteau de tristesse. Puis elle se roula en boule et sanglota jusqu'à s'endormir.

Elle ne supportait plus les cauchemars. Cette fois, le monde entier brûlait et elle se retrouvait seule. Elle se réveilla en hurlant et ne put s'arrêter de trembler.

Elle avait les yeux rouges et gonflés, les cheveux en bataille, mais elle n'avait même pas l'énergie de s'en soucier. Sortir du lit lui sembla un exploit. Le seul effort qu'elle consacra à sa tenue fut d'arracher le blason des Ruewen de son uniforme. Si on lui posait la question, elle accuserait Iggy.

Elle se rendit directement au luminateur, mais Grady et Edaline l'attendaient sous les cristaux scintillants.

— Foxfire! hurla-t-elle sans même leur accorder un regard.

— Je l'ai verrouillé, expliqua Grady suite à l'absence de réaction des cristaux.

Le teint pâle, Edaline contemplait le trou béant dans la cape de Sophie.

— Il faut vraiment qu'on discute.

— Il n'y a rien à dire. Vous ne me devez rien. Je ne suis pas votre fille.

Leurs traits se décomposèrent, mais elle était trop furieuse pour s'en inquiéter.

— Sophie… hasarda Grady.

— Non, ce n'est pas grave. Je pensais que nous formions une famille, mais je me trompais. Je ne peux pas remplacer Jolie et vous ne voulez sans doute pas de moi.

Ses paroles lui laissaient un arrière-goût amer, mais elle n'y prêta pas attention. Même lorsque les deux adultes chancelèrent, comme littéralement frappés par la mention du nom de Jolie. Elle voulait leur faire de la peine, ils le méritaient.

— Voilà. On en a parlé. Je peux y aller, maintenant?

— Je veux que tu rentres tout de suite après les cours, lui ordonna Grady d'une voix éteinte. Nous devons en discuter, que ça te plaise ou non.

Elle l'ignora.

— Nous restons tes tuteurs. Tu es tenue de nous obéir.

Elle le défia du regard.

— Très bien. Je vais jouer le jeu, puisque vous vous entêtez dans cette mascarade. Pourquoi pas un câlin, tant qu'on y est? Est-ce que je dois vous redire combien « je vous aime »?

Edaline porta une main à sa bouche pour retenir un sanglot.

Grady blêmit.

— Non. Mais… passe une bonne journée.

Il claqua des doigts pour redonner vie aux cristaux qui obéirent à la commande de Sophie.

Elle détourna le regard, mais les pleurs étouffés d'Edaline lui retournèrent l'estomac. Même la chaleur du rayon lumineux ne put effacer le vide glacial qui l'envahit au moment où elle sautait.

— On dirait que tu t'es battue avec un yéti, remarqua Jensi, le doigt pointé sur le trou dans la cape de son amie.

Face au silence de Sophie, le garçon perdit vite son sourire.

— Tout va bien?

— Très bien.

Elle jeta ses livres dans son casier et l'un d'entre eux rebondit pour venir atterrir sur son pied. Elle shoota dedans, grommelant des mots qu'elle n'était pas censée prononcer.

— D'accord… dit Jensi, qui s'écarta d'elle. Méfiez-vous! souffla-t-il à Dex et Marella.

Sophie claqua la porte de son casier et quitta l'atrium à grand pas sans leur prêter attention.

Elle tenta de se réfugier à la bibliothèque pendant le déjeuner, mais Dex retrouva sa trace.

— Tu comptes nous ignorer encore longtemps? demanda-t-il sans prendre le soin de baisser la voix.

La bibliothécaire le fusilla du regard.

— Je n'ai pas envie d'en parler, grogna-t-elle.

— Je peux peut-être t'aider.

— Personne ne peut m'aider. Mais merci quand même…

— Veux-tu vraiment que je te laisse tranquille?

Elle hocha le menton.

— D'accord, soupira-t-il. Si jamais tu changes d'avis…

Elle le regarda s'éloigner, partagée entre le soulagement de le voir partir et la solitude qui lui déchirait la poitrine.

Dex avait dû avertir les autres, car personne ne s'assit à côté de Sophie à l'étude. Mais, en passant derrière elle, Biana laissa tomber un mot sur les genoux de son amie: « Dis-moi si je peux faire quoi que ce soit. »

Sophie dut ravaler ses larmes à la deuxième lecture du message, puis à la troisième.

Elle pouvait encore compter sur ses amis (du moins, jusqu'à ce qu'ils découvrent quel monstre elle était) pour l'aider à traverser cette épreuve… une fois qu'elle se sentirait prête à leur en parler.

Elle sentit la bile lui monter à la gorge lorsque la cloche sonna. Elle n'avait pas envie de rentrer. Ce n'était plus chez elle. À quoi bon rester s'ils ne voulaient plus d'elle ?

Peut-être Grady et Edaline partageaient-ils cet avis.

Peut-être voulaient-ils la convaincre de partir.

Le cœur au bord des lèvres, elle se traîna comme une limace jusqu'à son casier pour vérifier une dernière fois qu'elle avait pris tout ce dont elle avait besoin pour faire ses devoirs, avant d'emprunter le long chemin qui menait au luminateur, le silence des couloirs déserts seulement troublé par le bruit de ses pas. Elle arriva bien trop vite. Elle contempla les cristaux, incapable de les activer.

— Qu'est-ce que tu fais encore là, Foster ? demanda Keefe, qui venait de surgir derrière elle. Ne me dis pas que tu vas encore au Centre de soins ?

— Non. Je n'ai tout simplement pas fait attention à l'heure.

L'elfe s'éventa de la main.

— En voilà de violentes émotions ! Je suis incapable de les définir… mais elles sont tout sauf agréables.

Elle détourna les yeux pour fuir son regard inquisiteur.

— Tu n'as sans doute pas envie d'en parler.

Elle fixa ses pieds.

— Et comme je ne suis pas très bon en devinettes, je ne vois pas trop de solution.

— Havenfield ! ordonna-t-elle, soulagée que sa voix ne tremble pas.

Du coin de l'œil, elle vit Keefe hausser les épaules.

— Candleshade ! lança-t-il.

Les cristaux se mirent en branle au-dessus d'eux et ils échangèrent un regard. Keefe s'avança vers son rayon lumineux.

— Bon… j'espère que tu passeras une bonne soirée, dit-il.

— Aucune chance.

Grady travaillait dans la prairie, où il coupait les griffes de Gildie. Sophie s'attendait à ce qu'il la gronde pour son retard, mais lorsqu'elle croisa son regard, elle n'y lut que du chagrin.

— Voulez-vous qu'on parle maintenant ? demanda-t-elle d'une voix froide.

— Laisse-moi terminer ça d'abord.

Elle rentra d'un pas vif et alla s'affaler sur son lit. Elle sortit son iPod et en fourra les écouteurs dans ses oreilles. Elle lança sa sélection de morceaux spéciale « mauvaise humeur ». Les hurlements lui semblèrent tout d'abord discordants – elle n'avait pas écouté ce genre de musique depuis une éternité –, mais au bout d'une minute, elle sentit la torpeur habituelle l'envahir.

Elle ferma les yeux. Voilà ce dont elle avait besoin. Ne plus rien ressentir. Ne plus se soucier de rien. Elle ne s'attacherait plus jamais à personne.

Quelqu'un lui attrapa la main et elle se redressa d'un bond.

Grady remuait les lèvres, mais sa voix était inaudible, recouverte par les cris et les basses. Elle joua avec l'idée de le laisser parler, puisqu'il ne semblait pas se rendre compte qu'elle ne l'entendait pas, avant de se raviser et d'ôter ses écouteurs.

— Que disiez-vous ?

La chanson poursuivait son tapage à travers les haut-parleurs miniature.

Grady fronça les sourcils.

— Est-ce… de la musique ?

— Vraiment ? Vous êtes venu me parler de mes goûts en matière de rock ?

Il soupira.

— Non.

Il s'assit au bord du lit. Sophie s'écarta vers le coin opposé, aussi loin que possible.

— Où est Edaline ?

— Elle n'a pas pu…

Il secoua la tête.

— Ce n'est pas facile pour nous, tu sais.

Elle ravala la repartie sarcastique qu'elle avait sur le bout de la langue. Elle voulait en finir.

— Écoutez, c'est votre décision, elle est déjà prise. Inutile de vous expliquer.

— Mais tu comprends pourquoi nous ne pouvons…

— Ce n'est pas la peine. Vous avez vos raisons. Et elles ne me regardent pas.

Grady se mordit la lèvre.

— En tout cas… nous sommes désolés.

— Moi aussi.

Il fit mine de partir avant de se retourner.

— Tu n'y es pour rien… tu le sais, n'est-ce pas ?

Elle ricana.

— Dites-moi juste quand je dois faire mes valises.

Grady ajouta quelque chose, mais elle avait déjà remis ses écouteurs.

Elle s'allongea et laissa les harmonies rageuses la déconnecter du monde extérieur. La nuit était tombée lorsque le dernier morceau de la sélection prit fin. Un plateau-repas l'attendait sur sa table de chevet. Elle prit quelques bouchées, mais son estomac protesta avec force soubresauts, aussi ramena-t-elle le plateau à la cuisine. Pourvu qu'elle ne croise pas ses tuteurs en chemin !

Elle avait presque regagné le havre de sa chambre quand elle aperçut une lumière qui filtrait sous la porte de la chambre de Jolie. La curiosité l'emporta sur la colère et elle traversa le couloir à pas de loup pour aller coller son oreille contre le bois lisse du battant.

— Cela ne fait qu'aggraver les choses, murmura Grady. Allons nous coucher. Tu as besoin de repos.

— Je veux dormir ici, insista Edaline.

— Non. Nous avions convenu que tu ne coucherais plus dans cette pièce.

Un soupir trancha le silence.

— Avons-nous pris la mauvaise décision ? chuchota Edaline.

— Je… je ne sais pas.

— Moi non plus.

Bruissement de tissu.

— Elle semble tellement malheureuse. Crois-tu que nous devrions…

— Penses-tu sincèrement qu'elle voudrait encore rester avec nous ?

Oui, aurait voulu répondre Sophie. Oui, si vous le souhaitez vraiment.

— Et puis, je croyais que sa présence te faisait trop de peine, ajouta-t-il à mi-voix.

— Elle me la rappelle, c'est vrai.

Un minuscule sanglot brisa le silence.

— Comment est-elle au courant pour Jolie?

— Alden a dû lui en parler. À moins que ce ne soit Dex.

Nouveau bruissement d'étoffe.

— Allons, Edaline, tu ne vas pas dormir ici.

— Rien que cette nuit, implora-t-elle. J'ai besoin d'être dans sa chambre.

Grady soupira.

— Rien que cette nuit, alors. Et je reste avec toi.

Un craquement de lit, et la lumière s'éteignit.

Sophie demeura un long moment dans le couloir, à écouter les pleurs étouffés, avant de regagner sa chambre à tâtons pour se glisser sous ses couvertures. Elle essaya d'imaginer ce que pouvaient ressentir ses tuteurs. Combien Jolie devait leur manquer. Comme il devait leur coûter de passer chaque jour sans elle. Comme ils devaient se sentir isolés dans un monde où personne ne comprenait vraiment ce qu'ils avaient perdu. Elle en serait presque venue à leur pardonner. Presque…

Pour l'instant, il lui était plus aisé de tenter de les oublier.

Chapitre 40

Le lendemain matin, Edaline avait dû faire monter son petit déjeuner par télékinésie, car le plateau gisait sur le bureau de Sophie. Elle ne s'en plaignit pas. Si elle voulait survivre au reste de son séjour ici, elle avait tout intérêt à éviter ses tuteurs autant que possible.

Lorsqu'elle arriva à Foxfire, Dex l'attendait dans l'atrium. Il regarda le trou dans sa cape.

— Comment te sens-tu ?

— Ça va.

Elle le dépassa pour ouvrir son casier. Il s'éclaircit la gorge.

— Tu m'en veux ?

— Bien sûr que non.

— Alors pourquoi ne veux-tu pas me dire ce qui se passe ?

— Parce que je n'ai pas envie d'en parler.

— Mais je suis ton meilleur ami.

— Je sais, Dex. Je ne suis pas encore prête, c'est tout. Désolée.

Il sembla quelque peu déçu.

— Je peux quand même essayer de te remonter le moral ? On pourrait réviser l'alchimie après les cours, se préparer aux examens. Viens chez moi, si tu veux. Je promets de ne pas me fâcher si tu mets le feu à ma chambre.

Une ébauche de sourire vint chatouiller les lèvres de Sophie, sans parvenir à éclore.

— Une autre fois peut-être.

Il soupira.

— Si jamais tu changes d'avis…

Dex parti, elle s'adossa à son casier et s'efforça d'oublier l'air contrit de son ami. Elle s'en voulait de lui faire de la peine, mais elle ne voulait pas devenir la « pauvre petite Sophie Foster dont personne ne veut ». Elle tira de son casier le dernier livre dont elle avait besoin avec un peu trop de force. Une enveloppe tomba au sol.

À l'intérieur, elle trouva une coupure de journal, « La tempête de feu fait ses premières victimes », accompagnée d'un message griffonné en hâte :

Tu dois y mettre fin.

Et d'une épingle de papotin. Un colibri lunaire argenté. Elle contempla l'oiseau en métal luisant et comprit soudain qu'elle était faite de luménite.

Elle replia le mot d'une main tremblante.

— Tout va bien ? demanda Marella. Tu es toute pâle.

Sophie porta la main à sa poitrine et prit une profonde inspiration pour calmer les battements affolés de son cœur.

— Ça va.

Marella s'esclaffa.

— Tu mens extrêmement mal. Oh ! c'est un colibri lunaire ? Sais-tu seulement combien cette épingle est rare ? Ils en ont produit moins d'une centaine !

— Ah, vraiment ? demanda Sophie, qui remit aussitôt l'objet dans l'enveloppe, et le tout dans son sac. Chouette alors !

— Chouette? Tu as trouvé un colibri dans tes papotins! Tu devrais être en train de danser de joie!

Plusieurs têtes se tournèrent aux cris de Marella. Sophie claqua la porte de son casier.

— Désolée, il faut que j'aille en cours. On se verra plus tard.

La jeune fille s'éloigna d'un pas vif mais entendit tout de même Marella marmonner quelque chose à propos de « gâchis ». Sophie tentait de réfléchir calmement en dépit des pulsations qui lui martelaient le crâne.

« *Tu dois y mettre fin.* »

Les jambes en coton, elle parcourut l'étage en quête d'un lieu isolé d'où contacter Alden. Elle trouva enfin un couloir désert aux murs blancs immaculés et sortit son transmetteur de sa sacoche.

Le visage de son interlocuteur apparut avant même qu'elle ait fini de prononcer son nom.

— Sophie? Que se passe-t-il?

Elle jeta un œil par-dessus son épaule pour s'assurer qu'elle était seule.

— J'ai trouvé un autre message dans mon casier.

Il serra la mâchoire.

— Mieux vaut ne pas en parler maintenant. Viens me voir à Everglen dès la fin des cours.

Elle hocha la tête.

L'image se dissipa et elle glissa contre le mur.

— Là, tu vas enfin être obligée d'admettre que tu caches un secret! lança Keefe.

Un petit cri échappa à Sophie avant qu'elle ait pu se retenir. Il sortit de l'ombre, un grand sourire aux lèvres.

— Surprise?

Elle inspira une grande goulée d'air afin de se calmer.

— Qu'est-ce que tu fabriques ici?

— C'est mon coin habituel… tu as déjà oublié?

Les murs blancs lui semblaient effectivement familiers.

— Alors, veux-tu me dire pourquoi tu passes des appels en catimini à Alden pour parler de messages mystérieux?

— Rien de bien intéressant, Keefe.

— Désolé, je perçois un taux de panique bien trop élevé pour te croire.

Il était horriblement difficile de mentir à un Empathe.

— Je ne peux pas t'en parler. Inutile de me tirer les vers du nez.

— Si tu refuses de me le dire, je vais raconter à tout le monde que Valin t'écrit des lettres d'amour.

— Tu… Fais ce que tu veux.

Il s'esclaffa.

— Oh là! C'est que l'heure est grave, dis-moi!

Il haussa les épaules devant son mutisme.

— Très bien, à ta guise. Mais j'exige un cadeau absolument génial après les examens, pour récompenser mon silence.

— Marché conclu.

Ils se serrèrent la main. Keefe énuméra quelques suggestions, mais elle ne l'écoutait plus. L'allusion aux cadeaux avait éveillé un souvenir.

— Comment avais-tu fait pour mettre ton cadeau dans mon casier après les examens de mi-semestre?

— Je te l'ai déjà dit: j'ai mes secrets.

— Je suis sérieuse. Comment t'y es-tu pris? On est censé avoir besoin de mon ADN.

— Oh, je t'en prie! Jamais je ne révèle mes tours.

— C'est important, Keefe. Si tu ne me le dis pas, j'en parlerai à Alden, et c'est devant lui que tu devras t'expliquer.

Il sembla évaluer la résolution de Sophie avant de laisser échapper un soupir.

— Il était déjà ouvert, d'accord?

— Impossible. Je le verrouille toujours.

— Tu as dû oublier de le faire. Je me suis contenté d'ouvrir la porte pour déposer mon cadeau à l'intérieur.

Le léger rougissement de ses joues indiquait qu'il disait la vérité, mais elle n'avait aucun sens.

— Mais rien n'avait disparu… Et tu es le seul à y avoir déposé quoi que ce soit.

— J'attends toujours tes remerciements, d'ailleurs. Quel manque d'éducation!

Il avait raison. Elle n'avait pas trouvé comment le remercier de son cadeau inhabituel.

— Merci pour les bonbons et le collier!

— Pardon?

— Tu n'aurais vraiment pas dû.

— Ça tombe bien, parce que ce n'est pas moi.

— Quoi?

— Je t'ai offert une boîte géante de bonbons d'humeur, c'est tout. Il semblerait qu'on ait un admirateur secret… Sérieusement, combien de garçons te courent après?

— Un tas, apparemment!

Sophie espérait que cette réponse malicieuse suffise à combler la curiosité du jeune homme. Quant à elle, elle avait l'affreux pressentiment que le collier ne venait pas d'un garçon.

Fitz et Biana ne semblèrent guère surpris lorsqu'elle les rattrapa sur le chemin du luminateur pour les prévenir qu'elle rentrait avec eux.

— Je me doutais que tu aurais envie de discuter avec mon père, dit le garçon, avec un regard furtif à sa sœur.

— Oui, comment te sens-tu? demanda Biana.

— Plutôt bien.

Le cœur de Sophie fit un bond, et pour une fois, sa réaction n'avait rien à voir avec les yeux de Fitz. Alden ne leur aurait tout de même pas parlé du Cygne Noir?

Le jeune homme l'attira à l'écart.

— Mon père nous a dit pour Grady et Edaline. Je suis vraiment désolé.

— Moi aussi, dit Biana, qui saisit la main de son amie. Est-ce qu'on peut faire quelque chose pour toi?

Sophie détourna le regard, battant des paupières pour contenir les pleurs qu'elle sentait monter.

— Merci, ça va…

Une larme récalcitrante glissa le long de sa joue. Biana serra Sophie contre elle et Fitz passa un bras autour de ses épaules.

— Tout ira bien, je te le promets, souffla son amie.

— Désolée, dit Sophie d'une voix sourde.

Elle se dégagea de leur étreinte et se frotta les yeux.

— Je n'ai pas envie d'en parler.

— Je sais. C'est pourquoi je n'ai rien dit hier, expliqua Biana.

— Tu étais déjà au courant?

Elle lui confirma d'un hochement de tête.

— Mon père nous en a parlé il y a quelques jours, parce que lui et maman se sont proposés comme tuteurs de remplacement.

Sophie redressa la tête.

— Quoi? Tu es sûre?

— Mais oui ! Enfin, le Conseil doit encore donner son accord, mais d'après papa, l'affaire est dans le sac.

Un fourmillement tiède envahit Sophie et il lui fallut un instant pour reconnaître ce sentiment : de l'espoir. Il ne suffisait pas complètement à panser les plaies causées par le rejet de ses tuteurs, mais au moins apaisait-il un peu ses craintes.

— Je… je ne sais pas quoi dire, murmura-t-elle. Vous n'y voyez pas d'inconvénient, tous les deux ?

— Tu plaisantes ? Si tu viens vivre avec nous, je ne serai plus la seule fille ! Tu ne te rends pas compte de ce que c'est d'avoir deux frères.

Sophie hasarda un regard vers Fitz. Et lui, qu'en pensait-il ?

— Bien sûr que ça ne me dérange pas, dit-il, le sourire aux lèvres. Tu es déjà comme une sœur pour moi… maintenant ce sera officiel.

— Oh ! Génial.

Elle savait qu'il s'agissait d'un compliment, mais le terme de « sœur » la blessait.

Bras dessus, bras dessous, Biana la mena jusqu'au luminateur.

— Tu vois ? Tout va s'arranger.

Sophie aurait voulu la croire, mais elle restait tenaillée par l'impression que la situation allait terriblement empirer avant de s'arranger.

Alden demeura silencieux une fois que Sophie lui eut rapporté ses récentes découvertes. Trop silencieux. Elle s'était tellement arraché de cils qu'elle craignait d'avoir dénudé en partie sa paupière. Elle posa les mains sur ses genoux.

Alden se racla enfin la gorge.

— Puis-je voir le collier qu'ils t'ont donné ?

Elle sembla gênée.

— Je ne l'ai pas amené.

— Pourquoi ?

— Je craignais que ce soit un mouchard.

— Un insecte ?

— Oh, pardon ! C'est un terme humain pour désigner un minuscule appareil d'enregistrement. Je ne voulais pas l'amener chez vous de peur qu'ils s'en servent pour nous espionner.

Alden sourit.

— Les humains et leur technologie…

Elle sentit son visage s'enflammer.

— Mais pourquoi me donner ce bijou, sinon ? Ce n'est qu'un pendentif en cristal… il n'a rien de spécial.

— Quel genre de cristal ?

— De couleur bleue.

Il sortit son éclaireur noir de sa poche et désigna le cristal cobalt qui le surmontait.

— De cette couleur ?

Elle écarquilla les yeux.

— Il me semble, oui. Croyez-vous qu'il s'agisse d'un cristal de saut ?

— Je pense plutôt qu'il s'agit d'un cristal illégal permettant de sauter vers les Cités interdites.

Il secoua la tête et se leva pour faire les cent pas.

— Tu l'as reçu à la mi-semestre ?

Elle acquiesça.

— Je ne comprends toujours pas comment ils ont pu accéder à mon casier.

— Un Éclipseur doué aurait pu s'introduire discrètement à Foxfire, et puis nous savons déjà qu'ils disposent de ton ADN.

Il fit quatre fois l'aller-retour entre la porte et son bureau avant de reprendre la parole.

— J'aurais besoin que tu m'apportes ce pendentif, le plus vite possible.

— J'irai le chercher lundi.

— Prends garde à ce que personne ne le voie.

— Entendu.

Il poussa un soupir.

— Bien. Tu peux garder l'épingle pour le moment : peut-être déclenchera-t-elle de nouveaux souvenirs. Je n'ai jamais vu personne employer de la luménite pour capturer des flammes, mais j'imagine que c'est possible. Peut-être devrais-tu te replonger dans ton manuel… sa lecture pourrait débloquer d'autres informations, maintenant que tu sais ce qu'est la luménite.

Elle acquiesça, même si elle mourait déjà d'ennui rien qu'en repensant à l'ouvrage.

— Et pour le message et l'article ?

— Ce n'est pas de ton ressort. N'oublie pas ta promesse.

— Je sais. Mais vous enquêtez dessus ?

— Je fais ce que je peux. Le Conseil a formellement défendu à qui que ce soit de s'approcher des incendies, y compris aux détenteurs d'éclaireurs agréés. Tant que l'interdiction subsiste, j'ai les mains liées.

— Pourquoi ont-ils pris une telle décision ?

— Ils essaient de contenir les théories paranoïaques qui ont déjà commencé à se répandre.

— Et si ce n'étaient pas de simples théories ? S'il s'agissait du Grand Brasier ? Le monde entier courrait un grand danger.

— Les choses n'iront pas aussi loin. Et si Éternalia ou une

386

autre Cité perdue s'avérait menacée, les Conseillers ordonneraient aussitôt une enquête.

— Mais il y a déjà eu des victimes !

Elle pointa du doigt le fragment de journal posé sur le bureau d'Alden.

— Des humains meurent tous les jours, Sophie, soupira-t-il. Ce n'est pas notre rôle de veiller à leur sécurité.

— Si, puisque c'est à coup sûr un elfe qui a démarré le Grand Brasier.

Il étudia son visage un instant avant de répondre.

— Tu ne cesses de parler du Grand Brasier sans avoir conscience de la gravité de tes accusations. As-tu déjà entendu parler de Fintan ?

Elle ferma les yeux : un mot venait lui titiller la conscience.

— Flambeau.

— Un nouveau souvenir déclenché par ce que je viens de dire ?

— Je pense, oui. Mais je ne sais pas à quoi il se rapporte.

Alden se remit à arpenter la pièce.

— Le flambeau était la signature de Fintan. Il s'agit d'une flamme bleue qui ne nécessite aucun carburant. Tu en as vu en Atlantide : il en avait enfermé dans des flèches de cristal pour éclairer la ville. À l'époque, il était encore membre du Conseil. Il s'est retiré lorsque la pyrokinésie a été interdite… décision qu'il soutenait, d'ailleurs, après les événements.

— Il y a eu des morts, d'après Marella.

L'elfe acquiesça.

— À cause du Grand Brasier. Le concept m'a toujours échappé, mais apparemment il existerait un moyen de percevoir l'énergie cosmique présente dans l'atmosphère. Et, si l'on en recueille en quantité suffisante, de déclencher le Grand Brasier. Fintan, qui l'appelle le « feu du soleil sur

Terre », est le seul Pyrokinésiste capable de le démarrer sans y laisser la vie. À part lui, tous ceux qui ont essayé ont été consumés par la flamme qu'ils avaient allumée.

Sophie frissonna.

— Après quoi, le Conseil a interdit à quiconque d'apprendre la pyrokinésie, et Fintan a quitté son siège car il ne pouvait servir sans un pouvoir spécial. Il est cependant resté ami avec nombre des Conseillers et c'est le seul elfe encore en vie à pouvoir démarrer le Grand Brasier. Je te laisse imaginer pourquoi les Conseillers auraient du mal à croire à sa culpabilité.

— Pensez-vous qu'il en soit capable ?

De longues secondes s'égrenèrent avant qu'Alden ne lui réponde.

— Ça ne lui ressemble pas. Et puis, quelqu'un a passé toute l'année à démarrer des feux blancs, sur lesquels j'ai enquêté. Or, même s'ils peuvent laisser penser que le coupable tente en fait de déclencher le Grand Brasier, je n'ai jamais trouvé d'indice probant qui appuie cette théorie. Le Conseil demeure convaincu qu'il en va de même avec ce nouvel incident.

— Quand même, ne devraient-ils pas au moins enquêter sur les incendies, par acquit de conscience ? D'autant qu'on est cette fois en présence de flammes jaunes, comme celles du Grand Brasier ?

— Ils n'en voient toujours pas la nécessité. Lorsque les premiers feux suspects ont démarré à San Diego, je leur ai demandé de mettre tous les Pyrokinésistes, y compris Fintan, sous discrète surveillance. Aucun comportement louche n'a été observé, aussi restent-ils persuadés que le coupable n'est pas un elfe.

— Alors pourquoi le Cygne Noir semble-t-il aussi convaincu qu'il s'agit du Grand Brasier ?

— Je ne suis pas sûr qu'ils le pensent vraiment. Réfléchis un instant, Sophie. Si le Cygne Noir est à l'évidence derrière tout ça, pourquoi se donneraient-ils autant de mal pour nous annoncer ce qu'ils mijotent ? Ce serait contre-productif.

Ses paroles lui firent l'effet d'une claque.

— Mais… quel est leur but, alors ?

Alden contempla les tréfonds de l'aquarium.

— J'ai bien peur qu'ils essaient de te faire exiler… et ce ne serait vraiment pas une bonne chose, crois-moi. Exillium est un endroit effroyable.

— Mais pourquoi souhaiteraient-ils une chose pareille ? murmura-t-elle.

Sophie croisa fort les bras sur sa poitrine, comme si la pression pouvait apaiser son cœur affolé.

— Je n'en ai pas la moindre idée, répondit l'elfe. Mais jusqu'à présent, ils n'ont fait que te mettre en danger. Ils t'ont donné un cristal de saut illégal. T'ont conduite à recueillir de la Quintessence. Et voilà qu'ils tentent de te pousser à accuser sans la moindre preuve un ancien Conseiller d'un crime très grave !

Lorsque Alden posa la main sur son épaule, la jeune fille se rendit compte qu'elle tremblait de tout son corps.

— Tu n'as pas à avoir peur, Sophie. Je ferai tout ce qui est en mon pouvoir pour te protéger. Mais comprends-tu pourquoi je ne veux pas que tu agisses ? Ces incendies pourraient bien être un piège… et tu ne dois pas tomber dedans.

Elle inspira profondément pour calmer ses nerfs.

— Entendu.

389

— Très bien. Je regrette de te voir impliquée dans cette affaire, surtout avec tous les autres problèmes que tu dois déjà affronter.

Il lui prit les mains.

— Je suis désolé pour Grady et Edaline. Je pensais qu'élever une nouvelle fille leur ferait du bien. À l'évidence, je m'étais trompé.

Les mots manquèrent à l'adolescente, qui parvint cependant à hocher le menton.

— Della et moi serions ravis que tu viennes habiter chez nous. Je n'ai pas encore l'aval du Conseil, mais Kenric m'affirme pouvoir outrepasser l'objection de Bronte.

— Pourquoi s'y oppose-t-il ?

Alden esquissa un sourire.

— Il ne me fait pas confiance. Pas plus qu'à toi, à cause de ton passé. Alors, la seule idée que nous puissions vivre sous le même toit…

— Pourquoi se méfie-t-il de vous ?

— Sans doute parce que mon père passe son temps à pourchasser des rebelles imaginaires ! lança Alvar depuis la porte.

Sophie et Alden sursautèrent d'un même mouvement.

— Désolé. J'oublie parfois combien il m'est facile de passer inaperçu.

Le jeune homme traversa la pièce en clignotant et s'adossa contre le mur.

— De quoi parliez-vous, tous les deux ?

Alden s'éclaircit la gorge.

— Sophie pourrait bien venir vivre avec nous.

— Vraiment ? Génial ! dit Alvar avant de poser les yeux sur le carnet pervenche qui gisait sur le bureau de son père. Un journal mémoriel ?

Alden le lui arracha des mains et dissimula l'emblème en forme de colibri contre sa poitrine.

— Je regrette, Alvar, tu interromps une réunion officielle entre un Émissaire et une citoyenne. Tout ce que tu as pu voir ou entendre est confidentiel.

Alvar sourit.

— C'est noté.

Il leur adressa un salut sophistiqué et se dirigea droit vers la porte.

— Pardonnez mon intrusion.

Le jeune homme parti, Alden se tourna vers Sophie.

— Tu ferais mieux de rentrer.

Elle se leva avec une grimace et sortit son cristal de foyer. Il lui rendit son journal.

— Continue de sonder tes souvenirs. Qui sait, ta prochaine révélation nous mènera peut-être enfin à la vérité.

Chapitre 41

Sophie ne savait guère si elle se sentait soulagée ou déçue de ne pas trouver de message dans son casier le lundi suivant. Elle avait passé le week-end entier à essayer en vain de déclencher des souvenirs dissimulés et elle sentait la frustration monter.

Elle révisait dans les grottes, en partie pour éviter ses tuteurs, mais surtout parce qu'elle se sentait oppressée entre les murs de Havenfield, comme si elle n'y avait plus sa place. Du moment qu'elle rentrait avant le coucher du soleil, Grady et Edaline la laissaient tranquille.

C'étaient les nuits, le plus dur. Elle s'enfermait dans sa chambre pour trier les affaires qu'elle emmènerait au moment de déménager. À l'exception d'Iggy, la jeune fille avait résolu de laisser derrière elle tout ce que le couple lui avait offert. Elle ne voulait garder aucun souvenir de cette famille qui l'avait rejetée.

Mais elle avait décidé de tout raconter à ses amis. Le moment était venu, même si la seule idée qu'ils puissent s'apitoyer sur son sort lui nouait l'estomac, comme si un lutin en colère jouait avec.

C'est à peine si Dex lui jeta un regard lorsqu'il ouvrit son casier. Le jeune homme semblait tendu comme un arc.

Elle se racla la gorge.

— Salut, Dex.

Pas de réponse : le garçon l'ignorait ostensiblement.

— Je suis désolée. Tu as tous les droits de m'en vouloir.
Je sais que je me suis montrée un peu distante ces derniers
jours.

Il fit volte-face, les traits tellement déformés par la colère
qu'elle le reconnut à peine.

— Vendredi, tu n'étais pas distante avec Fitz et Biana !
Je vous ai vus collés les uns aux autres dans le couloir.

— Dex…

Elle n'avait pas remarqué sa présence à ce moment-là.

— Pourquoi t'es-tu confiée à eux en premier ? Je croyais
qu'on était meilleurs amis !

— C'est le cas.

— Alors pourquoi es-tu rentrée avec eux après m'avoir
repoussé ?

— Je devais aller chez eux. Et je ne leur ai rien dit… ils
étaient déjà au courant.

Elle prit une profonde inspiration avant de se lancer :

— Grady et Edaline ont annulé mon adoption.

— Oh !

Il baissa les yeux.

— Tu tiens le coup ?

Elle ravala un petit sanglot. La vérité était encore plus
douloureuse une fois prononcée.

— Pas vraiment, non, admit-elle. Mais c'est pour cette
raison que Fitz et Biana étaient déjà au courant. Alden leur
a demandé ce qu'ils pensaient de m'accueillir dans leur famille.

— Comment ?

Son cri fit se retourner la moitié des prodiges présents
dans l'atrium.

— Tu vas habiter avec eux ?

Elle se pencha vers lui pour qu'il baisse la voix.

— Le Conseil n'a pas encore donné son accord, mais je l'espère, oui.

— Tu l'espères ?

Il claqua la porte de son casier.

— Parfait : tu vas devenir une Vacker !

Il prononça ce nom avec amertume.

— Et alors ?

— Et alors, les Vacker ne sont pas amis avec les Dizznee.

— Moi, si. Et avec un petit effort de ta part, Fitz et Biana aussi.

— Ben voyons ! dit-il, agacé. Je ne vois pas ce qui te plaît tant chez eux.

— D'une, on ne fait pas vraiment la queue pour m'adopter.

Elle chassa l'amertume qui perçait dans sa voix avant de poursuivre.

— Et de deux, ce sont mes amis, Dex. J'espère toujours que tu oublies enfin ces… préjugés que tu as contre eux, mais il faut croire que tu aimes ça, les détester.

— Je n'ai pas confiance en eux.

— Moi, si.

— Bien sûr : tu es raide dingue de Fitz.

— C'est faux !

Elle sentit son visage s'empourprer. Son ami avait parlé tellement fort que toute l'assemblée s'esclaffa. Dex, lui, ricana.

— Comme tu voudras.

— C'est la vérité. Qu'est-ce qui te prend de me traiter de cette manière ? Je viens de te dire que mes tuteurs me mettent à la porte, et tout ce que tu trouves à faire, c'est me chercher des poux et m'humilier devant tout le monde ?

— Peut-être que si tu étais venue me trouver en premier, au lieu de courir voir le petit génie, je t'aurais aidée. Mais je dois me faire une raison. Une fois installée chez eux, tu me laisseras tomber, de toute façon.

— Là, tout de suite, ce n'est pas l'envie qui m'en manque!

— Bien!

— Parfait!

Dex donna un coup de pied dans le mur et s'éloigna à grands pas.

Adossée contre son casier, Sophie tenta de mettre de l'ordre dans ses sentiments. Peine, regret et colère se menaient la guerre, mais c'est finalement la colère qui l'emporta. Elle affrontait la pire crise de son existence, et ce qui préoccupait son ami, c'était sa pitoyable rivalité avec Fitz. Elle aurait volontiers jeté un objet. De toutes ses forces. Et de préférence à la tête de Dex.

Au lieu de quoi, elle attrapa le collier dissimulé au fond de son casier, le fourra dans son sac et courut à son cours d'élémentalisme.

Dex l'évita comme la peste le restant de la journée, ce qui n'était pas plus mal. Elle ne lui adresserait plus la parole tant qu'il ne lui aurait pas présenté des excuses sincères. Peut-être même des supplications. Avec un cadeau.

Elle avait prévu de passer par Everglen pour déposer le collier, mais Biana l'informa qu'Alden et Della étaient à Éternalia pour la journée. Une réunion avec le Conseil. Elle regagna donc la grotte à Havenfield pour essayer de déclencher de nouveaux souvenirs jusqu'au coucher du soleil. Une fois de plus, elle en ressortit bredouille.

De retour dans sa chambre, elle transmettait des ordres

à Iggy – elle s'était mis en tête de le dresser –, lorsque Grady frappa à la porte.

— Sophie ? lança-t-il. Tu m'entends ?

— Oui.

C'était le premier mot qu'elle lui adressait depuis leur dispute.

Il entrouvrit la porte juste assez pour passer la tête dans l'embrasure, l'air encore plus gêné qu'elle.

— Désolé de te déranger. Un paquet est arrivé pour toi.

Il lui tendit un petit colis enveloppé dans du papier brun. Comme elle ne réagit pas, il le déposa par terre.

— Je vais le laisser là… Euh… Bonne nuit.

Lui en vouloir était à la fois facile et difficile. Sophie aimait sincèrement Grady et Edaline et elle ne doutait pas que ce soit réciproque. Ses yeux se brouillèrent de larmes pendant qu'elle déchirait l'emballage. Une sphère argentée apparut, accompagnée d'un mot.

Tu dois les aider.
Connor, Kate et Natalie Freeman.

La boule s'anima entre ses mains tremblantes et une inscription luisante apparut en son centre : « omnisciente ». C'était la première fois qu'elle en voyait une, mais elle en avait entendu parler à Foxfire. Il s'agissait d'un objet capable de montrer n'importe qui, n'importe quand, n'importe où dans le monde. Il fallait obtenir un permis spécial pour en posséder une. L'identité de l'expéditeur ne faisait pas l'ombre d'un doute.

Cependant, elle ne put s'empêcher de murmurer :

— Montre-moi Connor, Kate et Natalie Freeman.

Dans un éclair lumineux, l'omnisciente lui présenta trois silhouettes blotties les unes contre les autres.

Et soudain, le monde s'évanouit.

Sa mère avait les cheveux plus longs, son père semblait avoir maigri et Amy paraissait plus âgée, mais il s'agissait bien de sa famille humaine. Trois échos d'une vie où elle pensait ne pas avoir sa place. Ils l'avaient pourtant aimée... elle ne pouvait pas en dire autant de sa famille actuelle.

Elle aurait voulu tendre la main à l'intérieur de la sphère pour les effleurer, mais elle dut se résoudre à les observer : ils se pelotonnaient, à même le sol, dans une pièce remplie de monde.

Que faisaient-ils par terre ?

Elle repéra l'inscription « Centre d'évacuation » et manqua de lâcher l'omnisciente.

Ils avaient été évacués. Autrement dit, ils vivaient près de l'incendie.

« *Tu dois les aider.* »

Le message résonna dans ses oreilles. Elle tenta de le dissiper, de se rappeler qu'on la manipulait. Mais elle ne pouvait détacher ses yeux de ces trois humains qu'elle avait autrefois aimés plus que tout au monde... ces trois êtres qu'elle aimait encore, épuisés, effrayés et menacés par un brasier insatiable et funeste.

« *Tu dois les aider.* »

Un déclic se fit en elle.

Sa famille ne l'aurait jamais abandonnée. Elle ne pouvait les laisser tomber. Même sans savoir quand ni comment, elle les aiderait.

Pour l'heure, elle allait veiller sur eux à distance, leur apporter son soutien silencieux.

Chapitre 42

Sophie ne ferma pas l'œil de la nuit. C'est à peine si elle cligna des paupières. L'omnisciente agissait comme une fenêtre magique susceptible de se refermer à tout moment sur sa famille. Elle ne voulait pas en perdre une miette.

Et ce, même si elle avait tenté de les oublier. Même s'ils ne savaient plus qu'elle existait. Rien ne pouvait effacer l'affection qu'elle leur portait. Aussi, lorsque le soleil vint orner le ciel de rose et d'or, rangea-t-elle la sphère dans le tiroir inférieur de son bureau avant de sortir son transmetteur pour contacter Alden.

— Que se passe-t-il ?

Il se frottait les yeux, encore ensommeillé.

— Les incendies ont eu lieu près de chez ma famille, n'est-ce pas ?

Il hésita avant de répondre.

— Oui, mais tout est sous contrôle. Pourquoi cette question ? As-tu reçu un nouveau message ?

Elle acquiesça.

— Il était écrit : « Tu dois les aider. » Il s'agit de ma famille, je le sais.

Elle ne mentionna pas les noms et l'omnisciente. Elle ne se sentait pas prête à abandonner son seul lien avec eux. Pas après huit mois de séparation.

— Tu as très certainement raison, mais n'oublie pas qu'on essaie de te manipuler. Et il n'y a pas de meilleur moyen pour y parvenir que de se servir des êtres qui te sont chers.

— Ils sont en danger, Alden. On doit bien pouvoir agir !

— Je regrette. Sans preuve, impossible de porter une accusation, et le Conseil n'ordonnera pas d'enquête à moins qu'on le fasse, ou que les feux menacent nos cités. Ces procédures administratives prennent du temps.

— Nous n'en disposons pas.

— Bien sûr que si ! Écoute, je sais que tu es bouleversée, mais promets-moi de ne rien faire.

Elle serra les dents.

— Je t'en supplie, Sophie. Ne m'oblige pas à envoyer quelqu'un pour te surveiller. Passe à Everglen cette après-midi et nous essaierons de trouver une solution qui te convienne davantage.

Elle n'avait pas envie de céder, mais elle ne voulait pas non plus d'un chaperon.

— Entendu.

— Promis ?

— Promis.

— Très bien. À ce soir.

Elle continua de fixer le transmetteur longtemps après que l'image d'Alden eut disparu.

Il avait raison, elle le savait. La manipulation ne faisait aucun doute. Mais de mémoire d'homme, jamais il n'y avait eu pareille tempête de feu. Un cataclysme mondial. Meurtrier. Clairement organisé. Aux flammes jaune vif.

Forcément l'œuvre d'un elfe.

Il fallait donc un elfe pour y mettre fin.

Elle n'allait pas courir devant le Conseil, comme l'espérait le Cygne Noir, mais elle ne pouvait rester inactive. Il fallait agir.

Selon Alden, ils avaient besoin de preuves pour lancer une accusation. Elle se chargerait de les trouver. Elle ne savait pas comment, mais elle trouverait un moyen.

Elle enfila son uniforme et courut au rez-de-chaussée prendre le petit déjeuner d'Iggy afin de pouvoir sauter vers Foxfire en avance. Son plan : fouiller toutes les bibliothèques pour dénicher des ouvrages juridiques.

Elle ne franchit même pas la porte d'entrée.

Un nouveau paquet. Un nouveau message. Une nouvelle broche.

Cette fois, la missive était glissée dans une bouteille. Elle en versa le contenu au creux de sa main tremblante. La petite épingle en forme d'apyrodon doré luit contre sa peau. Elle en examina les détails afin d'en comprendre la signification. Le message ne fit qu'ajouter à sa confusion.

Trois à gauche, dix vers le bas, deux sur la droite. Tu as tout ce qu'il te faut.

Tout ce qu'il lui fallait pour...

Elle examina le flacon, à la recherche d'un indice qui lui aurait échappé. Il était petit, arrondi, avec un cou strié et une embouchure évasée. Elle manqua de le faire tomber : c'était exactement la silhouette qu'elle avait projetée dans son journal mémoriel.

La capture du feu.

Luménite et or... qui servaient à mettre en bouteille des flammes artificielles. Le moyen de capturer le Grand Brasier.

Les broches en forme de colibri et d'apyrodon lui four-
niraient les métaux, et nul doute que les indications du mot
correspondaient au maniement du collier afin de sauter là
où brûlaient les incendies. Avec la fiole, ces cadeaux lui
donnaient tout ce dont elle avait besoin pour recueillir un
échantillon de feu. Pouvait-elle rêver meilleure preuve ?

Mais comment était-elle censée s'approcher assez des
flammes pour les mettre en bouteille sans se tuer par la même
occasion… en particulier sans une tenue ignifugée ?

Ignifugée.

Gildie, elle, supportait le feu. C'était sans doute la raison
pour laquelle on lui avait donné une broche en forme d'apyrodon, en lieu et place d'un bijou. Gildie avait dû être
amenée à Havenfield par ceux qui manipulaient Sophie :
ils étaient capables de tout. Devait-elle guider la créature
par télépathie afin qu'elle traverse les flammes pour prélever
un échantillon ? Était-ce possible ?

« *Tu as tout ce qu'il te faut.* »

Le Cygne Noir semblait en être convaincu.

Mais alors, elle ferait exactement tout ce qu'ils attendaient
d'elle et enfreindrait plusieurs lois capitales au passage. Et
cette fois, elle ne pourrait plaider l'ignorance comme pour
l'épisode de la Quintessence. Elle agirait de son propre chef.
Elle serait punie. Peut-être même exilée.

Elle avait presque envie de faire un saut à Everglen pour
aller tout raconter à Alden afin de ne pas céder à la tentation.
Pourtant, elle ne pouvait chasser de ses pensées l'image de
sa famille prostrée. Ni le titre de l'article que lui avait fait
parvenir le Cygne Noir : « La tempête de feu fait ses premières
victimes ».

Quel que soit le prix, elle ne pouvait laisser souffrir des
humains sans tenter de les aider. Tiergan lui avait dit qu'elle

prendrait la bonne décision, le moment venu. C'était la bonne décision. Elle le savait.

Avant de changer d'avis, elle attrapa sa sacoche et courut à l'enclos de Gildie. Le ptérodactyle doré battit des ailes lorsqu'elle pénétra dans sa cage.

« Kriiiisss ! »

Ce n'est rien, dit Sophie à Gildie. La jeune fille envoya en même temps à la bête des images de flammes incandescentes dans l'espoir de la calmer. Pendant qu'elle tirait le collier de sa sacoche, le ptérodactyle s'installa sur son poignet. Le bras de Sophie faillit céder sous le poids, mais elle tint bon.

Advienne que pourra ! lança-t-elle à Gildie tout en comptant les facettes du cristal selon les instructions du message. Lorsque la pierre se verrouilla, elle prit une profonde inspiration, agrippa les pattes du ptérodactyle, et se laissa emporter par la lumière cobalt.

Sophie chancela sous le coup de la chaleur soudaine. Elle voyait à peine à travers le nuage de fumée, mais elle devinait une plaine herbeuse. Les feux brûlaient sur les collines environnantes. Gildie battit des ailes avec un cri.

Du calme, lui dit Sophie en lui transmettant des images rassurantes jusqu'à ce qu'elle s'apaise. *Reste tranquille*.

Elle déposa le ptérodactyle à terre et ôta sa cape, qu'elle fixa autour de sa bouche et de son nez afin de filtrer la fumée, pas fâchée de trouver enfin une utilité au vêtement. Elle débarrassa les broches de leurs minuscules écrans numériques puis les fit tomber dans le flacon et créa un bouchon d'air comme elle avait appris à le faire. Il lui fallut trois tentatives avant d'y parvenir, et le résultat n'était pas aussi épais que les bouchons de Sir Conley, mais elle ne pouvait faire mieux.

Tiens, ordonna-t-elle à Gildie. Elle projeta dans l'esprit de la créature une image du volatile en train de transporter le flacon entre ses serres. Gildie refusait d'obéir, mais la jeune fille répéta l'ordre sans relâche jusqu'à ce que le ptérodactyle batte des ailes, décolle du sol et saisisse la fiole, à l'envers, comme le lui avait indiqué Sophie.

Elle n'était pas sûre de pouvoir maintenir sa connexion mentale une fois Gildie au loin, aussi lui répéta-t-elle ses instructions jusqu'à s'assurer qu'elle ait compris, avant de lui donner un avertissement : *Danger. Feu inhabituel. Fais vite.* Elle lui transmit des images pour lui expliquer la menace, en espérant que l'instinct de survie ferait le reste.

Une violente bourrasque souffla de la fumée dans les yeux de Sophie et elle désigna le brasier. *Va, Gildie. Rappelle-toi ce que je t'ai dit… et dépêche-toi !*

Gildie vola vers la ligne de feu et la jeune fille retint son souffle. Elle essaya de suivre du regard la silhouette étincelante qui disparaissait dans l'incendie, mais les flammes, trop vives, faisaient danser des points colorés devant ses yeux. Elle les ferma sans cesse de transmettre ses ordres au dinosaure.

Passe trois fois à l'endroit où le feu est le plus violent et reviens.

Une toux épaisse et rauque lui secoua la poitrine : elle n'arrivait plus à se concentrer assez pour localiser Gildie. Elle n'aurait su dire combien de temps elle avait attendu, mais la chaleur des flammes lui grillait la peau.

— Reviens, Gildie ! s'écria-t-elle.

La tempête emporta ses paroles. Au bout de combien de temps fallait-il s'inquiéter ?

Je t'en prie, Gildie, reviens !

Le vent tourna. À présent, le feu progressait vers Sophie. Si l'herbe continuait de se consumer à la même vitesse, dans très peu de temps les flammes dévoreraient la jeune fille.

— Gildie! hurla-t-elle.

Une quinte de toux la jeta à genoux, sans voix. Si Gildie ne revenait pas très vite, elle devrait l'abandonner et fuir.

L'horreur de cette conclusion provoqua chez Sophie une poussée d'adrénaline et l'adolescente prit soudain conscience de l'énergie qui bourdonnait à l'arrière de son esprit. Pouvait-elle à la fois puiser dedans et transmettre?

Elle ferma les yeux et canalisa le flux dans son appel mental. *Reviens tout de suite, Gildie!*

Elle scruta l'horizon. Rien.

Puis un faible éclair doré miroita à travers la fumée.

— Gildie! s'écria-t-elle avec de grands gestes. Par ici, Gildie!

La flèche dorée changea de direction et disparut dans l'enfer du brasier. Quelques secondes plus tard, le ptéro-dactyle scintillant émergea de nouveau, fit un dernier tour et atterrit aux pieds de Sophie.

« Kriiisss! »

La jeune fille passa les bras autour du volatile.

— Aïe! Tu es brûlante, gémit-elle avec un bond en arrière.

Elle agita les bras pour apaiser la sensation de chaleur. L'épaisse fourrure de l'apyrodon était roussie en surface et ses énormes yeux troublés de larmes, mais il semblait en bonne santé. Il serrait toujours le flacon entre ses serres, rempli de minuscules perles d'étincelles jaunes et scellé d'un bouchon doré et luisant.

— Tu as réussi!

Sophie représenta à Gildie les friandises qu'elle lui donne-rait plus tard, puis enveloppa la fiole dans sa cape avant de la coincer sous son bras. Elle sortit son cristal de foyer, soulagée de ne pas l'avoir rendu à ses tuteurs, et sauta se mettre à l'abri en compagnie du ptérodactyle.

— As-tu perdu la tête ? gronda Grady qui, furibond, arpentait le salon.

Dehors, Edaline traitait la fourrure carbonisée de Gildie. Elle ne supportait pas la vue des brûlures de Sophie et, après ce qui était arrivé à Jolie, la jeune fille ne pouvait lui en vouloir. Elle était surprise que Grady n'en soit pas plus perturbé.

Alden et Elwin étaient en route.

Elle n'avait pas envisagé cette situation. Elle s'attendait à devoir confesser ses actes, mais pensait avoir le temps de répéter ses arguments. Hélas, à son arrivée, elle avait trouvé Grady occupé à baigner Verdi en plein air. Gildie s'était mise à jacasser avant même qu'elle puisse songer à une cachette.

— Sais-tu seulement à quoi tu t'exposes ? demanda Grady, les mains dans ses cheveux déjà en bataille.

Elle n'eut pas le temps de répondre : la porte de la demeure s'ouvrit à la volée, Alden et Elwin se précipitèrent à l'intérieur.

— Tu m'avais promis ! dit Alden, qu'elle n'avait encore jamais vu aussi furieux. Ce matin, encore, tu m'as donné ta parole !

— Je peux tout vous expliquer.

— J'y compte bien… mais ton cas ne s'arrangera pas pour autant.

Vidée de sa colère, la voix d'Alden se faisait monocorde et désincarnée. Presque désespérée.

— Bronte a convoqué le tribunal.

405

Elle avait beau s'attendre à de telles retombées, son estomac n'en fit pas moins des soubresauts. Heureusement qu'elle
avait sauté le petit déjeuner.

Elwin se racla la gorge.

— Et si nous commencions par soigner ces brûlures ?

Il s'accroupit à côté d'elle pour appliquer une lumière
bleue autour de ses bras.

— Rien de très grave. Même pas besoin de recourir à
l'urine de yéti !

— Pardon ?

Sophie se souvint alors de la pommade jaune puante
qu'Elwin avait étalée sur ses mains après l'épisode de la
capture de la Quintessence.

— Un remède qui apaise les brûlures les plus douloureuses. Ne me remercie pas.

Il appliqua un baume violet aux endroits où la fourrure
de Gildie était entrée en contact avec la peau de la jeune
Télépathe.

— Tu as d'autres blessures à me montrer ?

Elle secoua la tête. Il déposa deux flacons de solution
rouge et une fiole de jouvence devant elle.

— Bois les trois. Tes poumons ont souffert de la fumée
que tu as inhalée.

Elle avala les sérums poisseux pendant que le Flasheur
lui nettoyait les bras pour révéler une peau neuve, régénérée.

— Merci, Elwin !

Il lui adressa un sourire triste.

— Je te dirais bien d'éviter les ennuis, mais je crois qu'il
est un peu trop tard.

Sophie jeta un coup d'œil à Alden et sentit aussitôt son
cœur se serrer : l'elfe affichait une mine lugubre.

— Tu devrais vite t'en remettre, dit Elwin. Mais si jamais tu as besoin de quoi que ce soit, tu sais où me trouver.

Tiens bon ! sembla-t-il ajouter silencieusement. Puis il disparut.

Les yeux baissés, la jeune fille restait muette.

— À quoi pensais-tu ? demanda Alden.

— Vous m'aviez dit qu'on avait besoin de preuves pour porter une accusation. Alors je suis allée en chercher.

Elle désigna sa cape roulée en boule.

— Allez-y, regardez. Ce qui se trouve dans cette fiole ne ressemble à aucun des feux que j'ai capturés en élémentalisme.

Il semblait prêt à lui crier dessus, mais il déballa tout de même le flacon.

— Incroyable ! souffla-t-il lorsqu'il découvrit les minuscules perles de flamme jaune.

Grady se détourna, les mains de nouveau dans les cheveux.

— Lorsque le Conseil verra cette preuve, il devra se rendre à l'évidence, déclara Sophie.

— Ce n'est pas aussi simple, l'avertit Alden.

— Pourquoi ? Parce que tous ses membres sont amis avec Fintan ?

— Non, parce que tu as enfreint la loi.

— Des êtres sont en train de mourir. De perdre leurs maisons. Ma famille est parquée dans un centre de réfugiés et craint pour sa survie !

— Ce sont des Hommes, Sophie. Les elfes ne se mêlent pas des affaires humaines.

Elle montra le flacon du doigt.

— À une exception près, à l'évidence. Je me fiche de savoir si Fintan est un proche des Conseillers. J'ai fait ce qu'il fallait.

— Je l'espère. Car je n'ai plus aucun moyen de te protéger du Conseil.

— Moi, si, intervint Grady, une étincelle de folie dans les yeux.

— Grady… menaça Alden.

— Non… ce n'est pas sa faute. C'est moi ! cria le tuteur de Sophie. Je l'ai hypnotisée pour qu'elle le fasse !

Ses propos résonnèrent à travers la pièce.

— Non, c'est faux ! contra la jeune fille. Je ne vous ai même pas vu ce matin !

— Bien sûr que si. Mais tu ne t'en souviens pas parce que je t'ai ordonné de tout oublier.

Elle comprit au ton désespéré de son tuteur qu'il l'implorait de ne pas protester.

— Les conséquences de cette déclaration, Grady, seront encore plus sévères que celles encourues par Sophie, l'avertit Alden.

— C'est la stricte vérité. Je l'ai hypnotisée.

À la porte, Edaline ne put retenir un soupir. Tous se retournèrent vers elle.

— Que fais-tu, Grady ?

Son mari détourna le regard.

— Je raconte à Alden ce que j'ai fait pour que Sophie n'ait pas à affronter le tribunal. C'est à cause de moi si elle a violé la loi. Je me suis servi de mon pouvoir pour l'y forcer.

— Mais non, pas du tout ! hurla la jeune fille, qui se redressa d'un coup. Arrêtez de me couvrir… je n'ai pas besoin de votre aide !

— Je t'en supplie, Sophie, laisse-moi faire. C'est la moindre des choses, après tout ce qui s'est passé.

Le regard de son tuteur semblait à nouveau empreint de chaleur et d'amour, mais l'adolescente se détourna.

— Je… je pense que tu ferais mieux de l'écouter, Sophie, bredouilla Edaline.

Chaque mot semblait lui coûter.

— Grady a raison, ajouta-t-elle.

— Non, je refuse de vous laisser mentir au Conseil et de risquer l'exil simplement parce que vous culpabilisez de m'avoir laissée tomber.

— La culpabilité n'a rien à voir là-dedans, chuchota Grady.

La tendresse qui habitait sa voix noua la gorge de la jeune Télépathe.

— Oralie saura que vous mentez, balbutia-t-elle.

— Je sais me montrer très convaincant.

— Oui, j'ai cru remarquer.

Grady se laissa tomber sur une chaise.

— J'essaie d'arranger les choses, Sophie.

— Ce n'est pas une solution, l'interrompit Alden, les yeux fixés sur la fiole emplie d'étincelles jaunes. Peut-être qu'en voyant ceci, les Conseillers décideront que les actes de Sophie étaient justifiés.

— Tu sais bien que Bronte ne l'entendra pas de cette oreille, plaida Grady.

— Nous nous en soucierons une fois que nous aurons vu la réaction du Conseil face à ces preuves. En attendant, Sophie a pour ordre de faire comme si de rien n'était. (Il se tourna vers la jeune fille.) Voilà la version officielle : tu es restée à la maison, malade, et tes camarades de classe s'attendent à te revoir demain. Je ne sais pas comment le Cygne Noir a pu te convaincre d'agir, mais promets-moi que tu n'écouteras plus jamais leurs suggestions !

— Promis.

— Je tâcherai de te croire.

— Je suis vraiment désolée, Alden. Cette fois je tiendrai parole.

— Je l'espère.

Sophie fixa le sol.

— Je comprendrais si vous décidiez de retirer votre offre d'adoption.

Edaline émit un son étranglé.

— Ce serait un honneur de t'accueillir chez nous, déclara Alden avant de se tourner vers Grady et Edaline. Pardon, je n'avais pas encore trouvé comment vous l'annoncer.

Grady jeta un regard à son épouse avant de baisser les yeux.

— Non, c'est… c'est formidable. Je suis ravi de l'entendre.

Edaline marmonna des paroles inintelligibles. Difficile de savoir si elle était d'accord ou non. Elle fit volte-face et s'enfuit avant que quelqu'un ne lui pose la question.

Alden brandit le flacon avec un soupir.

— Je ferais mieux de ramener cette fiole au Conseil pour faire avancer les choses. Quant à l'adoption, nous pourrons en reparler si…

Il ne termina pas sa phrase, mais Sophie savait ce qu'il voulait dire.

Si elle n'était pas condamnée à l'exil.

Chapitre 43

Le lendemain, à Foxfire, Sophie eut moins de mal à jouer la carte de la normalité qu'elle ne l'aurait cru. Dex boudait toujours, Marella et Jensi ne semblaient guère perturbés par son comportement des derniers jours, quant à Fitz et Biana, ils étaient déjà au courant. Sophie se sentit émue lorsque Biana la serra dans ses bras pour lui dire que tout irait bien. Keefe, lui, plaisanta sur ce qu'il surnommait sa « maladie mystère », mais sinon, tout paraissait comme à l'accoutumée.

Jusqu'à l'heure d'étude.

Assise seule avec Biana, Sophie ignorait les regards assas-sins de Dex, quand Stina installa son corps dégingandé sur une chaise vide.

— Je ne te savais pas si bonne actrice, persifla-t-elle.

Sophie se figea.

— Que… que veux-tu dire ?

— Je ne t'ai pas adressé la parole, Foster : toi, tu n'es bonne à rien. Je connais ton secret, Biana.

La sœur de Fitz fusilla Stina du regard.

— Oh, qu'est-ce que j'ai peur !

— Tu devrais, lui confirma la teigne.

Son assurance semblait perturber Biana, qui remua sur sa chaise avant de jeter un regard furtif à son amie.

411

— Elle ne sait rien. Elle essaie juste de te pousser à avouer quelque chose, dit Sophie, qui attrapa aussitôt ses affaires pour se lever. Allez, viens! On va s'asseoir ailleurs.

Stina abattit un bras maigrelet sur les livres de Biana.

— Mais si, et je dirais même que je détiens un scoop! Vois-tu, depuis que tu ignores Maruca, nous sommes devenues très proches, elle et moi… et elle a plein d'histoires à raconter. Ce matin encore, elle m'a révélé une information très intéressante: la raison qui t'a poussée à sympathiser avec Sophie.

Biana blêmit.

— Qu'est-ce qu'elle raconte? demanda la jeune Télépathe à voix basse.

Stina adressa un large sourire à Biana.

— Veux-tu que je lui dise, ou préfères-tu le faire toi-même?

— Me dire quoi?

Biana demeurait aussi pâle et immobile qu'une statue.

Stina gloussa.

— Tu vas rire! On l'a obligée à sympathiser avec toi. Son père voulait tenir à l'œil l'étrange humaine qui avait failli tuer son fils dans un match d'éclaboussures, alors il a ordonné à Biana de devenir ton amie pour que tu leur rendes visite chez eux.

La fille d'Alden était visiblement paniquée, et Sophie commença à se sentir nauséeuse.

— C'est vrai?

— Bien sûr, renchérit Stina. Elle te détestait au début, tu te rappelles? Tu ne pensais tout de même pas qu'elle voulait d'un seul coup devenir ta meilleure amie, comme ça, sans raison?

Elle dévisagea Sophie.

— Hmm… Apparemment, si. Tu es encore plus bête que je ne l'imaginais !

Biana se ressaisit soudain et effleura le bras de Sophie, qui s'écarta aussitôt.

— Ne me touche pas !

Son cerveau en pleine ébullition établissait des liens qu'elle aurait dû voir depuis longtemps. Elle s'était demandé si on avait forcé la main à Biana… mais jamais elle n'aurait pensé que cette idée vienne d'Alden !

— Sophie… plaida Biana.

L'intéressée secoua la tête, les yeux emplis de larmes traîtresses. La dernière chose qu'elle vit avant de s'enfuir à toutes jambes fut l'expression de Dex. « Je t'avais prévenue », semblait-il dire.

À l'angle d'un couloir, elle percuta quelqu'un de plein fouet.

— Sophie ? Tout va bien ? demanda Fitz.

Bien sûr, il fallait que ce soit lui. Accompagné de Keefe. Génial.

— Oui, marmonna-t-elle.

Elle se débattait pour retrouver l'équilibre sans l'aide du garçon. Il la saisit par les bras.

— Que se passe-t-il ? Quelque chose ne va pas ?

Elle se dégagea d'un haussement d'épaules et tenta de le dépasser, mais il lui bloqua le chemin.

— Laisse-moi passer.

— Dis-moi d'abord quel est le problème.

— Euh… Fitz ? hasarda Keefe. Je la sens très en colère en ce moment. Mieux vaut ne pas l'ennuyer.

Devant le regard assassin de la jeune fille, il fit un pas en arrière, les mains tendues en signe d'apaisement.

— Dis-moi ce qui s'est passé, implora Fitz.

Elle ne pouvait supporter l'inquiétude qui perçait dans sa voix. Elle le repoussa avec un soupir d'exaspération.

— Arrête, tu veux ?

— Pardon ?

— Cesse de faire semblant. Je sais que tu obéissais à ton père, d'accord ?

— Qu'est-ce que tu racontes ? s'exclama Keefe, qui cherchait à soutenir son ami.

Fitz se détourna, visiblement nerveux.

— Que t'a dit Biana ?

— Rien, siffla Sophie. Ni toi ni elle n'avez eu la décence de vous montrer honnêtes envers moi. Il a fallu que je l'apprenne de la bouche de Stina.

Fitz grommela dans sa barbe.

— C'est…

— Je ne veux pas le savoir !

Sa voix se brisa.

— Mieux vaut la laisser tranquille, dit Keefe.

Il entraîna son ami plus loin dans le couloir et jeta un regard en arrière, comme pour demander à Sophie si elle pouvait tenir le coup.

Elle secoua la tête, sortit son cristal de foyer et sauta vers Havenfield.

— Que s'est-il passé ? demanda Grady.

La jeune fille l'ignora. Elle jeta sa sacoche par terre et s'élança vers les grottes.

— Attends, Sophie ! s'écria Edaline.

L'adolescente poursuivit sa course, mais sa tutrice, plus rapide qu'elle n'en avait l'air, eut tôt fait de la rattraper. Elle lui tendit une petite boule de poils.

— Si tu as besoin d'un ami…

Iggy grimpa sur l'épaule de Sophie, qui écrasa une larme.

— Merci…

Edaline hocha la tête.

— Sois prudente. On dirait qu'une tempête se prépare.

Sophie n'avait pas prêté attention au ciel gris, qui paraissait en adéquation avec son humeur. Elle descendit la falaise et s'enfonça dans la grotte dont elle goûtait les épaisses ténèbres. Elle remarqua un fragment de roche au sol : elle le ramassa et le lança de toutes ses forces contre la paroi. Le bruit qu'il fit en se pulvérisant l'apaisa étrangement.

Elle jeta une deuxième pierre, puis une autre. Le son de leur explosion contre le mur lui faisait un bien fou. Lorsqu'elle fut à court de projectiles, elle se mit à donner des coups de pied dans le rocher le plus proche jusqu'à en avoir mal au pied. Sale, à bout de souffle, percluse de douleur, elle s'effondra au sol, submergée par les larmes qu'elle avait retenues jusque-là. Le visage dans les mains, elle se laissa aller à ses pleurs, le corps entier secoué de violents sanglots. Elle sentit Iggy frémir à côté d'elle, effrayé par ce comportement inhabituel, mais elle n'en avait cure.

Sa vie était officiellement en lambeaux. Plus d'amis. Plus de famille. Vouée à l'exil et à l'expulsion.

Elle était absolument seule au monde.

C'est à cet instant précis, alors même qu'elle croyait avoir touché le fond, que la situation empira.

Deux bras la poussèrent à se relever. Une main charnue étouffait ses cris. Elle tenta de se débattre, mais une silhouette enveloppée d'un manteau surgit des ténèbres pour lui couvrir la bouche et le nez d'un tissu. Un parfum doucereux et écœurant lui brûla la gorge et les narines, et son esprit se voila instantanément.

Un sédatif.

Elle retint son souffle et rua de toutes ses forces, mais elle ne put échapper à la poigne de son agresseur. L'air lui manqua.

— Sophie? appela Dex, dont la voix se répercutait contre les parois de la grotte. Tu es là? Fitz m'a dit que je ferais mieux de venir te voir.

La silhouette qui s'était emparée d'elle poussa un juron. Sophie en profita pour se concentrer.

— *Dex, fuis!* lança-t-elle.

Trop tard.

Elle entendit des bruits de lutte, mais la tête lui tournait trop sous l'effet de la drogue pour comprendre ce qui se passait. Les bras qui la retenaient la lâchèrent soudain et elle s'écroula au sol. On poussa un cri. Une boule de poils détala.

Iggy!

Il avait dû mordre son agresseur.

Va chercher de l'aide! transmit-elle, en priant pour qu'il comprenne. Telle une flèche, il quitta la caverne. Un bon signe, sans doute.

Elle tenta de se relever, mais la force lui manquait. Une des silhouettes lui agrippa le bras d'une poigne tellement puissante qu'elle lui coupa la circulation.

— Lâchez-moi! dit-elle d'une voix rauque, surprise de l'effet qu'avait la drogue sur son élocution.

Derrière elle, Dex gémit. Elle se retourna vers lui.

Une troisième ombre retenait son ami comme dans un étau qu'il était inutile d'espérer briser. Pendant que le ravisseur de Sophie la mettait debout, une main pressée contre sa bouche, elle soutint le regard paniqué de Dex.

— La drogue! Tout de suite! ordonna l'homme d'une voix profonde.

— Tous les deux ? demanda l'agresseur de Dex. Je croyais que seule la fille nous intéressait ?

— On ne peut pas laisser de témoin !

Le premier homme se tourna vers son camarade qui imbibait déjà le tissu d'un liquide.

— Tu m'avais dit qu'elle venait toujours seule !

— C'était le cas !

On l'avait épiée.

Sophie regarda avec horreur la deuxième silhouette recouvrir le nez et la bouche de Dex de l'étoffe humide. Le garçon la fixait toujours, luttant contre le sédatif, mais une minute plus tard, il dodelina de la tête et son corps retomba telle une poupée de chiffon.

— Prends son pendentif d'identification, ordonna le premier homme.

Un claquement lugubre retentit quand le collier de Dex se brisa. L'homme s'approcha ensuite de Sophie et porta le tissu au visage de la jeune fille.

— Réessayons pour voir.

Le nez en feu et la tête légère, elle sentit une petite secousse autour de son cou : son pendentif lui avait été arraché, et avec lui tout espoir d'être retrouvée et secourue.

Chapitre 44

Sophie dérivait dans les ténèbres, incapable de distinguer le cauchemar de la réalité. La douleur finit par la ramener à elle. D'épaisses cordes froides lui tailladaient les poignets et les chevilles. Des liens.

Elle était retenue prisonnière.

— Ils ont lancé une opération de sauvetage, chuchota au loin une voix inconnue. Ils ont cru à l'hypothèse de la marée.

— Je maintiens qu'on aurait mieux fait de mettre en scène un suicide, siffla quelqu'un d'autre.

— Personne n'aurait cru qu'ils se seraient tous les deux jetés du haut de la falaise.

— Je sais. On se serait bien passés du garçon !

Deux hommes… trois peut-être. Elle n'aurait su dire. Elle n'était même pas sûre d'être éveillée. Le brouillard métallique semblait tellement épais que c'est à peine si elle parvenait à réfléchir.

— Que comptez-vous faire de lui ? demanda l'un.

— Nous ne sommes pas là pour répondre à tes questions, siffla une nouvelle voix dans un murmure fantomatique. Contente-toi de faire ton travail et d'effacer les souvenirs récents de la fille.

— *Pitié!* s'écria Sophie en forçant son esprit embrumé à la concentration.

Elle transmit aussi loin qu'elle le pouvait.

— *Mon nom est Sophie Foster. Si vous m'entendez, aidez-moi, je vous en supplie!*

Pour toute réponse, le silence. Les ténèbres l'engloutirent de nouveau.

Des voix fortes la tirèrent de sa torpeur. Elle avait envie de pleurer, mais l'énergie lui manquait. Son corps tout entier n'était qu'un gigantesque hématome. Mais la douleur signifiait au moins qu'elle était encore en vie.

— Ils sont en train d'organiser des funérailles.

— Ça ne les dérange pas, de ne pas avoir de corps?

— Ils ont retrouvé les pendentifs au fond de l'océan. Tout le monde y a cru.

— *Non!* hurla-t-elle. *Nous ne sommes pas morts. Je vous en prie, écoutez-moi… À l'aide!*

— Et le garçon, qu'est-ce qu'ils vont en faire?

— Ils vont s'en débarrasser.

— *Pitié!* lança-t-elle. *Aidez-nous, s'il vous plaît!*

Elle poussa le message aussi loin qu'elle en avait la force.

— La fille est réveillée. Elle transmet des appels à l'aide.

Une main puissante serra le bras de l'adolescente.

— Arrête, Sophie! Tu m'entends?

— Du calme. Elle est hors de portée de toute façon.

— Je n'en ai rien à faire. Qu'on l'endorme.

Une douceur aiguë lui chatouilla les narines et elle sombra dans les ténèbres.

Dans le noir, le temps perdait toute signification. Chaque seconde ressemblait à la précédente… jusqu'à ce qu'une brûlure dans les narines la ramène à la réalité. La moindre inspiration lui donnait envie d'éternuer et de vomir.

— Est-ce vraiment nécessaire ? demanda la voix au-dessus d'elle.

— C'est la seule solution.

Un soupir pesant.

— J'espère que tu sais ce que tu fais.

La poitrine de Sophie se contracta. Le tissu appliqué contre sa bouche l'empêchait d'expulser une violente quinte de toux. Elle se cabra, en proie à la douleur.

— Le bâillon est en train de l'étouffer.

— Elle n'en mourra pas ! insista une voix rauque. Je ne veux pas l'entendre parler.

— Tu as intérêt à ce que ça marche, ajouta quelqu'un d'autre.

Elle suffoquait de plus en plus et l'angoisse la gagnait.

— Merveilleux. Bon, vas-y, avant qu'elle ne s'étrangle.

Elle eut l'impression qu'on lui arrachait les lèvres en même temps que le bâillon. Elle avait la gorge sèche et la langue recouverte d'un parfum âcre à lui soulever le cœur, mais l'air frais lui fit du bien. Elle inspira jusqu'à plus soif, toussa et cracha jusqu'à ce que son souffle se stabilise.

— Inutile de crier, Sophie. Personne ne t'entendra et la punition risque de ne pas te plaire. Hoche le menton si tu comprends.

La tête lourde comme du plomb, elle réussit néanmoins à acquiescer faiblement.

— Bien. Maintenant, finissons-en.

Deux mains rugueuses lui pressèrent les tempes, écrasant son crâne déjà douloureux.

— Pourquoi ? coassa-t-elle.

Elle tenta d'ouvrir les yeux, qu'elle avait bandés.

— Pourquoi vous me faites ça ?

— Tu as rempli ton office, murmura un souffle spectral. Modifiez ses souvenirs de façon à ce que nous puissions la relocaliser.

Elle retint son souffle. Allait-elle sentir le vol de ses souvenirs ? Allait-elle souffrir ? Cependant, elle ne ressentit rien.

— Alors, ça marche ? demanda la voix rauque.

Silence, suivi d'un grognement exaspéré.

— Non.

La syllabe se répercuta à travers la pièce. Quelque chose de lourd heurta le mur. Puis on appliqua un tissu sur sa bouche et la drogue l'entraîna une nouvelle fois vers les ténèbres.

— Réveille-toi, Sophie ! lança une voix à travers le tumulte de son esprit.

Son nez lui piqua de nouveau. Puis survint la toux.

Plus de bâillon cette fois, mais elle avait toujours les yeux bandés et se trouvait attachée par les poignets et les chevilles à une chaise.

— Qui êtes-vous ? murmura-t-elle.

Elle luttait pour sortir de la brume induite par le sédatif.

— Peu importe, lui répondit le souffle spectral.

Un frisson lui parcourut l'échine.

— Que voulez-vous ?

— Moi ? Oh… plein de choses ! Veux-tu que je t'en fasse la liste ?

Une voix vide, désincarnée. Elle aurait souhaité la reconnaître, mais elle ne l'avait jamais entendue auparavant.

— Et à moi, que me voulez-vous ?

— Ah, voilà qui est déjà plus précis !

Un rire glaçant, chuchoté, presque asthmatique.

— J'aimerais savoir ce que tu fais là.

— À vous de me le dire, éructa-t-elle. C'est vous qui m'avez capturée.

— Oh! Je ne parlais pas de ces lieux. Je faisais allusion à ton existence. Qui irait se donner tant de mal pour créer une petite fille aussi unique? Et qu'a-t-on bien pu cacher dans ce petit cerveau impénétrable?

Ces dernières paroles se firent venimeuses et deux mains brûlantes effleurèrent les tempes de Sophie, laissant une trace de chaleur partout où elles passaient.

— J'imagine que tu n'as pas envie de me dire ce que tu dissimules là-dedans?

— Bas les pattes!

Nouveau rire chuchoté.

— Tu ne manques pas de cran, je le reconnais. Mais tu ne me facilites guère la tâche.

Des bruits de pas réguliers: son interlocuteur arpentait la pièce.

— Le plus simple serait encore de vous tuer, toi et ton petit copain, de me débarrasser de vous. Mais rien n'est jamais simple, pas vrai? Sauf pour ton ami, bien sûr. On aura tôt fait de l'éliminer.

— Pourquoi? C'est moi que vous voulez. Pourquoi ne pas le relâcher?

— Et rendre ta disparition suspecte? Non, hors de question. Ne t'inquiète pas, il ne sentira rien. Après tout, je ne suis pas un monstre.

— Vous êtes bien pire! hurla-t-elle. Vous tuez des enfants innocents, sans même avoir le courage de montrer votre visage.

— Innocents? Vraiment?

Elle sentit un souffle tiède sur son visage et une main lui serrer les bras.

— Si tu es si innocente, pourquoi connais-tu la position d'Élémentine ? Comment es-tu au courant pour le Grand Brasier ?

Il relâcha ses membres. Le sang afflua de nouveau avec un battement douloureux.

— Non, mademoiselle Foster. Tu es peut-être ignorante, mais certainement pas innocente. Le Cygne Noir y a bien veillé.

— Attendez. Vous n'êtes pas membre du Cygne Noir ?

Il s'esclaffa, plus fort cette fois. Presque un ricanement. Ce fut la seule réponse qu'elle obtint.

— Alors, que vais-je faire de toi ? demanda-t-il d'un air absent. Est-ce que je te garde, pour voir ce dont tu es réellement capable ?

— Je ne peux rien faire ! s'écria-t-elle. Je n'ai rien de spécial… je ne suis que moi.

— Vois-tu, c'est là que tu te trompes. Tu es leur petite marionnette. Aussi, peut-être ferais-je mieux de me débarrasser de toi pour les priver de leur précieux joujou.

En dépit de ses liens, Sophie trembla de la tête aux pieds, paniquée. Allait-il la tuer ?

— Vous ne vous en tirerez pas comme ça. J'ai déjà remis au Conseil un échantillon du Grand Brasier. Ils sont à vos trousses.

— Comment sauront-ils que c'est moi ?

— Parce que vous êtes le seul à pouvoir démarrer le Grand Brasier.

— Vraiment ? J'imagine alors que tu penses connaître mon identité ?

— Vous êtes Fintan.

Il éclata de rire.

— C'est que tu as résolu toute l'affaire, dans ce cas !

Il se précipita à ses côtés pour lui agripper une nouvelle fois les bras.

— Dis-moi ce que cache ton esprit, et peut-être te laisserai-je la vie sauve.

Elle cria sous l'effet de la brûlure, de plus en plus vive. Sa peau semblait fondre.

— S'il vous plaît, vous me faites mal !

Le souffle tiède de l'homme lui effleura le visage.

— Dernière chance.

— *Pitié !*

Elle tenta de se concentrer afin d'émettre un dernier appel désespéré. Elle ignorait si elle pouvait atteindre qui que ce soit, mais c'était son ultime espoir.

Son esprit puisa dans une réserve d'énergie : elle se représenta Everglen jusqu'à ne plus rien voir d'autre.

— *Fitz*, transmit-elle en l'imaginant à l'intérieur, en train de dîner dans la salle à manger.

La projection était si réaliste qu'elle vit ses yeux magnifiques s'écarquiller de surprise.

— *S'il te plaît, Fitz. J'ai besoin de toi. Si tu peux suivre ma voix, viens me trouver.*

— *Mais tu es morte*, pensa-t-il, le visage déformé par le chagrin.

— *Non… pas encore. Je t'en supplie, ils vont nous tuer !*

— Elle transmet de nouveau, lança quelqu'un.

La douleur dans ses bras se fit tellement insupportable qu'elle perdit sa connexion, si tant est qu'elle en ait trouvé une.

— C'est vrai ? siffla la voix fantomatique.

Les mains resserraient leur emprise, tordant la peau à vif de Sophie. Elle se cabra de douleur.

— Arrêtez! cria-t-elle. Arrêtez, je vous en supplie!

— Qu'on l'endorme de nouveau. Et préparez le poison… j'en ai fini avec eux.

— Non, s'il…

Le chiffon imprégné étouffa le reste de sa supplique, et elle regagna les ténèbres.

Son esprit dériva une éternité à travers un océan noir comme de l'encre. Par instants, elle retrouvait assez de lucidité pour visualiser le visage de Fitz et lui envoyer un appel désespéré, mais la plupart du temps, elle errait juste au rythme de sa respiration. À chaque souffle, elle se demandait s'il serait le dernier.

Elle ne se rendit pas tout de suite compte qu'elle bougeait. Une bourrasque d'air frais sur son visage la ramena à elle. Elle continua de se tortiller.

— Cesse de lutter, Sophie, lui ordonna une voix. Je suis en train de te sortir de là.

On venait la sauver?

Elle ne sentait plus les liens. Deux bras puissants la transportaient ailleurs.

Le bonheur qui la submergeait ne dura qu'une seconde.

— Dex, grogna-t-elle d'une voix rauque et sourde.

— Je reviendrai le chercher.

— Non!

Elle se débattit. Ils seraient sauvés ensemble.

— Il faut que je te sorte de là, Sophie.

— Non!

Elle agita les jambes et parvint presque à se dégager de l'étreinte de son sauveur.

Qui poussa un profond soupir.

— Vous, les gamins, vous êtes pénibles !

Ces paroles lui semblèrent vaguement familières, mais elle n'avait pas le temps d'y réfléchir.

— Dex, insista-t-elle en ruant de plus belle.

L'homme émit une sorte de grognement puis la fit tournoyer, la secouant avec plus de force que nécessaire pendant qu'il courait. Lorsqu'ils s'arrêtèrent, il se pencha sur le côté pour hisser un corps sur son autre épaule. Le cœur de Sophie fit un bond quand elle sentit la respiration tiède de Dex contre sa joue. Son ami semblait encore drogué mais en vie… et ils étaient sauvés.

Tout irait bien.

— Accroche-toi à moi, ordonna leur sauveur. Si je dois vous porter tous les deux, je vais avoir besoin de ton aide.

Affaiblie, le cerveau encore embrumé par le sédatif, elle n'allait pas pour autant risquer de le voir abandonner Dex. Elle passa les bras autour de son cou et s'agrippa de toutes ses forces.

Il se déplaçait vite et en silence, s'arrêtant parfois pour reprendre son souffle. Ils pénétrèrent dans une sorte d'ascenseur. L'estomac de Sophie se noua lorsque la cabine commença à s'élever.

— Qui êtes-vous ? murmura-t-elle.

— Aucune importance.

Sa voix, saccadée, n'offrait aucun signe distinctif lui permettant de l'identifier.

— Pourquoi m'aider ?

— C'est mon travail.

Son travail ? Elle avait espéré qu'il soit quelqu'un qui se soucie d'elle, mais elle n'allait pas chipoter.

— Combien de temps avons-nous disparu ?

— Il nous a fallu dix jours pour vous retrouver.

J'ai passé dix jours à délirer sous l'effet de la drogue ? Son corps tout entier se mit à trembler.

Les portes de l'élévateur s'ouvrirent et une bouffée d'air frais vint atténuer sa panique. Après quelques minutes de course, l'homme la déposa sur la terre ferme avant d'étendre Dex à ses côtés. Des doigts rugueux lui ouvrirent la bouche.

— Avale, ordonna-t-il en lui versant une substance amère et salée dans la gorge.

Elle eut un haut-le-cœur, mais il lui ferma la bouche.

— Avale, Sophie.

Elle s'exécuta. Une minute plus tard, elle entendit Dex émettre un borborygme et devina qu'il avait reçu le même traitement.

— Très bien, les gamins, grogna leur sauveur, qui déposa un petit objet dans les mains de la jeune fille. Le médicament devrait mettre environ une heure à agir, après quoi vous serez sur pied. C'est tout ce que je peux faire. À partir de là, vous devrez vous débrouiller seuls.

— Quoi ?

Elle n'arrivait même pas à ouvrir les yeux… Comment était-elle censée se débrouiller ?

— Ne partez pas ! implora-t-elle.

Sophie tâtonnait autour d'elle pour le trouver.

— J'ai déjà passé trop de temps ici. Si vous n'êtes pas de retour dans quelques jours, j'essaierai de trouver une autre solution, mais je ne peux rien vous promettre.

Elle sentit les larmes lui monter aux yeux.

— Ne me laissez pas, je vous en supplie !

Sa main se referma sur le vide. Il avait disparu.

427

Trop affaiblie et effrayée pour se mouvoir, elle se pelotonna contre Dex et pleura à gros sanglots.

Au bout d'une minute, elle sentit une vague de chaleur fourmiller dans son esprit, pareille à une caresse. Elle avait de nouveau cinq ans, sa télépathie ne s'était pas encore manifestée et sa vie n'avait pas encore basculé. Elle n'était qu'une petite fille normale et heureuse. Elle concentra son esprit sur cette sensation, se raccrocha à ce sentiment de confort et de sécurité jusqu'à ce que son esprit exténué sombre dans le sommeil.

Chapitre 45

Quand elle se força à ouvrir les yeux en dépit de la lumière aveuglante, Sophie n'avait pas la moindre idée du temps qui s'était écoulé. La douce sensation qui l'avait bercée s'était évanouie pour laisser la place à une perception accrue de son environnement.

Était-ce dû à ces dix jours passés attachée et bâillonnée ? Ou à l'effet restrictif des drogues ? Toujours est-il que ses sens étaient mis à rude épreuve. Elle ne souffrait pas autant que lors de son réveil à l'hôpital, sept ans plus tôt, mais la différence était ténue. Elle gémit, la tête dans les mains, regrettant de ne pas avoir la force de repousser la déferlante sonore qui l'assaillait.

Ils se trouvaient dans une allée déserte d'une ville quelconque, laquelle abritait des humains, à en croire la cacophonie ambiante et les mégots de cigarettes qui jonchaient le sol. Les bâtiments semblaient appartenir à une autre époque, et tout n'était que pierre, y compris la chaussée. Dex remua à côté d'elle. La jeune fille rampa jusqu'à lui afin de sentir sa chaleur. Tant qu'il était en vie, tout irait bien.

— Dex…

Il battit des paupières et, aveuglé par la lumière, poussa un gémissement. Avant de se redresser soudain, l'air incrédule.

— Sophie ?

Ils échangèrent un regard. Elle retint sa respiration. Pourvu qu'il ne lui en veuille pas de l'avoir embarqué dans cette mésaventure !

Il se jeta à son cou et la serra si fort qu'elle en eut le souffle coupé.

— Je croyais ne plus jamais te revoir !

Elle enfouit le visage dans l'épaule de son ami.

— Je suis désolée, Dex. Tout est ma faute.

Ils restèrent enlacés un moment avant que le garçon ne s'écarte finalement d'elle en se frottant les yeux.

— Je suis content de voir que tu vas bien. Et je suis désolé de m'être montré aussi…

— Je t'en prie. Ça ne fait rien. Concentrons-nous sur le vrai problème : notre survie.

Il acquiesça et balaya les environs du regard.

— Où sommes-nous ?

— Quelque part chez les humains… mais je ne sais pas où.

— Qu'est-ce qu'on fait dans une Cité interdite ?

— C'est sans doute là que nos ravisseurs se cachent. Le type qui nous a secourus n'a pas sauté, on ne doit donc pas être bien loin de leur repaire.

Elle examina ses bras et ses poignets à l'affût de plaies, mais sa peau était lisse et soyeuse. Nul signe des brûlures ressenties durant son interrogatoire. Pas de trace de son nexus, non plus. Elle n'était guère surprise de sa disparition, mais pourquoi son sauveur ne lui en avait-il pas donné un nouveau? Comment allaient-ils rentrer chez eux? À moins que l'objet qu'il avait déposé dans sa main avant de partir…

Elle se mit à ratisser le sol en quête du moindre objet d'allure vaguement elfique.

— Que fais-tu? demanda Dex.

— Il m'a donné quelque chose qui pourrait nous servir, mais je ne le retrouve pas.

Dex commença lui aussi à chercher, mais ils ne trouvèrent qu'un rouleau de papier où étaient griffonnés quelques mots :

Alexandre, lanterne, concentre-toi.
Dépêche-toi.

— Ça nous fait une belle jambe!

Sophie froissa le message avec l'envie de hurler. Quatre termes vagues, sans lien apparent? C'est tout ce qu'on lui donnait?

Elle se tâta le cou dans le fol espoir d'y trouver son cristal de foyer. Volé par les ravisseurs, lui aussi. De même que son flacon d'élixir antiallergique. Il ne lui restait plus que les vêtements qu'elle portait : un uniforme bleu ridicule qui ne les aiderait guère à passer inaperçus parmi les humains.

— Je ne comprends pas, dit Dex, interrompant la réflexion amère de son amie. Pourquoi ne nous a-t-il pas ramenés chez nous? Pourquoi nous abandonner ici?

— Parce que c'était son travail et qu'il ne veut pas qu'on découvre qu'il est impliqué dans toute cette histoire.

Elle se releva, les jambes flageolantes. Le sang lui afflua à la tête et les bâtiments se mirent à tanguer autour d'elle.

— C'est ainsi que fonctionne le Cygne Noir.

— Pardon?

— Je t'expliquerai en marchant. Nous ferions mieux de déguerpir, au cas où on nous rechercherait.

431

Pendant qu'ils arpentaient les rues étroites et désertes de la ville inconnue, Sophie lui révéla enfin tout ce qu'elle lui avait caché jusque-là : sa télépathie, Prentice, les messages, le Cygne Noir, Fintan, le Grand Brasier, son audience imminente. Dex sembla trop sonné pour digérer le tout. Elle ne pouvait lui en vouloir.

Plus elle y songeait, plus elle était persuadée que le Cygne Noir n'était pas responsable de son enlèvement. « Tu es leur petite marionnette », avait dit son geôlier. À qui faisait-il allusion si ce n'était au Cygne Noir ? Et puis, ses ravisseurs ne semblaient pas connaître le contenu de son esprit, contrairement au groupe de rebelles. Puisque c'était eux qui avaient dissimulé des informations dans sa tête.

Mais si le Cygne Noir ne l'avait pas enlevée, alors qui ?

Et pourquoi ?

Un martèlement douloureux interrompit sa réflexion. Sophie recula, chancelante, les mains sur les tempes. Dex l'attrapa aussitôt pour la soutenir.

— Que se passe-t-il ?

— Les pensées humaines.

Les yeux clos, elle respira profondément.

— Elles sont de plus en plus bruyantes. Tiergan m'a appris à les bloquer, mais pour l'instant je n'en ai pas la force.

— Je n'arrive pas à croire que tu sois Télépathe, marmonna Dex.

— Quelle importance ?

— Aucune.

Il se mordit la lèvre.

— Mais… est-ce que tu as déjà écouté mes pensées ?

— Bien sûr que non ! Je n'ai aucune envie de connaître les secrets des autres. Et puis, c'est contraire aux règles. La seule fois où je m'y suis risquée, j'ai atterri en retenue.

— C'est pour cette raison que tu as été collée?

— J'avais subtilisé mon sujet d'examen dans la tête de Lady Galvin.

Le garçon s'esclaffa et elle ne put s'empêcher de l'imiter. Étant donné leur situation, rire semblait déplacé, mais ni l'un ni l'autre ne parvenait à s'arrêter. Lorsqu'ils tournèrent au coin de la rue, ils pouffaient encore. Dex percuta un homme âgé qui balayait le trottoir devant sa boutique.

— Regarde un peu où tu mets les pieds! s'exclama l'homme en se redressant avec difficulté.

— Pardon, glissa Sophie.

Le vieil homme agita son balai.

— Faites attention, voyons. Vous pourriez blesser quel-qu'un!

— D'accord.

Sophie entraîna son ami avant que l'humain n'attire l'attention sur eux. Lorsqu'ils se furent assez éloignés, Dex lui demanda:

— Quelle langue parlais-tu? On aurait dit que tu essayais de t'éclaircir la voix.

— Comment ça?

— Quoi, comment ça?

— Je veux dire… Attends… Quoi?

— Tu te rends quand même compte, Sophie, qu'il y a quelques secondes tu parlais une autre langue?

— Mais non!

— Mais si!

— Ah! Oui, je parlais anglais. Les Hommes ne parlent pas la Langue des Lumières.

— Je le sais bien. Mais je connais l'anglais, et pourtant, je n'ai rien compris à ce que tu baragouinais.

Elle ne l'entendit qu'à moitié, car son regard avait été accroché par une tour qui pointait derrière les toits.

— Non, ce n'est pas possible…

Elle dévala une ruelle, Dex sur les talons. La rue aboutissait sur un vaste parc. Sophie se figea. À une centaine de mètres devant elle s'élevait un repère si reconnaissable que la jeune fille dut cligner plusieurs fois des yeux pour s'assurer qu'elle ne rêvait pas.

— Qu'est-ce que c'est ? demanda Dex.

— La tour Eiffel.

Ébahie, elle contempla cette structure gracieuse qu'elle avait vue sur quantité de photos.

— Nous sommes à Paris. Autrement dit… (Elle se tourna vers Dex.) Nous sommes en France.

— Et donc ?

— Donc, tu as dû m'entendre parler… français.

Elle tenta tant bien que mal de digérer l'information… mais elle n'y comprenait rien. Comment aurait-elle pu parler une langue qu'elle n'avait jamais apprise ? La voix de Dex vint rompre le fil de ses pensées :

— D'accord. Nous savons où nous sommes. Et maintenant ?

— Aucune idée. Je suppose qu'on continue d'avancer.

Ils suivirent un groupe de touristes indiens : leurs capes d'elfes détonnaient moins parmi les saris.

— Nous allons avoir besoin d'argent, dit Sophie quand ils passèrent devant un agent de change. Mais à moins de braquer une banque, il va falloir trouver une autre solution.

— Mais cette machine, là, elle sert à donner de l'argent, non ? demanda Dex, le doigt pointé vers un distributeur automatique. En tout cas, c'est comme ça dans les films que regarde ma mère.

434

— Oui, mais pour retirer des billets il te faut un compte et un code.

— On ne pourrait pas les falsifier ?

— Non. Il y a toutes sortes de mesures de sécurité.

Il parut sceptique.

— Je vais essayer quand même. J'arriverai peut-être à la faire fonctionner.

— Que veux-tu dire ?

— Je suis doué pour les gadgets.

Elle se mordit la lèvre.

— D'accord, mais… sois prudent. Il y a des caméras.

Il balaya les angoisses de son amie d'un revers de main et alla faire la queue. Sophie resta en retrait, mais elle ne tenait pas en place. Quand Dex se mit à presser les boutons au hasard comme sur une borne de jeu, elle se couvrit les yeux. Elle s'attendait à entendre sirènes de police et alarme de sécurité, mais il la rejoignit quelques minutes plus tard.

— Est-ce que mille, ça suffit ? demanda-t-il, une épaisse liasse de billets multicolores dans les mains. Comme c'est du papier, je ne savais pas trop…

Un peu affolée, Sophie jeta un coup d'œil par-dessus son épaule.

— Qu'as-tu fait ?

— Je lui ai dit qu'on avait besoin d'argent, et voici ce qu'elle m'a donné.

— Tu lui as parlé ? Comment ?

— Je ne sais pas… Je savais d'instinct sur quelles touches appuyer. Pourquoi ?

— Parce que ce n'est pas normal, Dex. Tu viens de voler un distributeur automatique !

— Ah bon ?

— Mais oui !

Elle glissa l'argent sous sa cape, à l'abri des regards.

— Comment se fait-il que tu sois aussi doué avec les machines ? S'agit-il d'un pouvoir spécial ?

Il réfléchit un instant, puis elle vit ses épaules s'affaisser.

— En effet. Je parie que je suis Technopathe.

— On dirait que tu es déçu.

— C'est aussi intéressant que d'être un Givreur... Enfin, c'est mieux que rien. Il faudra que j'approfondisse le sujet une fois à la maison. Si on arrive à rentrer.

Sa voix se brisa. Sophie lui pressa la main.

— On va trouver un moyen. Je nous ai mis dans ce pétrin, donc c'est à moi de nous en sortir.

— Comment ? murmura-t-il.

— Aucune idée.

Elle contempla son poignet, dépourvu de tout bracelet.

— Pourquoi ne nous a-t-il pas donné de nexus ?

— Peut-être parce qu'on peut les pister en remontant le champ qui contient les particules.

Sophie tenta de faire abstraction de leur vulnérabilité.

— D'accord. La réponse doit donc se trouver dans le message. Il est temps de faire quelques recherches.

— Des recherches ?

— Oui.

Elle parcourut la rue du regard, et repéra l'enseigne d'un cybercafé, une centaine de mètres plus loin. Elle y entraîna son ami.

Comme ils n'avaient rien mangé depuis des jours, elle acheta des sandwichs (poulet pour elle, fromage pour Dex qui ne supportait pas l'idée de consommer une créature autrefois vivante), ainsi qu'une heure de connexion à Internet.

Face aux ordinateurs noirs massifs et à leurs logiciels de navigation, Dex gloussa.

— La technologie… marmonna-t-il.

Dans la barre de recherche de Google, Sophie tapa « Paris, Alexandre, lanterne ».

— Voilà! s'exclama-t-elle presque aussitôt.

Le premier résultat correspondait au très célèbre Pont Alexandre III, qui enjambait la Seine. Il était orné de lanternes sophistiquées. Le chemin du retour, sans doute.

Le gérant du café leur indiqua le trajet et, quinze minutes de marche plus tard, les célèbres statues dorées surmontant les colonnades se profilèrent devant eux. Ils accélérèrent le pas, mais quand ils prirent conscience du nombre de lanternes qui s'offraient à eux, leur entrain diminua fortement.

— On ferait peut-être mieux de se répartir la tâche, suggéra Sophie.

— Qu'est-ce qu'on cherche, au juste?

— Je n'en sais rien. Le moindre objet d'allure elfique? On avisera après.

— Plus facile à dire qu'à faire, grommela Dex.

Il avait raison. Les lanternes étaient recouvertes d'ornements sculptés, voire, pour certaines, surmontées de statues. Lorsque le soleil se coucha, ils avaient à peine parcouru la moitié du pont. Il leur faudrait sans doute trouver un endroit où passer la nuit.

Sophie était sur le point d'abandonner quand elle remarqua une petite ligne incurvée à la base d'une des lanternes centrales. Une rune elfique… et qu'elle parvenait à lire.

— Viens voir, Dex!

Elle appuya sur l'inscription, à l'affût d'un compartiment secret, mais fit chou blanc.

— Tu as trouvé le moyen de rentrer? demanda le garçon.

— Non, juste un indice.

Elle désigna la rune.

— Éternalia. C'est sans doute ce que nous indiquait le message.

— En quoi cet indice va-t-il nous aider ?

— Aucune idée.

Elle examina la lanterne centimètre par centimètre et se concentra finalement sur le sommet de la lampe supérieure.

— Regarde, là, un cristal ! C'est la seule lanterne à en contenir un.

— Tu es sûre ?

— Oui. Je les connais par cœur, à force. Je te dis que c'est la seule.

Elle plissa les yeux et sourit : le cristal ne comptait qu'une face unique.

— C'est un cristal de saut… et je parie qu'il nous ramènera directement à Éternalia !

— Bien joué ! On va pouvoir rentrer.

Il prit Sophie dans ses bras pour la faire tournoyer. Un instant plus tard, il recula, rouge comme une pivoine.

— Désolé. C'est la joie qui parle.

Elle haussa les épaules, priant pour que son visage ne soit pas aussi cramoisi que celui de son ami.

— Pas de souci.

Son sourire s'estompa.

— Mais il nous manque toujours les nexus. Comment sommes-nous censés rentrer ?

— Il y a plein d'elfes qui sautent sans, tu sais.

— Oui, des elfes qui n'en ont plus besoin.

— Ce qui est presque notre cas. Il suffit de bien se concentrer. On arrivera peut-être légèrement estompés, mais on s'en remettra au bout de quelques jours.

Facile à dire : son compteur était plein aux trois quarts. Celui de Sophie n'arrivait même pas à la moitié. Ce qui signifiait, si on s'en tenait à un calcul mathématique pur et simple, qu'elle risquait de perdre plus de la moitié de son organisme, autrement dit de s'évaporer.

Mais ils n'avaient guère le choix.

— De toute façon, il faut attendre le lever du soleil.

Elle désigna l'angle du cristal, qui nécessitait clairement la lueur du jour pour créer un passage.

— On ferait mieux de trouver un endroit où dormir.

Dex acquiesça.

— Je n'arrive pas à croire qu'un cristal à destination d'Éternalia se cache dans une des Cités interdites. C'est totalement illégal !

Elle fronça les sourcils.

— Je me demande ce qu'il fait là…

— Il nous permet d'aller et venir comme bon nous semble, répondit une voix rauque dans leur dos.

Sophie et Dex firent volte-face pour se retrouver nez à nez avec trois silhouettes enveloppées dans des manteaux noirs. L'une d'elles pointait sur eux une arme argentée.

Leurs ravisseurs les avaient retrouvés.

Chapitre 46

— À votre place, j'éviterais de crier, dit l'homme armé. Je n'hésiterai pas à me servir de mon atomiseur, et vous passerez un sale quart d'heure.

Il visa le front de Sophie.

— Quelques secondes suffiront à t'assommer. Un peu plus, et les dégâts seront irréversibles. Compris ?

— Vous n'oseriez pas. Pas devant des Hommes, dit Sophie, d'une voix tremblante qu'elle maudissait.

Il n'y avait pas grande affluence sur le pont, hormis quelques promeneurs. L'un d'entre eux appellerait sûrement la police après avoir remarqué les trois silhouettes drapées de noirs qui menaçaient des enfants.

Les trois ombres s'esclaffèrent. L'homme armé, qui semblait être le chef, fit un pas en avant.

— Ils ne sont même pas conscients de notre présence.

Il tira une petite sphère noire de son manteau.

— Ceci est un obscurateur. Il distord la lumière et le son autour de nous, comme un champ de force. Tout ce que les passants peuvent percevoir en cet instant, c'est le vent, accompagné d'une légère distorsion de l'air, comme des ondes de chaleur rayonnant depuis le sol.

Sophie attrapa la main de Dex. Ils ne pouvaient plus espérer aucune aide.

Le chef tendit une bobine de cordelette argentée à l'un de ses hommes de main.

— Je ne sais pas comment vous avez pu vous échapper, siffla-t-il. Mais je peux vous assurer que ce sera la dernière fois.

Le sbire tira les mains de Sophie en arrière pour les attacher fermement dans son dos. L'adolescente se mordit la lèvre pour retenir ses cris.

— Comment nous avez-vous retrouvés ?

— Le Cygne Noir pensait sans doute que nous ne surveillerions pas nos propres chemins d'accès au monde elfique. Que ça vous serve de leçon : il ne faut jamais sous-estimer son adversaire.

— Si vous ne faites pas partie du Cygne Noir, alors qui êtes-vous ? demanda Sophie.

— Tu aimerais bien le savoir, n'est-ce pas ? ricana l'homme de main, qui lui liait à présent les chevilles.

Le cordon de métal froid lui entailla la peau, mais c'est à peine si elle sentit la douleur. Elle se concentrait pour appeler à l'aide.

— *Pitié, Fitz*, transmit-elle en l'imaginant dans les couloirs d'Everglen.

Son cerveau se mit à bourdonner d'énergie. Elle poussa son esprit le plus loin possible.

— *Nous sommes à Paris… Pont Alexandre III. Nous avons besoin d'aide. Préviens ton père, dépêche-toi !*

Était-ce l'effet de l'adrénaline, ou simplement son souhait qu'elle prenait pour une réalité ? Toujours est-il que cette fois le message lui sembla plus fort, comme si elle pouvait le sentir s'introduire dans l'esprit de Fitz, qui s'efforçait de l'ignorer.

— *Écoute-moi, je t'en supplie. Je ne suis pas morte… mais je le serai peut-être bientôt si tu ne viens pas. Envoie-nous de l'aide.*

Des bras puissants la secouèrent comme un prunier : bousculé, son cerveau perdit la connexion.

— Elle transmettait encore ! hurla le sbire. Et un appel d'une force exceptionnelle, en plus ! On ferait mieux de déguerpir, au cas où quelqu'un l'ait entendu.

— Tu as raison. Quant à toi, je te déconseille de recommencer si tu n'as pas envie de découvrir l'effet de mon atomiseur sur ton petit cerveau surpuissant. Compris ?

Le chef lui pointa l'arme entre les yeux. Sophie avala la bile qui lui emplissait la bouche.

— Qu'allez-vous faire de nous ?

— Tu n'as pas à le savoir. Allons-y.

Dex n'avait pas soufflé mot depuis l'apparition de leurs ravisseurs. La jeune fille le croyait en état de choc, mais sans doute était-il en train de canaliser de l'énergie, car d'un coup il arracha ses liens pour se libérer.

— Baisse-toi, Sophie ! hurla-t-il.

La Télépathe se jeta par terre à l'instant où un rayon d'énergie fusait à proximité. Une autre salve de l'atomiseur manqua Dex d'un cheveu. Le garçon plaqua le chef au sol pour le désarmer. Le deuxième homme de main rattrapa le pistolet et visa l'adolescent en pleine poitrine. Le jeune elfe vola en arrière et s'écroula sur le pavé, le corps secoué de spasmes.

— Peut-être ne me suis-je pas bien fait comprendre, grogna le chef.

Il épousseta son manteau avant d'arracher l'atomiseur des mains de son acolyte. Il pointa l'arme sur le torse de Dex et tira une nouvelle fois.

Le jeune homme s'agita en tous sens. D'étranges borborygmes s'échappaient de sa gorge.

— Arrêtez! supplia Sophie. Nous allons coopérer. Arrêtez!

— Bien sûr que vous allez coopérer. Vous n'avez pas le choix.

Il tira une nouvelle fois sur Dex, qui ne réagit plus. Ses yeux éteints fixaient le vide. Sophie ferma les paupières de toutes ses forces pour chasser cette vision de son esprit.

Ça va aller, se dit-elle. *Il est juste inconscient.*

— Bas les pattes! cria-t-elle lorsqu'un des sbires la força à se relever.

Une main blafarde et osseuse lui serra le bras. Sophie mémorisa chaque détail de la pâle cicatrice située entre le pouce et l'index de l'homme afin de pouvoir remonter sa piste plus tard: une ligne blanche, en forme de croissant, ornée de points irréguliers... comme une trace de morsure.

Le mot déclencha en elle un flot de souvenirs, vivants et clairs: les siens.

— Vous! s'exclama-t-elle en tournant soudain la tête pour mieux le regarder.

La lourde capuche de son manteau dissimulait son visage, mais elle savait qui se cachait sous son ombre.

— Je vous connais.

— Tu ne sais rien! grogna l'homme.

Pourtant, sa voix était teintée d'incertitude. Il poussa la jeune fille en avant et s'esclaffa lorsqu'elle trébucha en raison des liens qui entravaient ses chevilles.

— Cesse de faire le mariole, ordonna le chef à son sbire.
Débarrasse-nous du garçon pendant que je ramène la fille
au fort.

— Vous ne pouvez pas faire ça! hurla Sophie.

— Comment comptes-tu nous en empêcher? demanda
le chef, qui pointa aussitôt son atomiseur sur le front de
l'adolescente.

Il ricana devant son silence.

— C'est bien ce que je pensais.

Elle vit l'homme de main à la cicatrice hisser le corps
flasque de Dex par-dessus son épaule pour aller l'achever,
et un déclic se fit en elle.

Elle connaissait l'expression humaine « voir rouge », mais
ce qu'elle ressentait à présent était une haine noire, violente,
qui lui obscurcit l'esprit jusqu'à la consumer.

Tous les sons s'évanouirent. Son corps se mit à trembler
avec une intensité qui la surprit. Elle repoussa la rage et la
noirceur hors de son esprit afin de s'en libérer. Lorsque
la dernière once de haine eut disparu et qu'elle eut recouvré
la vue, les trois silhouettes gisaient au sol, la tête dans les
mains, et se tordaient de douleur.

Les liens de Sophie se déchirèrent aussi facilement que
du papier, ses muscles renforcés par l'étrange énergie qui
continuait d'affluer en elle. Elle se précipita auprès de Dex.

Le corps de son ami demeura inerte quand elle le dégagea
de sous l'homme de main, mais elle sentait son pouls battre
faiblement. Si elle parvenait à le conduire à Elwin, il devrait
s'en remettre. Il le fallait. Dex ne pouvait pas mourir par sa
faute.

Elle fouilla le manteau de l'homme le plus imposant
pour s'emparer de son éclaireur. Faisant pivoter le cristal,

444

elle le bloqua dans la position sur laquelle il s'était arrêté et pria pour qu'il ne l'emporte pas dans l'un des affreux repaires de leurs ravisseurs. Elle n'avait pas d'autre option, aussi devait-elle courir le risque. Peu importe où ils atterriraient, du moment que c'était parmi des elfes à même de les aider.

Elle hissa Dex sur son épaule, à peine consciente de son poids, prit une profonde inspiration, et visualisa sa concentration qui enveloppait le garçon comme un halo. Lorsqu'elle fut sûre de bien tenir son ami, Sophie brandit l'éclaireur et marcha dans le rai de lumière pour se laisser emporter au loin.

La douleur était presque insupportable, mais elle tint bon, refusant de laisser le saut avoir raison d'elle. La lumière était une force qui la malmenait, l'écartelait et la poussait dans toutes les directions à un point tel que la jeune fille ne savait plus si elle se sentait déchirée ou écrasée. Elle était sur le point de craquer quand la déferlante lumineuse ralentit : les tiraillements s'amoindrirent et un paysage se dessina autour d'elle.

La lumière se dissipait et Sophie dirigea sa dernière once de concentration sur Dex afin de préserver l'intégrité du jeune homme. La douleur s'estompa, et l'espace d'une seconde, elle pensa être saine et sauve.

Puis ses jambes se dérobèrent sous elle.

Ils percutèrent violemment le sol. Dex grogna sous l'impact. Au moins était-il toujours en vie.

Elle tenta de voir s'il était éveillé, mais elle ne pouvait pas bouger la tête. Ni sentir son corps. Comme si son cerveau avait été déconnecté. Elle ressentit le désir irrépressible de lâcher prise pour dériver avec la douce brise qui lui effleurait la peau et suivre les fragments de son être que la lumière emportait avec elle.

Sophie s'évaporait. Elle avait perdu trop de substance durant le saut.

L'espace d'un instant, elle capitula, fermant les yeux dans le flot de chaleur qui l'entourait. Mais elle ne pouvait pas abandonner Dex. Il lui fallait tenir bon jusqu'à ce que le garçon soit définitivement hors de danger.

Elle rassembla ce qui lui restait de concentration pour transmettre aussi loin qu'elle le pouvait.

— *Fitz? C'est Sophie. Dex est blessé et je suis trop faible pour le secourir. Viens, je t'en prie! Je ne pourrai plus tenir longtemps…*

Une image se présenta à elle: cette fois, il se trouvait dans sa chambre, un endroit qu'elle n'avait jamais vu… et elle ignorait si elle le voyait réellement ou si cette vision n'était que le fruit de son imagination, mais lorsqu'elle prononça son nom, le jeune homme se retourna pour la regarder.

— *Je t'en supplie, Fitz. J'ai besoin de ton aide.*

Il fit volte-face et saisit quelque chose dans ses mains. Un minuscule albertosaure violet, accompagné du mot qu'elle lui avait écrit. Son cœur aurait bondi dans sa poitrine, si elle avait pu la sentir.

— *J'étais à tes funérailles*, pensa-t-il.

— *Je ne suis pas morte… pas encore. J'ai besoin de ton aide.*

Son esprit s'affaiblit sous le coup de l'effort, mais elle lutta contre l'épuisement qui la submergeait pour se raccrocher à la connexion.

— *S'il te plaît, Fitz. Il faut que tu viennes. Avant qu'il ne soit trop tard.*

Ses yeux embrumés parcoururent les alentours à l'affût d'un point de repère quelconque, d'un indice sur le lieu où Dex et elle se trouvaient. Elle fut soulagée de constater qu'ils étaient en plein air et de ne détecter aucune trace de leurs ravisseurs. Ce qui signifiait également qu'ils étaient tout seuls, et que si Fitz ne venait pas…

— *Je vois un arbre, Fitz. Une partie est recouverte de feuilles vertes, une autre de fleurs, et la troisième de neige. Il est énorme. Si tu sais où il se trouve, je t'en prie, viens vite.*

Elle lui projeta l'image.

— *Je suis tellement fatiguée… Aide-nous, s'il te plaît. Il ne nous reste pas beaucoup de temps.*

Elle ne voyait plus Dex, mais sa respiration laborieuse lui parvenait. Combien de temps pourrait-il encore tenir ? Assez pour qu'on le retrouve avant qu'il ne soit trop tard ?

La douce brise la tirailla de nouveau, et cette fois, elle ne résista plus.

— *Pardonne-moi, Dex,* transmit-elle sans savoir s'il était conscient ou non. *Pardonne-moi de ne pas avoir été assez forte pour te sauver.*

La chaleur emplit son esprit et elle se laissa submerger. Sophie sombra dans un monde multicolore au scintillement aveuglant. Plus de soucis, plus de craintes. Rien que le vent et la liberté.

Un bruit étouffé la tira de sa rêverie. Un martèlement régulier, à proximité.

Des pas !

Quelqu'un arrivait.

Contre toute attente, elle parvint à ouvrir les yeux. Malgré sa vue brouillée, elle distingua des pieds approcher. Trois paires de jambes, vêtues de noir.

447

Non !

Elle ne laisserait pas leurs ravisseurs l'emporter une nouvelle fois. Pas question qu'elle retourne dans cet endroit terrible et sombre !

— *Pardonne-moi de n'avoir pu t'attendre, Fitz. J'ai essayé.*

Puis elle lâcha prise sur la réalité et laissa la lumière éclatante l'emporter au loin.

Chapitre 47

Sophie dériva avec la chaleur. Temps, espace, vie : ils n'avaient plus aucun sens dans la clarté. Elle se sentait apaisée, comme jamais elle ne l'avait été. Avait-elle succombé ? Si c'était le cas, la vie après la mort était bien plus agréable qu'elle ne l'aurait imaginé.

Un son fantomatique serpenta entre lueur, couleur et vague thermique. Elle tenta de l'ignorer, mais le bruit, persistant, semblait familier. Un mot, répété encore et encore.

— *Sophie.*

Ce retour à la conscience l'éloigna de la lumière. La jeune fille se débattit pour rester. Elle refusait de regagner les ténèbres.

Mais elle ne pouvait se défaire de cette voix.

— *Sophie. Sophie, tu m'entends ? Sophie !*

Tout autour d'elle, la lumière vira au bleu pervenche et scintilla comme un joyau. La voix était à la fois douce et nette, comme porteuse d'un accent qu'elle ne parvenait à identifier…

Fitz !

Le monde arc-en-ciel perdit soudain tout attrait. Portée par une force nouvelle, l'adolescente rassembla ce qui lui restait de concentration autour de la voix de son ami pour se laisser ramener à la réalité. Elle haleta sous le coup d'une douleur si violente à la tête qu'elle la crut fracassée, et elle eut l'impression que son corps tout entier était criblé d'un millier de courbatures.

Elle essaya de se mouvoir mais parvint tout juste à tressaillir. Une douce chaleur vint l'envelopper.

— Sophie, répéta Fitz d'une voix plus distincte, tout près d'elle. Tu m'entends, Sophie ? Serre ma main si tu m'entends.

Elle n'en avait pas l'énergie, mais son esprit recelait plus de force que son corps.

— *Je suis là.*

Il éclata de rire (quel son magnifique !) et l'agréable sensation enroba Sophie de plus belle, plus étroitement cette fois.

— Tout va bien se passer, souffla-t-il. Tu es en sécurité à présent. Reste avec moi, d'accord ?

— *Je vais essayer.*

Il y avait une chose dont elle devait se souvenir. Un incident horrible s'était produit. Quelqu'un était blessé. L'image d'un jeune garçon blond comme les blés, recroquevillé au sol, surgit dans son esprit.

— *Dex !*

— Dex est sain et sauf, lui assura Fitz. Keefe l'a ramené à Everglen et Biana est partie chercher Elwin. Nous ne savions pas s'il était sage de te déplacer.

Sur la fin, sa voix se brisa.

Une myriade de questions envahit l'esprit de la jeune fille, mais elle craignait de les poser.

— *Merci d'être venu…*

— Je regrette de ne pas être arrivé plus tôt. Je refusais de croire que tu puisses encore être… d'espérer, si jamais…

(Sa gorge se noua.) J'ai fini par en parler à Keefe et Biana, qui m'ont convaincu de venir. Si j'étais arrivé plus tôt, peut-être…

— *Tu es là.*

— J'espère qu'il n'est pas trop tard, murmura-t-il.

— Où est-elle? aboya Elwin en accourant, avant de suffoquer. Ouvre-lui la bouche, Fitz.

Des doigts délicats lui écartèrent les lèvres, et un liquide frais glissa le long de sa langue.

— Essaie d'avaler, Sophie, ordonna Elwin.

Elle dut rassembler ses forces pour ingurgiter le nectar sucré. Le remède déferla dans son corps avec un effet anesthésiant.

— *Non!*

Plus de sédatifs. Elle refusait de retourner vers les ténèbres.

— Ça va aller, chuchota Fitz dont la voix s'éloignait.

— Ne lutte pas contre le sérum, ajouta Elwin. Ton organisme n'est pas prêt pour le réveil. Je te promets que tout ira bien.

Elle avait trop peur de sombrer une nouvelle fois dans l'obscurité. Elle n'était pas sûre d'avoir encore la force d'en émerger.

La voix de Fitz lui emplissait l'esprit et sa panique diminua.

— *Tout va bien se passer*, promettait-il. *Endors-toi.*

Elle se raccrocha à ses paroles pendant que les ténèbres l'emportaient.

Un frisson glacé parcourut son front et la ramena à la réalité. Sophie inspira profondément, savourant le rythme régulier de son souffle. Elle avait oublié combien il était merveilleux de respirer.

— Voilà qui est mieux, chuchota quelqu'un.

La voix lui était familière, mais son esprit embrumé ne parvint pas à l'identifier.

Quelque chose effleura ses lèvres, qu'elle écarta pour avaler le liquide frais qu'on lui versait dans la bouche. Elle aurait voulu boire à tout jamais, mais l'élixir se tarit et elle grimaça pour manifester son mécontentement.

— Je sais, répondit la voix, mais ton estomac a encore besoin de s'adapter. Il est resté vide trop longtemps.

Elle voulait protester, mais son système digestif se contracta au contact du liquide. Son corps se contorsionna.

— On ne peut rien lui donner contre la douleur? demanda une autre voix à proximité.

— Pour l'instant, j'ai besoin qu'elle ressente les choses, afin de pouvoir suivre son évolution. Ensuite, je pourrai l'anesthésier de nouveau.

— Non, implora-t-elle, horrifiée par sa voix étranglée. Elle avait reçu assez de sédatifs pour toute une vie.

— Pas de médicaments.

— Chut… lui intima son interlocuteur en appliquant un baume sur ses lèvres desséchées. Je ne te donnerai pas de médicaments, c'est promis. Maintenant repose-toi avant de t'épuiser.

— Entendu.

Elle se força à ouvrir les paupières et plissa les yeux sous l'effet de la lumière. Un visage arrondi aux cheveux noirs en bataille flottait au-dessus d'elle. Avec des lunettes irisées reconnaissables entre toutes.

— Elwin, chuchota-t-elle.

Les yeux du Flasheur s'emplirent de larmes.

— Tu ne sais pas à quel point c'est bon de t'entendre prononcer mon nom. Bullhorn a dormi à tes côtés pendant

452

deux semaines. Nous commencions à perdre espoir. Hier, pourtant, il a quitté son poste. Et voilà que tu es éveillée.

Un reniflement retentit près de Sophie.

— Alden ? demanda-t-elle.

Elle pensait avoir reconnu la seconde voix.

— Je suis là, murmura-t-il.

L'elfe pénétra dans son champ de vision pour lui prendre la main.

— Quelques visiteurs, ça te dit ? proposa Elwin.

— D'accord.

Alden lui glissa un oreiller sous le dos et elle se rendit compte qu'elle se trouvait à Everglen, dans la chambre où elle avait passé sa première nuit en tant qu'elfe. Dehors, elle entendit débattre à voix basse de l'ordre de visite avant que Fitz ne se précipite à son chevet.

Quand elle croisa son regard, Sophie ravala ses larmes.

— Merci de m'avoir ramenée…

Avant qu'il ait pu répondre, Biana fit irruption dans la pièce pour se jeter au cou de la jeune fille et éclater en sanglots.

— Pardonne-moi, Sophie. Mon père voulait te tenir à l'œil, alors il m'a dit de faire le premier pas… mais je suis vraiment ton amie, et quand tu as disparu…

Ses mots se perdirent dans ses pleurs.

— Ce n'est rien, chuchota Sophie avec sincérité.

Si Biana tenait assez à elle pour la secourir, pour pleurer… Elle n'en demandait pas plus.

— Oublie cette histoire, veux-tu ? Nous sommes toujours amies.

Avec un petit reniflement, Biana s'écarta pour la regarder dans les yeux.

— Vraiment ?

— Mais oui.

— Allez, ça suffit, le mélo! lança Keefe en se frayant un passage vers le lit. Je faisais partie de l'expédition moi aussi, vous vous souvenez? C'est moi qui ai reconnu l'arbre que tu as décrit à Fitz comme étant l'Arbre des Quatre Saisons, alors sans moi…

Il perdit le fil lorsqu'il se rendit compte qu'il parlait de la mort de la jeune fille.

— Merci, Keefe…

Elle sourit pour lui montrer qu'elle ne le prenait pas mal.

— De rien, répondit-il, désinvolte. Au fait, il paraît que tu es Télépathe? Voilà qui prouve une bonne fois pour toutes que tu es la fille la plus mystérieuse au monde.

Le visage du jeune homme s'assombrit.

— Mon père s'est montré très suffisant quand il a su que tu t'entraînais avec Tiergan. Il veut toujours avoir raison. Et cette fois-ci, c'était le cas.

Sophie jeta un œil à Alden.

— Ce n'est rien. Tu n'as plus à garder le secret. D'ailleurs, tout le monde semble au courant de ce qui s'est passé ces derniers mois.

Il adressa un regard lourd de sous-entendus à Keefe.

Génial. Tout le monde savait quel monstre elle était.

À vrai dire, elle se sentait soulagée. Finies les cachotteries. Finis les mensonges. Ses amis lui resteraient fidèles. Quant aux autres, quelle importance?

— Il y a du changement dans l'air, ajouta Alden. Mais la discussion attendra. Pour l'heure, tu devrais te reposer.

— Pas sans elle, ajouta Fitz.

Le garçon tendit à son amie un éléphant bleu clair.

— Ella!

Sophie enfouit son visage entre les oreilles flasques de la peluche, oubliant les sarcasmes de Keefe. Elle avait traversé trop d'épreuves pour se soucier de ses taquineries. Elle croisa le regard de Fitz et fondit devant son sourire.

— Merci de m'avoir sauvée, les amis!

— Remets-toi vite, d'accord? ordonna Keefe. Foxfire, ce n'est pas pareil sans toi. Plus d'explosions, plus d'accidents... Quel ennui!

— Je vais faire de mon mieux, promit-elle.

— *Et si tu as besoin de quoi que ce soit, tu sais où me trouver*, transmit Fitz.

Sophie sursauta.

— Comment?

Il esquissa un sourire.

— *Je n'en sais rien. J'ai réussi à me glisser dans ton esprit quand tu t'évaporais, et depuis c'est devenu facile.*

— *Peux-tu lire dans mes pensées?* demanda-t-elle, prête à mourir de honte s'il répondait par l'affirmative.

Il secoua la tête.

— *Je peux seulement transmettre. Quand même, c'est pas mal, non?*

Elle acquiesça, s'efforçant de ne pas s'inquiéter des dommages subis par son cerveau pour causer pareil changement.

— Oh là! Pas de messes basses télépathiques, tous les deux... Autrement, je devrai en conclure que vous flirtez!

Tous les deux rougirent et détournèrent aussitôt le regard, sous les éclats de rire de Keefe.

— Je crois que Dex risque d'exploser si je ne le laisse pas entrer, les interrompit Elwin.

Le garçon fit irruption dans la pièce et Sophie eut le souffle coupé. Il semblait en parfaite santé... pas une seule égratignure.

— *À plus tard*, lança Fitz, qui entraîna Keefe et Biana hors de la chambre.

Dex les dépassa d'un pas vif.

— La prochaine fois que tu tentes de me sauver la vie, concentre-toi sur toi-même, d'accord? Tu as failli mourir par ma faute!

— En fait, ça serait plutôt le contraire. À deux reprises, lui rappela-t-elle d'une voix tremblante.

Elle essayait de ne pas repenser à son regard éteint après les coups d'atomiseur.

Il se mordit la lèvre.

— On est quittes?

— Marché conclu.

Il se pencha comme pour la serrer dans ses bras, mais interrompit son geste. Il venait tout juste de remarquer la présence d'Alden et Elwin. Les joues empourprées, il pressa la main de son amie.

— Tu vas vraiment mieux?

— Oui. Je suis juste un peu fatiguée. Et toi? L'atomiseur ne t'a pas blessé?

Elle l'observa de plus près, à l'affût de plaies ou cicatrices qui lui auraient échappé de loin.

— Rien qu'Elwin ne puisse soigner. Et rien d'aussi grave que lorsqu'on se concentre exclusivement sur un autre durant un saut. Tu as agi de manière totalement inconsciente!

— Que voulais-tu que je fasse? Ma concentration a toujours été faible, et puis, tu étais blessé.

— En réalité, tu ne manques pas du tout de concentration, rectifia Alden.

— Dex n'a pas perdu la moindre cellule, confirma Elwin. Si tu t'étais un minimum concentrée sur toi-même, tu ne

456

te serais pas évaporée, et je n'aurais pas passé deux semaines à tenter de redonner couleurs et vie à ton corps inerte.

Ce dernier mot fit grimacer Sophie.

— Désolée, dit-elle. Mais… mon nexus n'était rempli qu'à moitié. Tu l'as bien vu, Dex. Comment ma concentration pouvait-elle être suffisante ?

— Nous en reparlerons plus tard, dit Alden. Pour l'heure, tu as besoin de repos.

Il remonta les couvertures jusqu'aux épaules de la jeune fille, qui serra bien fort Ella. Comment Fitz avait-il mis la main dessus ? Elle l'avait laissée à Havenfield.

— Grady et Edaline sont-ils venus me voir ?

Elle s'en voulait d'espérer.

— Ils n'ont pas quitté ton chevet depuis que Fitz t'a ramenée. Tu n'as pas idée de ce qu'ils ont traversé durant ces trois semaines et demie.

— Pardon ?

— Tu as disparu un long moment. Ils attendent dehors, mais ils ne t'en voudront pas si tu refuses de les voir.

L'émotion lui noua la gorge. Malgré la peine qu'ils lui avaient infligée et son ressentiment pour eux, elle ne pouvait les rejeter. Pas après tout ce qu'elle avait vécu.

— Vous pouvez les faire entrer, chuchota-t-elle.

Alden lui pressa l'épaule et conduisit Dex jusqu'à la porte. Le garçon lui adressa un signe de la main, puis deux silhouettes émaciées pénétrèrent dans la pièce.

Sophie cligna des yeux.

— Grady ? Edaline ?

C'est à peine si elle les reconnaissait. Ils semblaient n'avoir ni mangé, ni dormi, ni changé de tenue depuis des semaines.

Une main sur ses lèvres tremblantes, Edaline courut se glisser dans le lit de Sophie, et se mit à l'étreindre avec une telle force que la jeune fille en eut le souffle coupé. Grady tomba à genoux au pied du lit et serra le bras de sa pupille.

— Je… je vais vous laisser, balbutia Elwin, qui fuit la scène à l'instant où ils éclataient tous en sanglots.

Grady se racla la gorge et s'essuya les yeux.

— Pardon, nous ne voulons pas te fatiguer. Nous sommes juste un peu bouleversés de te retrouver. Nous avons assisté à tes funérailles…

Un nouveau sanglot secoua les épaules d'Edaline, qui lâcha Sophie pour se relever et lui agripper les mains.

— Ton deuil a été l'une des épreuves les plus difficiles qu'il nous ait été donné de vivre, murmura-t-elle, mais le pire était encore l'idée que tu nous aies quittés sans savoir combien nous te chérissons.

Grady leur pressa les mains à toutes les deux.

— Nous avions résolu de ne plus aimer personne après la mort de Jolie, continua Edaline à voix basse. Pourtant, nous t'aimons, Sophie. Tu es notre fille, tout comme elle. Il faut que tu le saches… non parce que nous cherchons ton pardon, mais parce que tu dois le savoir.

— Annuler ton adoption a été la pire erreur de notre vie, ajouta Grady. Tu auras toujours une place chez nous à Havenfield, même si nous comprendrions que tu préfères rester avec Alden et Della. Nous espérons simplement que tu nous rendras visite de temps à autre. Que tu nous feras une toute petite place dans ta vie… même si nous ne la méritons pas.

Sophie acquiesça, trop émue pour articuler autre chose qu'un « Merci ». Mais lorsque Edaline déposa un baiser sur sa joue et que Grady lui caressa les cheveux, elle ajouta :

— Je vous aime aussi.

Ils sourirent tous les deux. En dépit de leur maigreur et de leur fatigue, ils avaient retrouvé leur allure. Edaline l'embrassa une nouvelle fois.

— Oh! J'ai failli oublier…

Grady sortit une minuscule boule de poils de sa poche.

— Iggy! s'écria Sophie.

L'animal grimpa sur l'épaule de la jeune fille pour venir lui chatouiller la joue de son museau. L'adolescente eut un haut-le-cœur.

— Beurk! J'avais oublié son haleine de chacal…

Elle lui gratta la tête. Un ronronnement grésillant emplit la pièce.

— Merci pour ton aide dans la grotte, bonhomme!

Edaline renifla.

— Il est bien venu nous trouver. Il nous a fallu du temps pour comprendre ce qu'il voulait et, une fois sur place, la marée avait tout emporté…

Sa voix se délita. Sophie lui pressa la main.

— Je suis saine et sauve.

Elle essaya de s'en persuader, elle aussi. Lorsqu'un bâillement lui échappa, Grady se redressa.

— Nous allons te laisser dormir.

Après avoir perdu tout ce temps, Sophie n'était guère tentée par le sommeil, mais son corps l'exigeait, et quand Grady eut fini de la border et éteint les lumières, elle était déjà endormie. À ses côtés, Iggy ronflait comme un sonneur.

Chapitre 48

Les rêves de Sophie avaient des allures de film d'horreur empli de voix fantomatiques, de silhouettes noires et de flammes. Elle se réveilla empêtrée dans ses couvertures et tomba nez à nez avec une énorme bête grise penchée sur elle. Elle hurla, l'esprit envahi par une peur aiguë, le corps agité de soubresauts.

— Arrête, Sophie ! l'interpella Alden, qui la secouait par les épaules. Assez, tu lui fais mal !

La voix de l'elfe dissipa les ténèbres et lui éclaircit la vue. La bête grise gisait au sol, où elle se tordait de douleur.

— Sandor ne te veut aucun mal, lui assura Alden. Le Conseil t'a assigné un gobelin comme garde du corps pour ta sécurité. Je te déconseille de lui instiller une telle douleur.

Elle le regarda, bouche bée.

— Pardon ?

Alden hocha la tête.

— Il semblerait que tu sois une Instillatrice. L'atomiseur provoque une paralysie temporaire, aussi Dex était-il à demi conscient lors de votre fuite. Il m'a rapporté que tu avais terrassé vos ennemis de douleur. Depuis, je me demandais si tu étais capable d'instillation. Vu ce qui vient d'arriver à ce pauvre Sandor, j'en conclus que c'est le cas.

Elle écarquilla les yeux et se tourna vers le gobelin étendu à terre, à peine conscient.

— Je suis désolée… Je ne voulais pas…

— Il sera sur pied dans une minute. Les gobelins ont la peau dure.

Elle l'avait pourtant mis hors d'état de nuire… involontairement, qui plus est.

— Pourtant… je suis Télépathe. Comment pourrais-je avoir deux spécialités ?

— C'est rare, mais pas impossible. Tu es une jeune fille très particulière… je ne serais pas étonné que tu aies plus d'un tour dans ton sac.

— Alors quoi, un jour je me réveillerai capable de traverser les murs ?

— Pas tout à fait. La plupart des pouvoirs gisent, inactifs, jusqu'à ce qu'on les déclenche : la détection de talents n'est pas faite pour rien. Il semblerait que le traumatisme causé par ton enlèvement ait débloqué quelques-uns de tes pouvoirs endormis. Voilà pourquoi tu peux instiller, pourquoi ta concentration est à présent meilleure… et Dex m'a dit que tu étais également Polyglotte.

— Poly-quoi ?

— Tu es capable de parler une langue étrangère d'instinct, rien qu'en l'écoutant. C'est un talent très rare. Tu seras bien contente d'en disposer lorsque tu devras mener des études multiespèces.

— J'imagine.

L'idée de se découvrir d'autres pouvoirs étranges ne la réjouissait guère.

461

— On fera des tests lorsque tu auras repris des forces. Afin de déterminer quelles sont tes autres capacités.

Elle frémit. Elle entendait encore la voix de son ravisseur faire une remarque similaire lors de son interrogatoire.

Et si elle ne désirait pas en savoir plus ?

Sandor se releva et reprit son poste dans la pénombre de la chambre.

— Je suis vraiment désolée.

— Ce n'est rien.

La voix douce de Sandor évoquait plus un lapin qu'un gobelin de deux mètres à la musculature puissante. Il lui adressa un salut.

— Ravi de constater que ma protégée pourra se défendre si jamais je lui fais défaut.

Elle frissonna.

— J'en conclus que les ravisseurs n'ont pas encore été appréhendés ?

Alden lui serra les mains.

— Nous ne les laisserons plus t'approcher. La noblesse fait des pieds et des mains pour suivre toutes les pistes dont nous disposons.

Il lui tendit un journal mémoriel qu'il ouvrit à une page vierge.

— Te rappelles-tu un détail qui puisse nous aider ?

— J'avais les yeux bandés en permanence et les drogues m'empêchaient de sonder leurs cerveaux. Et puis, j'économisais ma concentration pour transmettre. Mais le chef est Pyrokinésiste, c'est forcément Fintan.

— Es-tu sûre qu'il s'agissait d'un Pyrokinésiste ?

Elle frotta ses bras à l'endroit où il lui avait brûlé la peau.

— Certaine.

Un sillon se creusa entre les sourcils d'Alden.

— Alors nous avons affaire à un Pyrokinésiste non répertorié. Nous les suivons tous à la trace. Fintan n'est pas en cause.

— Comment le savez-vous ?

— L'échantillon que tu as recueilli confirme qu'il s'agissait du Grand Brasier. Fintan a été arrêté le jour de votre disparition et il est resté en captivité depuis, dans l'attente de son audience.

— C'est logique, en fait. Il m'a demandé si je savais qui il était, et quand j'ai répondu « Fintan », il a éclaté de rire. Avant de me brûler.

Elle frémit.

— Je suis désolé, Sophie, murmura Alden, qui étouffa un sanglot. Quand je pense à ce que…

— Inutile, le coupa-t-elle.

Elle détestait le voir bouleversé.

— C'est fini. Je vais bien. Et vous n'y êtes pour rien.

— D'une certaine manière, si. C'est moi qui vous ai déclarés morts après avoir suspendu les recherches. Si je n'avais pas pris cette décision, nous aurions pu vous retrouver plus tôt.

Il secoua la tête.

— Lorsqu'on a découvert vos pendentifs au fond de l'océan et constaté le passage de la marée dans la caverne, je n'ai pas imaginé un seul instant qu'il puisse s'agir d'autre chose que d'un tragique accident. Je n'ai pas pensé à un enlèvement. Jamais je n'aurais cru que le Cygne Noir tomberait si bas.

— Ce n'est pas le cas. Je ne sais pas qui étaient nos ravisseurs, mais ils n'appartiennent pas au Cygne Noir. Je crois même que le Cygne Noir nous a secourus.

— Dex m'a dit la même chose. En es-tu sûre ?

Elle confirma d'un hochement de tête. Sophie tentait de mettre de l'ordre dans ses souvenirs, brouillés par les sédatifs.

— Je crois que le Cygne Noir travaille contre nos ravisseurs, et qu'ils m'ont envoyé les messages et les indices pour que je mette fin au Grand Brasier.

Elle marqua une pause. Elle redoutait d'entendre la réponse à sa prochaine question.

— Pensez-vous que ce sont nos ravisseurs qui ont déclenché le Grand Brasier ?

Alden se mit à triturer son manteau.

— C'est possible. Fintan clame son innocence. Mais il se refuse à tout sondage… il a donc quelque chose à cacher. Et avec un Pyrokinésiste non répertorié dans la nature, je ne doute pas qu'il soit au courant de l'affaire.

— Pourquoi le Conseil n'ordonne-t-il pas simplement un brise-mémoire ?

— Ils veulent laisser une chance à leur ami de reconnaître ses erreurs. Les informations que tu viens de me donner pourraient bien le pousser à la confession. Dans le cas contraire, les Conseillers se résoudront à employer les grands moyens. Ils essaient simplement de lui épargner une vie de démence.

— C'est son choix, s'il refuse de parler.

— En effet. Mais si tu avais assisté à un brise-mémoire, tu comprendrais leur réticence.

Il fut parcouru d'un frisson.

— C'est une vision qui vous hante.

Sophie pensa à Prentice. Elle ne savait pas à quoi il ressemblait ni qui il était, et pourtant il avait enduré l'épreuve du brise-mémoire pour la protéger, peut-être même des individus qui les avaient enlevés, elle et Dex. Elle n'était pas sûre de mériter un tel sacrifice. D'autant que la famille de Prentice avait également été détruite.

— Je suis sûr qu'ils finiront par ordonner un brise-mémoire, dit Alden pour rompre le silence qui s'était installé entre eux. Ils lui laissent simplement une dernière chance. Et puis, ils refusent de croire qu'il ait pu tenter à lui seul d'éliminer les Hommes. De ton côté, si tu te rappelles quoi que ce soit qui puisse nous aider à retrouver tes ravisseurs, c'est le moment de me le dire.

Il y avait bien quelque chose… quelque chose d'important. Mais le souvenir demeurait hors de portée, repoussé par le traumatisme. Elle contempla les mains d'Alden, qui triturait toujours sa cape. Ses mains pâles, blafardes.

Elle se jeta sur le journal mémoriel.

— J'ai vu l'un d'entre eux.

— Comment ? Quand ?

— L'homme qui a tenté de m'attraper dans le monde des humains le jour où Fitz m'a amenée ici pour la première fois. Il s'était fait mordre la main par un chien. Mon ravisseur avait une cicatrice en forme de croissant de lune au même endroit.

Elle projeta les images de la blessure et de la marque sur la page avant de rendre le carnet à Alden. L'une était fraîche et sanguinolente, l'autre n'était plus qu'une marque estompée, mais elles avaient bien une forme et des dimensions similaires, sans compter les irrégularités identiques.

— Vous voyez ? C'était bien un elfe… et il en avait après moi.

— Une preuve de plus que j'ai failli à ma mission.

Alden secoua la tête, mécontent de lui-même.

— Te rappelles-tu à quoi il ressemblait ?

Les yeux clos, elle se concentra sur son souvenir, dont elle voulait se rappeler les moindres détails avant de le projeter sur le papier.

Quand elle contempla l'image bien nette de l'homme qui l'avait attachée et droguée, et qui avait manqué de tuer Dex, Sophie tressaillit. Cheveux blonds coupés court, yeux bleus perçants, traits ciselés : comment pouvait-on être à la fois si séduisant et si abominable ?

Alden parcourut la page des yeux.

— Il ne me dit rien. C'est incroyable qu'il ait échoué à te capturer la première fois, alors que la seule menace venait d'un humain !

— À vrai dire, M. Forkle pourrait bien être…

— Être quoi ? l'encouragea Alden devant son hésitation.

Elle avait l'esprit trop chamboulé pour répondre. Elle se massa les tempes pour tenter d'y voir plus clair dans le chaos de sa mémoire. Il lui fallait être sûre de ce qu'elle allait avancer.

— Veux-tu que j'appelle Elwin ? proposa le père de Fitz.

Inquiet, il s'était levé d'un bond. Elle agrippa sa cape.

— C'était lui.

— Que veux-tu dire ?

— M. Forkle. C'est lui qui nous a secourus.

L'affirmation lui semblait tellement ridicule qu'elle avait envie de rire. Pourtant, c'était la vérité. Elle le savait.

— M. Forkle, répéta Alden.

Elle acquiesça.

— Il commence toutes ses phrases par : « Vous, les gamins ». L'homme qui nous a sauvés aussi.

— Il pourrait s'agir d'une simple coïncidence.

— Non, c'était bien lui.

Elle s'enfonça dans les oreillers, comme pour faire de la place à l'énormité de cette révélation.

— M. Forkle est un elfe.

Alden s'assit à ses côtés.

— Tu en es sûre?

Elle voulait répondre par l'affirmative, pourtant…

Elle saisit le journal mémoriel et y projeta le portrait de M. Forkle tel qu'il apparaissait dans ses souvenirs. Ridé. En surpoids. Il devait y avoir une erreur.

Alden jeta un coup d'œil sur le carnet et hoqueta de surprise.

— C'est bien un elfe.

— Mais il est vieux.

— Il a exactement l'allure d'un elfe qui aurait mangé des froisselles. Tu vois comme sa peau semble étirée? Le corps enfle et se ride à mesure qu'il digère les baies.

— C'est vrai qu'il sentait les pieds, dit Sophie. Peut-être à cause des baies.

Alden, les yeux perdus dans le vide, se passa une main dans les cheveux.

— Ce qui expliquerait pourquoi, ce jour-là, le kidnappeur a renoncé. Il s'est rendu compte que ton voisin était plus puissant que lui. Je suis sûr que le Cygne Noir avait chargé son élément le plus compétent de veiller sur toi.

L'Émissaire semblait se faire des reproches.

— J'aurais dû me douter qu'ils ne te laisseraient pas seule. Ils avaient besoin de quelqu'un à proximité pour te protéger.

Alden avait raison. M. Forkle avait toujours veillé sur elle. Lorsqu'elle s'était cogné la tête, c'est lui qui avait appelé les secours. Il lui demandait toujours comment allaient ses migraines. Il devait être au courant de sa télépathie.

— Mais alors… pourquoi est-ce que je pouvais entendre ses pensées? Son esprit n'aurait-il pas dû être silencieux?

— Il s'agissait d'un élément-clef de son camouflage. Un Télépathe hautement qualifié peut diffuser des pensées de la même façon que les humains. Il donnait le change afin

467

que tu ne le soupçonnes pas. Je parie que c'est ainsi qu'ils ont implanté certains des souvenirs dans ton cerveau. Il devait avoir accès à ton esprit pour y envoyer des messages subliminaux quand le besoin s'en faisait sentir.

M. Forkle, un Télépathe?

Elle inspira un grand coup, comme frappée d'une révélation.

— Il était présent quand je me suis cogné la tête… lors de l'accident qui a déclenché ma télépathie à l'âge de cinq ans. Pensez-vous qu'il aurait pu me faire quelque chose?

— C'est possible. Je ne sais pas ce qui les aurait poussés à déclencher un de tes pouvoirs à cet âge, mais peut-être M. Forkle aura-t-il décidé de profiter de ton coma. La télépathie est plus facile à activer de cette façon. Non que je m'y sois déjà essayé. En fait, je me demande…

Mais il ne finit pas sa phrase.

— Quoi donc? le pressa-t-elle.

— Je me demande si c'est la raison pour laquelle tu as développé des capacités supplémentaires depuis ton enlèvement. Il aurait pu en déclencher certaines après t'avoir sauvée. C'était justement les talents dont tu avais besoin pour survivre et échapper à tes ravisseurs.

Elle ne se rappelait pas tout, mais elle se souvenait avoir eu la sensation de retrouver ses cinq ans. Était-ce parce qu'il lui avait fait la même chose qu'à cette époque-là?

Elle secoua la tête. La coupe était pleine.

Toute sa vie, elle avait été contrôlée, manipulée… et voilà que ce n'était pas terminé.

— Pourquoi? demanda-t-elle, prise d'une furieuse envie de jeter quelque chose. Pourquoi me confier à des humains? Pourquoi tous ces secrets? Dans quel but?

Alden se leva pour faire les cent pas.

— Je n'en sais rien, murmura-t-il. J'ai toujours supposé qu'ils voulaient te dissimuler à nos yeux. Mais peut-être est-ce plus complexe. Dis-moi… pourquoi avoir pris de tels risques pour capturer le Grand Brasier ?

Elle fut surprise de la question.

— Il y avait eu des morts.

— Des morts parmi les Hommes, rectifia-t-il. Personne ne s'en souciait assez pour agir, à part toi. Tu ne peux pas nier que ton éducation a pesé sur ta décision. Le Cygne Noir comptait peut-être là-dessus depuis le début. Si tu as raison, et s'ils œuvrent effectivement contre cet autre groupe de rebelles qui semblent vouloir détruire les humains… alors sans doute croyaient-ils plus sage d'avoir dans leur rang quelqu'un qui se soucierait du sort des Hommes.

— Je ne fais pas partie du Cygne Noir.

— Ce qui ne veut pas dire qu'ils ne veulent pas de toi parmi eux.

Il s'arrêta pour jeter un regard par la fenêtre.

— Seuls les membres du Cygne Noir connaissent la vérité. Il est temps de les retrouver pour les interroger.

À l'entendre, il suffisait de les chercher dans l'annuaire.

— Ils vous échappent depuis des années. Qu'est-ce qui vous fait croire que cette fois vous les attraperez ?

Il brandit le journal mémoriel.

— Nous allons comparer ces images à la base de données du Service des identités. Il sera peut-être difficile de découvrir qui est ton voisin, mais nous passerons tous les Télépathes au crible afin de le retrouver, et il nous mènera au Cygne Noir. Dans le même temps, nous utiliserons l'autre image pour identifier ton ravisseur. Une fois que nous lui aurons mis la main dessus, nous pourrons sonder son esprit pour retrouver ses complices.

Sophie plia les genoux contre sa poitrine.

— Je lui ai dit que je l'avais reconnu. Maintenant, il doit sûrement se terrer quelque part.

— On ne nous échappe pas aussi facilement.

— Sans vouloir vous vexer, je ne suis pas d'accord. Le Cygne Noir m'a cachée pendant douze ans… et ce n'est que lorsqu'ils vous ont mis sur ma piste que vous m'avez retrouvée. Les ravisseurs nous ont emmenés et gardés à Paris sans que vous vous en rendiez compte. Ils ont placé chez les humains des cristaux de saut dont personne ne connaît l'existence en dehors des autres rebelles. J'ai l'impression qu'il est plus facile de se cacher ici que chez les humains. Là-bas, au moins, ils disposent de caméras de surveillance, de policiers et de détectives.

Alden soupira.

— Je sais que tu as cette impression, mais essaie de comprendre, Sophie. Les Hommes ont mis en place de telles mesures parce que conspirations, incendies et autres enlèvements sont monnaie courante chez eux. Ici, nous n'avons jamais rencontré ce genre de problèmes. Du moins jusqu'à récemment. Des millénaires durant, le Conseil a régné en maître, constitué des membres les plus sages et les plus talentueux de notre société, qui travaillaient main dans la main pour le bien de tous. Personne ne remettait en cause leur autorité. Mais ces dernières décennies, tout a changé.

— Pourquoi ?

— Parce que les humains ont développé des armes assez puissantes pour détruire la planète. Il y a une soixantaine d'années, une mesure qui visait à créer un nouveau Sanctuaire réservé aux humains a été soumise devant le Conseil. Le but était de déplacer les Hommes pour le bien de la Terre, mais aussi pour leur propre sécurité. Cette proposition a été accueillie avec enthousiasme. Nombreux étaient les elfes influents à en avoir assez de vivre tapis dans l'ombre alors que les humains saccageaient la planète. Mais le Conseil a refusé : il ne souhaitait pas séquestrer une espèce douée d'intelligence. À mon humble avis, il a eu raison.

Sophie acquiesça. Les humains seraient effondrés de se retrouver ainsi déracinés.

— Les partisans de cette initiative en voulaient au Conseil. Certains ont demandé la démission de ses membres, et plus particulièrement de Bronte, le plus fervent opposant à ce projet, et menacé d'agir malgré la décision des Conseillers, qui n'ont pas pris ces avertissements au sérieux. À la place, ils ont interdit tout contact avec les Hommes et recruté des Télépathes comme moi afin de surveiller la moindre activité humaine suspecte. On n'a plus jamais entendu parler de rébellion et le Conseil s'en est réjoui. La crise était résolue.

Il soupira.

— Depuis cette époque, je soupçonnais les rebelles d'avoir rejoint la clandestinité… mais jamais je n'aurais deviné qu'il y avait plusieurs groupes. Je crains de m'être montré aussi aveugle que le Conseil.

Visiblement abattu, il fixait le plancher.

— Même après avoir retrouvé ton ADN, pas un des Conseillers n'a voulu croire à ton existence, ni à un quelconque lien avec la rébellion. Voilà pourquoi la situation a été si mal gérée. Maintenant, ils ne peuvent plus faire la sourde oreille. Un elfe qui tente de brûler les Cités interdites à l'aide du Grand Brasier. Une équipe d'alchimistes qui passent leurs journées à produire du Frissyn pour éteindre les incendies à travers le globe. Deux enfants enlevés par un Pyrokinésiste non répertorié et retenus prisonniers pendant que nous leur organisons des funérailles…

Sa voix se brisa. Il marqua une pause avant de s'éclaircir la gorge.

— Le Conseil a été contraint d'admettre l'existence d'une rébellion et je puis t'assurer que cette menace va être éliminée. Nous disposons d'un immense pouvoir, même si nous n'en avons pas encore usé.

Sophie attrapa Ella, qu'elle serra contre son cœur pour masquer son tremblement.

Elle avait du mal à le croire, en dépit de sa bonne volonté. Les rebelles semblaient intelligents et très bien organisés. S'ils voulaient mettre la main sur elle, nul doute qu'ils parviendraient à leurs fins.

Mais elle disposait d'un garde du corps. Qui veillerait à sa sécurité… même si l'idée qu'un géant gris la suive en permanence ne l'enchantait guère.

— Je te sens encore inquiète, Sophie, et je ne peux pas te le reprocher. Mais fais-moi confiance. La rébellion sera bientôt matée, maintenant que le Conseil a ouvert les yeux. Tout individu impliqué dans l'affaire sera traîné devant la justice.

La jeune fille s'efforça d'ignorer le fait que l'elfe à la voix spectrale se promenait dans la nature, fomentant sa revanche.

— Je l'espère, murmura-t-elle. Je vais essayer de provoquer d'autres souvenirs susceptibles de vous aider.

— Surtout pas.

Alden s'assit à côté d'elle.

— Je ne veux plus que tu t'impliques dans cette histoire. Tu nous as déjà beaucoup aidés et tu disposes de pouvoirs extraordinaires, mais tu n'as que douze ans.

— Treize, rectifia-t-elle.

Elle venait juste de se rappeler qu'elle avait gagné un an quelques mois auparavant. Étant donné leur longévité exceptionnelle, les elfes ne prêtaient guère attention aux anniversaires, aussi avait-elle oublié le sien.

— Très bien. Treize ans. Ce qui reste trop jeune pour être mêlée à une conspiration. J'aimerais que tu me fasses une nouvelle promesse.

Il attendit qu'elle le regarde dans les yeux.

— Promets-moi d'être une jeune fille de treize ans normale et heureuse. D'aller en cours. De te faire des amis. De t'enticher de garçons. De t'amuser. Et non de t'inquiéter de messages secrets, complots ou rébellions. De laisser tous ces ennuis aux vieux grincheux comme moi.

— Mais je ne suis pas une jeune fille comme les autres. J'ai des pouvoirs que personne ne comprend, et on a implanté dans mon cerveau des secrets pour lesquels certains seraient prêts à me tuer.

— Tu as sans doute raison, mais ce n'est pas pour autant que tu ne peux pas mener une vie normale. Il ne te reste plus que sept ans pour profiter de ton adolescence. Ne les gaspille pas. Promets-moi de faire un effort.

Une vie normale. Voilà qui semblait trop beau pour être vrai.

Et qui l'était.

Après tout ce qu'elle avait affronté, elle s'était faite à l'idée de ne jamais vraiment trouver sa place. Il était temps qu'elle l'accepte pour de bon.

— J'essaierai, lui assura-t-elle, à condition que vous me promettiez de venir me trouver si jamais un incident grave se produit et que vous avez besoin de moi. En dépit de mon âge.

Il soutint son regard comme s'il attendait de la voir ciller. En vain.

— Tu es coriace, concéda-t-il. Mais marché conclu.

— Très bien. Dans ce cas, vous avez ma parole.

— Le Conseil sera heureux de l'entendre. Et ce signe de bonne volonté devrait t'aider lors de ton audience.

— Mon audience ?

Il baissa les yeux.

— Bronte insiste toujours pour te traduire en justice suite aux infractions commises lorsque tu as capturé le Grand Brasier. Le Conseil doit par ailleurs statuer sur ton avenir à Foxfire.

Elle arracha un de ses cils. Elle avait oublié combien son avenir était incertain.

— Quand ?

— Pas tout de suite. Ils ont accepté d'attendre que tu aies repris des forces.

— C'est déjà fait.

— Il y a trois jours, une banshee dormait toujours à tes côtés, et nous craignions de devoir organiser de vraies funérailles.

— Je vous en prie, ne me faites pas attendre. Je ne supporte pas l'incertitude.

Alden étudia longuement le visage de la jeune fille avant de répondre.

— Si c'est vraiment ce que tu veux, je peux m'arranger pour que ton audience ait lieu dès demain.

Elle acquiesça.

— Je suis prête.

Chapitre 49

Sophie prit place sur une estrade, Alden à ses côtés, pour faire face aux douze Conseillers dans la Salle du tribunal, qui cette fois était bondée. Amis, Mentors, inconnus. Même ses ennemis étaient là. Stina ricana quand Bronte se leva pour énumérer les chefs d'accusation.

Entre les lois, décrets et sous-directives, elle avait commis, véritable record, un total de seize transgressions (cinq majeures, onze mineures). La moitié au moins pouvait lui valoir l'exil.

Et pourtant, elle n'avait pas peur.

On l'avait droguée et interrogée, on avait torturé son meilleur ami sous ses yeux en représailles de sa tentative d'évasion, et elle avait lutté de toutes ses forces pour ne pas s'évaporer. Quelle que soit la décision du Conseil, ce serait une promenade à côté de tout ce que Sophie avait déjà enduré.

C'est pourquoi ses jambes ne tremblèrent pas quand la jeune fille s'avança à la barre pour se défendre et qu'elle soutint stoïquement le regard de Bronte. Sa révérence était toujours aussi disgracieuse (elle entendit Stina se gausser lorsqu'elle perdit l'équilibre à la fin), mais elle garda la tête haute face au Conseil et à ses fastes.

— Mademoiselle Foster, dit Emery d'une voix chaleureuse. Au nom du Conseil unanime, je souhaite vous exprimer notre soulagement de vous voir saine et sauve. Nous aimerions également vous assurer que nous retrouverons les responsables de votre enlèvement pour les traduire en justice.

— Je vous remercie, dit-elle, fière de la force qui transparaissait dans sa voix.

— Ceci étant, vous faites face aujourd'hui à de très lourdes accusations. Qu'avez-vous à dire pour votre défense?

Elle avait passé une nuit blanche à rédiger des excuses parfaites, qu'elle avait néanmoins jetées au matin avant de quitter Everglen. Elle ne regrettait aucun de ses actes, et elle n'allait pas prétendre le contraire. De toute façon, Oralie saurait qu'elle mentait.

Sophie s'éclaircit la voix pour s'adresser au Conseil dans son ensemble, y compris Bronte.

— Il n'a jamais été dans mon intention d'enfreindre la loi et je ne compte pas récidiver. Mais des êtres ont perdu leur logement. D'autres, la vie. Je sais que ce sont des humains, mais je ne pouvais pas rester les bras croisés. Je regrette qu'il s'agisse d'un crime. Je ne contesterai pas votre verdict si vous décidez de me punir pour mes décisions, mais j'ai l'intime conviction d'avoir agi selon mon devoir. Je préfère encore être punie pour avoir fait le bon choix que vivre avec la culpabilité de m'être trompée pour le restant de mes jours.

Murmures et chuchotements emplirent la pièce. Emery se racla la gorge. Lorsqu'il ferma les yeux et posa les mains sur ses tempes, le silence se fit.

La plupart des Conseillers ignorèrent Sophie pendant leur débat, à l'exception de Terik qui se tourna vers elle pour lui adresser un clin d'œil discret lorsque leurs regards se croisèrent. Elle espérait que c'était bon signe, mais rien ne le lui assurait. Emery leva les mains pour faire taire les disputes qui grondaient dans son esprit. Une expression indéchiffrable sur le visage, il fixa longuement Sophie.

— Merci de votre honnêteté, mademoiselle Foster. Si certains parmi nous considèrent votre attitude comme irrévérencieuse et indisciplinée… (Il jeta un regard à Bronte.) Nul ne peut nier que vos actes ont mis au jour un problème et une conspiration que nous avions nous-mêmes sous-estimés, et pour cela nous vous exprimons notre gratitude. Cependant, nous ne pouvons tout simplement ignorer le fait que la loi a été enfreinte.

Retenant son souffle, Sophie se prépara au pire. Murmures et chuchotements bourdonnaient dans ses oreilles comme de la friture.

— Le débat faisait rage quant au châtiment approprié, poursuivit Emery avec un autre regard vers Bronte, mais nous sommes parvenus à une décision. Prise à l'unanimité.

Il se racla la gorge.

— Nous, vos dirigeants, avons échoué à vous protéger, à empêcher vos récentes mésaventures, et par conséquent nous pensons inapproprié de vous punir plus avant. Vos transgressions seront enregistrées sur votre casier judiciaire de façon permanente, mais votre punition, quant à elle, sera notée comme « déjà effectuée ». Fin de l'incident. Est-ce bien clair ?

Il fallut un instant à la jeune fille pour saisir le sens des paroles du Conseiller, et un autre encore pour que son cerveau en ébullition réalise que l'elfe attendait une réponse.

— Oui, chanta presque Sophie.

Autour d'elle, les murmures s'étaient mués en clameur.

Punition déjà effectuée. Était-ce vraiment tout ? L'incident était-il définitivement clos ?

— Ce qui nous amène à la question de votre scolarité à Foxfire! cria Emery par-dessus le brouhaha.

Ses mots acérés comme une épingle crevèrent la bulle de bonheur dans laquelle l'adolescente flottait déjà.

Le silence se fit sur l'assemblée. Le cœur de Sophie battait la chamade.

— Mademoiselle Foster, vous avez été admise à Foxfire à titre provisoire, dans l'attente d'une révision de la décision une fois vos capacités évaluées. Suite aux incidents malheureux évoqués plus tôt, vous avez cependant manqué la totalité de vos examens finaux et donc échoué dans toutes les disciplines. Or, afin de préserver l'intégrité de notre système d'évaluation, nous ne pouvons vous autoriser à rattraper vos examens. Votre cas, inédit, est donc difficile à trancher.

Bronte ouvrit la bouche mais fut aussitôt interrompu par Emery.

— Votre suggestion a bien été enregistrée, Conseiller Bronte. Nous espérons cependant entendre quelques avis supplémentaires avant d'émettre un verdict. Je me tourne vers les Mentors de mademoiselle Foster. L'un d'entre vous voit-il une solution à la question des notes ?

Les Mentors de Sophie, au complet, se levèrent de leurs sièges au premier rang pour adresser leurs respects au Conseil. Les murmures reprirent de plus belle.

— Si je puis me permettre une suggestion, offrit Tiergan, qui lissait sa cape bleue élaborée.

Il avait fait un effort pour l'occasion : sa tenue était plus extravagante encore que celle de Lady Galvin.

— Ah! Sir Tiergan, dit Emery d'une voix plus dure. Voilà bien longtemps que vous n'avez paru devant nous.

— En effet. Et j'espère que cette fois, mon appel aura quelque effet, murmura-t-il.

D'un revers de la main, Emery lui signifia qu'il pouvait prendre la parole. Tiergan avança d'un pas traînant.

— Sophie est la Télépathe la plus talentueuse avec laquelle il m'ait été donné de travailler, et je ne puis envisager qu'elle échoue pour quelque raison que ce soit. Si vous souhaitez avoir la preuve de ses talents, je ne puis imaginer plus probant que le fait qu'elle ait réussi à transmettre un message à Fitz sur une distance phénoménale et à lui envoyer une image mentale afin de le mener à elle. Le tout alors qu'elle s'évaporait! Pour cette seule raison, je lui donne la note maximale, si le Conseil m'y autorise.

Sophie lutta contre l'envie de traverser la pièce en courant pour aller embrasser son Mentor.

Le silence se fit quelques instants avant qu'Emery ne hoche finalement la tête.

— En effet. Mais si elle poursuit sa scolarité à Foxfire, il lui faudra un Mentor. Or nos dossiers indiquent que vous n'avez pas choisi de poursuivre sur la voie de l'enseignement.

— Je serais prêt à étendre mon mandat, attendu que Sophie reste en tant que prodige, affirma Tiergan.

Il prononça ces paroles les yeux rivés sur la jeune fille.

Elle hocha la tête, espérant qu'il sache à quel point elle appréciait son sacrifice. Elle se rappelait combien il détestait faire partie de la noblesse.

— Excellent.

Emery se tourna vers les autres Mentors.

— Quelqu'un d'autre aurait-il une déclaration à faire?

Lady Anwen fit un pas en avant.

— Sophie en sait plus sur l'espèce humaine que n'importe quel autre prodige, aussi serais-je ravie de lui octroyer la note maximale en études multiespèces, dans lesquelles elle avait déjà d'excellents résultats.

Plusieurs Conseillers signifièrent leur approbation d'un signe de tête. Bronte grommela.

— Le simple fait qu'elle ait été capable d'empêcher son évaporation apporte une réponse satisfaisante au débat concernant la suprématie de l'esprit sur la matière, ajouta Sir Faxon. Ce qui devrait en tout état de cause se traduire par une note maximale en métaphysique.

Il salua le Conseil et céda la place à Lady Dara, qui fit une révérence compliquée.

— Sophie ne s'est pas contentée d'apprendre l'histoire : elle l'a écrite. Un jour, on lui consacrera des manuels, et je ne les laisserai pas rapporter qu'elle a reçu moins de la note maximale dans cette discipline.

L'espoir étreignit le cœur de Sophie, qui tenta de l'étouffer. Ses Mentors les plus exigeants ne s'étaient pas encore exprimés. Elle retint son souffle quand Lady Alexine s'avança.

— Je pense que le simple fait que mademoiselle Foster ait pu sauter avec un ami blessé, sans nexus, et que tous deux en soient sortis vivants suffit à lui valoir une note maximale en éducation physique.

— Elle a en outre découvert une étoile non répertoriée, contribua Sir Satin. Sans parler du fait qu'elle a mémorisé tous les astres. Elle mérite incontestablement la note maximale en Univers.

À présent, tous les Conseillers souriaient, à l'exception de Bronte. Il adressa un regard assassin à Sir Conley lorsque le Mentor salua les membres du Conseil avant de se racler la gorge.

— Sophie est parvenue à mettre en bouteille un échantillon du Grand Brasier... un exploit dont je ne suis pas sûr d'être moi-même capable. Il serait absurde de ne pas lui donner la note maximale en élémentalisme.

L'assemblée parut retenir son souffle pendant que tous les yeux se tournaient vers Lady Galvin, qui se dressa derrière ses collègues, jouant avec les joyaux de sa robe violet foncé.

— Quelque chose à ajouter ? demanda Emery devant son mutisme.

Lady Galvin s'éclaircit la voix.

— Cette décision va me valoir les foudres de mes collègues, mais mademoiselle Foster a tout juste réussi l'examen de mi-semestre dans ma discipline, laquelle lui a donné de grandes difficultés tout au long de l'année. Je ne puis raisonnablement valider l'unité.

Un silence de mort s'abattit sur la salle. Emery fronça les sourcils.

— Rien ne pourrait vous faire changer d'avis ?

Lady Galvin se tourna vers Sophie en secouant la tête.

— Je regrette.

Elle semblait sincère.

La foule bourdonna de murmures insatisfaits, par-dessus lesquels Sophie perçut le ricanement de Stina. Que n'aurait-elle donné pour être une Éclipseuse et disparaître !

— Voilà qui est malheureux, soupira Emery.

Il se tourna vers ses collègues, qui secouaient la tête, à l'exception de Bronte dont le sourire suffisant faisait penser à une araignée qui avait attrapé une mouche.

— Il semble que nous ayons les mains liées. Nous ne pouvons autoriser mademoiselle Foster à poursuivre ses études si elle n'a pas le niveau dans l'ensemble des huit matières. Peut-être pourrions-nous l'autoriser à redoubler ?

La pièce tangua et Sophie chancela sur ses pieds. Redoubler était toujours mieux que partir à Exillium, bien sûr. Mais elle serait tout de même abandonnée par ses amis.

— Puis-je proposer une solution alternative? intervint Alden avec un salut élégant.

Sophie retint son souffle et Emery fit signe à l'elfe de poursuivre.

— Le règlement stipule qu'elle doit avoir le niveau dans huit matières pour passer. Non qu'elle doit réussir dans ces huit matières en particulier. Or, les événements récents nous ont révélé que Sophie avait développé une seconde spécialité.

Alden marqua une pause pour permettre aux chuchotements de se dissiper.

— À l'évidence, elle devrait pouvoir être autorisée à passer la matière correspondant à ladite spécialité. Partant de là, il semblerait non seulement pratique mais aussi plus prudent de remplacer ses cours d'alchimie, discipline dans laquelle elle n'a clairement aucun avenir... (Il adressa un sourire à la jeune fille.) Par des cours d'instillation.

Le tumulte de l'assemblée, qui remuait sur les sièges, reflétait la gêne qu'éprouvait Sophie. Elle n'était guère ravie de se savoir capable d'instiller de la douleur chez les autres sur commande, et elle n'avait pas vraiment envie de progresser dans ce sens. Mais si elle pouvait ainsi accéder à l'année supérieure à Foxfire, le jeu en valait la chandelle.

Emery se caressa le menton.

— Voilà qui semble logique.

— Absolument pas! aboya Bronte, le front barré par une veine battante. Je refuse.

— La décision ne vous appartient pas, l'informa Emery avec un sourire. Une capacité aussi volatile que l'instillation requiert une décision à la majorité, et... (Il ferma les yeux.) Nous l'avons. Onze contre un en faveur de la proposition. Voilà qui conclut les débats. Mademoiselle Foster pourra poursuivre sa scolarité à Foxfire et sa session d'alchimie sera remplacée par de l'instillation.

Un cri de joie retentit : Dex ou Keefe ? Sophie n'aurait su le dire. L'assemblée au grand complet se confondit en applaudissements et acclamations. Sophie dut crier pour se faire entendre par-dessus le vacarme.

— Alors… j'ai réussi ? demanda-t-elle à Alden. Je peux rester ?

Il acquiesça. La jeune fille voulut sourire mais le regard noir de Bronte était si plein de haine qu'il manqua de la faire vaciller.

Le Conseiller fit taire l'assistance.

— Vous pouvez m'obliger à l'entraîner dans ma discipline, mais sa note finale sera de mon ressort, et je puis vous garantir qu'elle échouera.

Des murmures furieux s'élevèrent dans la salle. Sophie se tourna vers Alden.

— Je vais avoir Bronte comme Mentor ?

Elle priait pour qu'il s'agisse d'une erreur, mais Alden lui confirma d'un signe de tête.

— Bronte est le seul Instillateur répertorié à part toi. C'est un don très rare.

Elle était horrifiée. À côté de Bronte, Lady Galvin avait l'air d'un ange.

— Mais… il va tout faire pour que j'échoue !

— Nous nous en préoccuperons le moment venu. Pour l'heure, réjouis-toi d'avoir gagné une année supplémentaire à Foxfire.

Il avait raison, elle le savait. Difficile pourtant d'envisager sereinement une année en tête à tête avec Bronte… et qui plus est pour apprendre comment instiller la douleur ! Elle ne voulait même pas imaginer les moyens qu'il emploierait pour enseigner une discipline pareille. L'année à venir s'annonçait fort intéressante.

— Il nous reste une dernière question à traiter avant de clore cette audience, annonça Emery en rappelant la salle à l'ordre. Il s'agit cependant d'un sujet très délicat, pour lequel il serait préférable, je pense, de n'accueillir que la famille et les proches. Si le reste de l'assistance veut bien quitter la salle…

Il attendit que la foule ait évacué les lieux avant de s'adresser à Sophie.

— Il semble que nous ayons deux demandes d'adoption à votre nom, mademoiselle Foster. L'une vient d'Alden et Della Vacker, l'autre de Grady et Edaline Ruewen. Le Conseil estime que le choix vous revient, aussi nous en remettrons-nous à votre décision.

Sophie fit volte-face et chercha ses tuteurs des yeux. Grady lui adressa un grand sourire.

— À toi de décider, Sophie. Quel que soit ton verdict, nous t'aimerons toujours.

Edaline acquiesça, les yeux un peu humides.

Sophie sursauta quand la main d'Alden se posa sur la sienne. Elle avait oublié qu'il se tenait toujours à ses côtés.

— Della et moi ne souhaitons que ton bonheur. Quel que soit ton domicile, nous serons toujours là pour toi.

Sophie acquiesça et avala sa salive. La jeune fille tentait de démêler l'écheveau de ses émotions.

Elle se tourna de nouveau vers Grady et Edaline pour contempler les joues baignées de larmes et les cernes de l'une, et les yeux rouges et la mâchoire crispée de l'autre. Elle savait ce qu'elle avait à faire. Ce qu'elle voulait faire.

— Voulez-vous un peu de temps pour réfléchir? lui demanda Emery.

— Non, j'ai décidé.

Elle prit une profonde inspiration et chassa toute émotion de sa voix en s'adressant au Conseil.

— Je souhaite vivre avec Grady et Edaline Ruewen.

Elle n'aurait su dire qui avait crié le plus fort, de ses tuteurs ou de Dex.

Elle esquissa une dernière révérence, puis Emery clôtura la séance. Les Conseillers disparurent.

Alden serra Sophie dans ses bras.

— Je suis tellement fier de toi, murmura-t-il. Et je pense que tu as fait le bon choix.

— Je suis aussi de cet avis, dit-elle, ravie qu'il se montre aussi compréhensif.

Vivre avec Alden et Della aurait été formidable, mais Grady et Edaline avaient besoin d'elle. Et c'était réciproque. Elle ne remplacerait jamais Jolie, de même qu'ils ne remplaceraient jamais les parents qu'elle avait perdus. Mais ils pouvaient néanmoins se serrer les coudes.

Alden la conduisit dehors, où tous ses amis s'étaient rassemblés sous le feuillage de l'un des purs. Grady la souleva de terre et la fit tournoyer deux fois avant de la reposer pour qu'Edaline puisse l'embrasser jusqu'à l'étouffer.

— Tu n'auras pas à regretter ta décision, murmura sa tutrice en déposant un baiser sur sa joue. Je te le promets.

— Je le sais, répondit Sophie. Je vous aime, tous les deux.

— Nous aussi.

Grady l'écrasa à son tour contre lui, et lorsqu'il s'écarta, il avait les yeux baignés de larmes. Sophie frotta les siens du dos de la main.

— Pour information, je suis vraiment heureux qu'ils ne t'aient pas exilée, déclara Dex, qui la prit maladroitement dans ses bras. Et je suis vraiment heureux que tu ne deviennes pas une Vacker, lui chuchota-t-il à l'oreille.

Sophie leva les yeux au ciel, mais avec un sourire au coin des lèvres. Certaines choses ne changeraient jamais… mais était-ce vraiment un mal ?

— Alors, on n'a pas envie de vivre avec nous ? plaisanta Fitz avec un coup de coude. Très bien, je vois.

— Ne m'en parle pas, confirma Keefe. Un jour, tu sauves une fille, et le lendemain elle t'échange comme une vulgaire épingle de papotin.

Biana se fraya un chemin entre les deux garçons.

— Elle ne pouvait sans doute supporter l'idée de vous côtoyer vingt-quatre heures sur vingt-quatre… et je la comprends !

Sophie gloussa.

— Vous ne m'en voulez pas ?

— Du tout. Une petite sœur, c'est bien assez à mon goût ! dit Fitz, qui esquiva aussitôt le coup de Biana. Je suppose que je devrai me contenter d'être ton ami.

— Ça me va.

Le cœur de la jeune fille s'emballa lorsque leurs regards se croisèrent et elle recula avant que Keefe puisse remarquer le changement d'ambiance. Amie, voilà qui lui convenait bien mieux que petite sœur.

— Tu restes toujours chez nous ce soir ? demanda Biana.

— En fait, je préférerais dormir dans ma chambre… si c'est d'accord.

Elle jeta un regard à Grady et Edaline, qui acquiescèrent avec un sourire.

Della attira Sophie dans une étreinte.

— N'oublie pas de nous rendre visite de temps à autre.

— Promis.

— Tu as intérêt! Tiens, nous avons quelque chose pour toi.

Della tendit à Sophie une petite boîte bleu pervenche.

— Pour te féliciter d'avoir survécu à une nouvelle audience.

Keefe s'esclaffa.

— Du pur Foster, ça, de passer deux fois devant le tribunal en neuf mois!

L'intéressée l'ignora et sortit un nexus noir de la boîte. Il était presque identique à celui que ses ravisseurs lui avaient subtilisé, à ceci près qu'il était orné de petites volutes de diamants en lieu et place de runes.

— Merci… murmura-t-elle.

Sophie effleura la pierre bleue qui scintillait au centre du bracelet.

— Je sais combien tu étais attachée à l'autre, alors j'ai essayé d'en trouver un semblable, avec une touche plus féminine. J'espère qu'il te plaît.

— Il est parfait.

— Ta concentration est assez forte pour que tu puisses t'en passer, mais Elwin ne tient pas à ce que tu sautes sans tant que ton organisme ne sera pas remis, expliqua Alden, qui verrouilla le nexus sur le poignet de la jeune fille. Il ne se défera que lorsque Elwin aura décidé que tu es prête. Il nécessite une clef spéciale. Quant à eux, ils viennent du Service des identités, ajouta-t-il.

Il présenta à Sophie et à Dex deux nouveaux pendentifs. Plus sophistiqués que les précédents, ils possédaient un cristal triangulaire à neuf facettes, encadré de chaque côté par de petites perles de cuivre. Des cordons supplémentaires avaient été tissés dans la chaîne afin de la renforcer.

— Mesures de sécurité complémentaires, précisa Alden.

Edaline souleva la chevelure de Sophie pour lui attacher le collier autour du cou. Sophie serra son pendentif. Elle était enfin elle-même. Elle serait toujours un peu différente, mais à sa manière, elle avait enfin trouvé sa place. Et avec cette protection renforcée, elle pourrait presque oublier ses ravisseurs.

Presque.

Elle saisit les mains de ses tuteurs. Elle se sentait plus en sécurité avec quelqu'un à qui se raccrocher. Non, pas seulement quelqu'un. Sa famille.

— Prête à y aller ? demanda Edaline en serrant sa main plus fort.

— Je crois, oui.

Elle jeta un dernier regard aux visages souriants de ses amis. Ils étaient en sécurité. Elle aussi. Tout se passerait bien.

Grady resserra son étreinte et brandit l'éclaireur vers la lumière.

— Allons-y, dans ce cas. Rentrons chez nous.

Elle acquiesça, laissant les paroles de son tuteur bercer son cœur.

Ils firent un pas dans le rayon, et une chaleur réconfortante qui n'avait rien à voir avec la lumière trépidante s'empara de Sophie.

Le voyage avait été long et difficile, mais elle savait enfin où était sa place.

Sophie Foster rentrait chez elle.

Remerciements

Ceci est peut-être la section du livre que j'aurai pris le plus de plaisir à écrire, car elle me permet de remercier enfin les nombreuses personnes qui m'ont aidée à façonner cette histoire. Je n'exagère pas quand j'affirme que je n'aurais pas pu y arriver sans elles.

À mon incroyable agent, Laura Rennert : merci d'avoir donné sa chance à cette blondinette d'une extrême timidité rencontrée dans une conférence, et pour l'avoir supportée au long de tous ces e-mails-fleuves, ces questions incessantes et ces nombreuses péripéties. Je n'aurais pu trouver meilleure source de sagesse, d'encouragement ou de soutien pour me guider lors de ce périple.

Je dois également remercier Lara Perkins pour ses brillantes remarques concernant mon histoire, et avec elle, toute l'équipe d'Andrea Brown Literary Agency, qui m'a prouvé que j'étais dans la meilleure agence littéraire au monde. Mes sincères remerciements à Taryn Fagerness pour s'être faite la championne de cette série, et pour m'avoir aidée à la partager avec le monde entier.

À mon extraordinaire éditrice, Liesa Abrams Mignogna. Ce fut à la fois un honneur et une joie de travailler avec toi.

Je me réjouis de chaque e-mail, chaque texte, chaque note éditoriale rédigée sur papier à en-tête Batman. Merci de m'avoir permis de travailler avec ma Jumelle Magique, et aidée à faire de mon ébauche le roman dont j'avais toujours rêvé.

Je dois également remercier toute l'équipe de Simon & Schuster pour avoir cru en ce projet et lui avoir consacré temps, amour et enthousiasme, en particulier Alyson Heller, Lauren Forte, Bethany Buck, Mara Anastas, Anna McKean, Carolyn Swerdloff, Julie Christopher et Lucille Rettino. D'immenses remerciements aussi à toute l'équipe commerciale pour son dur labeur et son soutien, à Karin Paprocki pour avoir conçu cette magnifique couverture, et à Jason Chan dont la sublime illustration m'a absolument époustouflée. Et merci tout particulièrement à toi, Venessa Carson, pour avoir été la meilleure des entremetteuses.

À Faith Hochhalter : tu ne me connaissais pas encore quand j'ai participé au Projet Book Babe, mais j'ai à présent l'extraordinaire chance de te considérer comme mon amie. Merci pour m'avoir donné l'inspiration, pour tes remarques précieuses sur mon écriture et, bien sûr, pour une pléthore de câlins et de poneys.

Je dois également remercier tous les auteurs qui ont soutenu le Projet Book Babe. Cet événement a vraiment marqué un cap pour moi, sans lequel je ne sais pas si ce livre aurait vu le jour. Merci de m'avoir aidée à prendre conscience de mes désirs et de m'avoir motivée à me lancer dans cette aventure.

À C. J. Redwine, merci de m'avoir dit que j'étais « la meilleure » au moment où j'en avais le plus besoin. Je n'aurais pu arriver si loin sans tes encouragements, tes campagnes

#cliquesurenvoi et tes messages à la fois hilarants et honnêtes qui m'ont poussée à devenir un meilleur auteur. Ces… points… de… suspension… sont… pour… toi…

À Sara McClung, merci d'avoir lu ce roman autant de fois que moi, d'avoir su naviguer entre tous ces e-mails intitulés « Nouveau jet, annule et remplace le précédent! » (sans compter que j'avais tendance à oublier les pièces jointes), et d'avoir enduré nos innombrables (et inénarrables) séances de brainstorming : je serais tout simplement perdue sans toi.

À Sarah Wylie, membre fondateur de la Team Keefe : merci d'avoir toujours été présente pour me dispenser conseils professionnels, critiques avisées et discussions approfondies sur les boys bands, *Friends* ou *American Idol*, au gré de mes besoins. Tu as incontestablement mérité chacun des « Je te l'avais bien dit! » que tu ne te priveras pas de m'asséner, j'en suis sûre.

À Elana Johnson : merci pour toutes ces idées brillantes que tu as trouvées… et pour m'avoir laissée y mettre mon grain de sel. Merci aussi pour tes fantastiques annotations et commentaires, qui m'ont aidée à retrouver mon chemin dans un océan de révisions.

Je dois également remercier Emma Eisler et Laura Wiseman pour une séance de brainstorming salvatrice qui nous a finalement permis d'aboutir au titre parfait (après des mois de réflexion). Je vous invite à baptiser mes livres quand vous voulez!

À l'équipe de la WriteOnCon dans son ensemble : merci de m'avoir permis de participer à un projet aussi exceptionnel. Mes sincères remerciements à tous les agents, éditeurs, auteurs et participants qui ont donné de leur temps pour faire de cette convention en ligne pour auteurs jeunes adultes ce qu'elle est aujourd'hui.

Jamais je ne pourrai exprimer convenablement ma gratitude à tous les auteurs qui ont toléré mon cyber-harcèlement, répondu à mes questions, et plus généralement traitée d'égal à égale. Je suis sûre que je vais en oublier certains (pardon!), mais je me dois de remercier Jay Asher, Robin Brande, Michael Buckley, Kimberly Derting, Bree Despain, Carrie Harries, Karen Amanda Hooper, P. J. Hoover, Jon S. Lewis, Barry Lyga, Lisa Mantchev, Myra McEntire, Lisa McMann, Stephanie Perkins, Beth Revis, Lisa et Laura Roecker, Veronica Rossi, Lisa Schroeder, Andrew Smith, Natalie Whipple et Kiersten White. Et aux fabuleuses Bookanistas : merci pour nos fous rires et tout le savoir que vous m'avez transmis. Vous êtes les plus incroyables pom-pom girls dont on puisse rêver.

La communauté littéraire en ligne m'a également été d'un extraordinaire soutien, en particulier Myrna Foster, Jamie Harrington, Casey McCormick, Shannon O'Donnell, Courtney Stallings Barr, Carolina Valdez Miller et Heather Zundel. Et à tous les formidables lecteurs de mon blog, merci d'avoir cliqué sur « Suivre » et laissé vos commentaires, et plus généralement de m'avoir fait me sentir bien plus importante que je ne le suis. Je ressens une gratitude de tous les instants à l'idée que vous partagiez un peu de votre temps avec moi.

À mes parents, merci d'avoir cru en chacun des rêves délirants que j'ai poursuivis, sans jamais douter de mes capacités. Je pourrais en dire plus, mais je crois que la dédicace est assez explicite.

Et, le meilleur pour la fin... celui grâce à qui, véritablement, tout est devenu possible. À mon meilleur ami et mari,

Miles : merci pour chacun des sacrifices que tu as consentis afin que je puisse poursuivre ce rêve difficile. Tu m'as encouragée, tenu la main à travers tous les hauts et les bas, et tu as même réussi à ne pas rire (trop fort) la première fois que tu m'as surprise en train de parler à un de mes personnages (ainsi que les nombreuses fois où cela s'est reproduit par la suite). Tu me disais toujours être incapable de m'offrir le contrat d'édition dont j'avais si désespérément envie. Et pourtant, tu l'as fait. Je n'aurais pu y arriver sans toi. Merci d'avoir cru que j'en étais capable, et de m'avoir donné la chance d'essayer d'y parvenir.